FOK

Colofon

ISBN: 978 90 8954 663 0
1e druk 2014

Exemplaren zijn te bestellen via de boekhandel
of rechtstreeks bij de uitgeverij:
Uitgeverij Elikser
Ossekop 4
8911 LE Leeuwarden
www.elikser.nl

Vormgeving omslag en binnenwerk: Evelien Veenstra

FOK

Nanda Huneman

Dit boek is voor een deel gebaseerd op mijn eigen ervaringen. Het onderliggende gevoel van het verhaal is doorleefd. Ik ben op zee opgegroeid en moest leren hoe te aarden op land. Ik heb de oceaan overgestoken en ben daardoor anders naar mezelf en mijn leven gaan kijken.

Toch gaat dit verhaal niet over mij. Ook al heb ik soortgelijke mensen gekend en vergelijkbare dingen meegemaakt, bij elke herschrijfronde is mijn boek fictiever geworden. Gebeurtenissen liepen uit de hand, dialogen namen een eigen wending, personages en plekken werden extremer. Met andere woorden: dit boek is geen waarheidsgetrouw portret van mijn leven, van een plek of van bepaalde personen.

Maar wat is waar? Dit boek gaat onder andere over de onbetrouwbaarheid van ons geheugen. Iedereen onthoudt dingen anders, ieder maakt zijn eigen verhaal. Fictie begint in ons hoofd.

Als ik mijn geheugen als waar bestempel, dan is dit boek niet waar. Maar zoals de schrijfster Jessamyn West ooit zei: fictie onthult waarheden die de werkelijkheid verbergt.

Proloog

Alles piept en kraakt. Het is donker. De golven beuken op ons in. Ik hoor ze breken op de stalen wand van mijn hut. De motor ronkt op volle kracht, de romp trilt als de schroef boven water komt. De wind giert, dat kan ik zelfs hier horen, ver onder dek. Af en toe hoor ik iemand schreeuwen.
Ik heb het warm. Bloedheet. En tegelijkertijd ril ik van de kou. Was ik onder water? Over boord geslagen? Ik weet het niet meer. Mijn hoofd bonkt als een leeg casco, alles echoot. Ik wil wel naar boven om te helpen, maar ik kan me niet bewegen, ik lig voor anker in mijn kooi.
De deur gaat open, iemand komt binnen. Een hand op mijn hete voorhoofd. Inge? Lena? Een zoutige, vette keukenlucht. Ze fluistert in mijn oor dat we heus niet zullen vergaan. Het is Lena. Ze zegt dat Jitse ons zal redden. En Frank. En die nieuwe, zonder naam.

Zullen we vergaan?
Het schip dreunt als we op de golven klappen.
Ik ben allang vergaan.
Er is geen verschil meer tussen boven en onder water.
Ik ben allang verdronken.
Ilona was hier. Heel dichtbij. Ze zwom met me mee. Haar gezicht bleek, haar haren wapperden als zeewier om haar heen. Lief glimlachte ze.

Ik kan me niet focussen, ben duizelig. De planken van het stapelbed boven mij buigen en lopen in elkaar over, alsof ze van water zijn. Alles is van water – ook het staal en het hout. Mijn herinneringen zijn van water, zout water, ik kan mijn hoofd niet boven water houden. Ik verdrink in mijn eigen zoute geheugen.

Ik voel mijn benen niet. En mijn armen tintelen, alsof ze geen armen zijn maar de slierten van een kwal. Ik ben zo slap als een gestrande kompaskwal, die ik vroeger op het strand vond, als ik met Yoerie langs de vloedlijn liep. Yoerie. Papa. Mama. Waar zijn ze?

De motor stopt. Nog meer geschreeuw. Een klap. Nog een. Ik ben op de Maya, midden op de oceaan, opeens weet ik het weer. Een tropische storm.
Er ligt een schoen naast mijn bed, eentje maar.
Golven, lange golven. Donkere luchten. Ik viel, ja dat was het.
Au, het schiet door mijn hoofd. Pijnsteken.
We waren bijna aan de overkant. Toch?
Ergens moet er land zijn, aan de horizon. Ergens moet al dit water ophouden.
We zijn er bijna. Ik weet het zeker.
We zullen niet vergaan. We zullen niet vergaan. We. Zullen. Niet. Vergaan. Nooit.

*

Tara hangt boven de pan. Ze zoekt de o. Als mama roert, ontstaat er een diepe o in de soep. Kolkende kokende o. Die wil ze. Ze heeft een krukje gevonden, dat schuift ze naar het fornuis. Mama is boven op dek. Snel haar o pikken, nu ze net geroerd heeft. Eigenlijk mag ze niet zo dichtbij komen.
'Heet, Tara, heet. Afblijven,' zegt mama als ze te dicht bij de blauwe vlammen komt.
Als ze op haar tenen staat, kan ze net bij de deksel. Damp stijgt op uit de pan. Ze ruikt tomaten, pruttelende tomaten. Rood rond. Ze kan net in de pan kijken, over de rand. Als ze de pan een beetje naar zich toe trekt, ziet ze meer. Oei, de handvaten zijn warm. Lukt wel. Zwaar. Springen, dan ziet ze het. Een diepe draaiende o.
Ze wordt erin gezogen. Ze kolkt de soep in. Het wordt mistig om haar heen. Ze ziet een meisje. Net zo oud als zij. Het meisje zwaait en roept haar. 'Kom dan, kom dan,' roept ze. Tara buigt nog iets verder naar voren. Ze voelt de damp in haar gezicht slaan. Warm op haar huid. En in haar buik. Ze wil erin duiken. Nog meer damp, nog meer mist. Het meisje rent voor haar uit, de mist in. Tara pakt de pan vast, leunt nog iets verder naar voren. Kijkt diep in de kolkende soep. Ze ziet een groot grijs oog, van een zeehond, maar dan veel groter, en een eilandje in de zee en daar op het strand van het eiland: flessenpost. Voor haar! Ze steekt haar hand uit om 'm te pakken. Maar alles gaat op in een grote witte wolk.
Dan valt ze. Achterover. En de pan erachteraan. Soep over haar heen. Heet, ze is heet. Bijna komt het woord mama uit haar mond, maar net niet. Toch moeten ze haar gehoord hebben. Mama komt de steile trap naar beneden af gestoven. Papa erachteraan.

'Zet haar onder de koude douche!' roept hij.
Papa trekt haar mee, mama trekt haar kleren uit. Koud water. IJskoud water.
'Het moet, hier blijven.' Papa houdt haar vast als ze weg wil rennen. Ze willen haar o bevriezen.
Een kokend hete o in haar borst. Hij is door haar huid heen gekropen, brandt en wordt steeds groter in haar. Vuur. Blauwe vlammen. Koud water. Mama huilt.
'We moeten naar de dokter.'
'Gelukkig liggen we in een dorp. Achter de kerk woont een dokter.'
Papa wikkelt haar in koude doeken en tilt haar op. Hij zet haar op het zitje voor op de grote zwarte fiets, die altijd op het voordek tegen de mast aan staat.
Ze bibbert, ze heeft het koud en warm tegelijk.
De wind vliegt langs hen heen. Zo hard heeft papa nog nooit gefietst.
Hij remt volop als ze bij de kerk zijn. Een man werkt in de tuin.
'Mijn dochter,' hijgt papa. 'Ze is helemaal verbrand. We hebben hulp nodig!'
'Vandoag ist mien vrije dag,' zegt de dokter. Hij kijkt niet op van zijn gehark, van de donkere klei die hij omploegt.
'Maar haar hele borst is knalrood! U moet even kijken.' Papa's stem wordt hoog, hij klinkt als de suizende wind door de toppen van masten in een haven.
'Vandoag ist zundag. Op zundag waark ik nait.' De dokter harkt verder.
Haar borst knalt er bijna uit. Kloppend rood. Tomaten.
Papa huilt. Dat heeft ze nog nooit gezien. Hij stapt weer op zijn fiets.
Ze fietsen heel lang. Langs weilanden, koeien, boerderijen, schapen. Papa zegt niets. Met één hand houdt ze zijn lange baard vast.
Ze heeft blauwe vingers. En bobbeltjes op haar huid. Kippenvel

noemt mama dat. Ze trilt. Maar vanbinnen kookt ze. Pruttelend kokend tomatenbloed. Papa wrijft over haar rug. 'Nog even, meisje, nog even.'
Een andere kerk verschijnt aan het einde van het rechte fietspad. Papa fietst nog harder. De wind suist om haar oren. Sjoefff.
Hij stopt bij een man die over de stoep loopt.
'Een dokter, ik zoek een dokter.'
'Het is zondag, meneer.'
Wat is toch een zondag? Is het hier overal zondag? Een kokende ronde zondag.
'Het is belangrijk.' Hij vertelt over de pan soep.
De man wijst ze naar een huis. Daar woont een dokter. Die kan haar beter maken, zegt papa. 'Alles komt goed,' zegt hij. 'Echt waar.'

*

Het water klotst tegen de stalen wand. Een zonnestraal valt door de kleine patrijspoort. Ze ziet vanuit haar kooi golvende zonnevlekjes op de grond. Die wil ze hebben. Maar ze mag niet uit bed.
'Blijven liggen jij,' zegt mama streng. 'Nu is het afgelopen met die toeren van jou.'
Ze heeft verband over haar hele borst. De zalfjes die de dokter erop heeft gesmeerd, helpen. Maar ze mag er niet aan komen van mama. Het moet genezen. Het jeukt. Ze wil krabben. Ze kan het voelen door het verband heen. Een grote rode o.
Ze verzamelt ze. De o's.
Dat begon op het achterdek. Ze zat midden in haar rondje van touw, zoals Bruno in zijn mand zit. Papa zei: 'Tara kan wel uren in haar tros blijven zitten.'
Dat woord was blijven hangen. Tros. Ze volgde met haar vingers de

drie dikke, gele strengen van het touw, die om elkaar heen gewikkeld zaten. Ze voelden aan zoals haar zwemvest. Nat, glad.
Tros. Ze herhaalde het woord in haar hoofd. Hoe vaker ze het in zichzelf zei, hoe hoger, hoe steviger haar tros werd.
Ze weet niet hoelang ze daar zat. Maar op den duur riep papa: 'Laat de fok zakken!'
Fok. Ze wist niet wat dat was. Maar het moest wel het bruine zeil, helemaal voor op het schip zijn. Want daar liep mama naartoe. Lijnen klapperden, het houten blok sloeg tegen het dek. Maar Tara hoorde het nauwelijks. Zij hoorde een nieuwe o. De o in fok. Het woord draaide, kolkte, galmde in haar hoofd.
Vanaf toen spitste ze haar oren als papa of mama een o-woord zei. Wolk. Donker. Golf. Zon.
Ze maakte een rangorde van lievelingswoorden. Fok stond op nummer één. Op twee stond tros. Op drie bolder. Daaraan bindt papa de tros als ze aan de kant liggen.
Maar ze hoorde ze niet alleen. Ze zag ze ook.
In de zoutkorrels die op dek bleven liggen. In de wolken in de lucht. In de knopen in de glazen pot in de kast.
De o klonk vol in haar hoofd, maar hij mocht niet naar buiten. Dan was ze 'm kwijt. Haar o.
Ze had het een keer geprobeerd. Als de schol die ze gevangen hadden, lag ze met haar mond naar lucht te happen. Kom dan. Het mag naar buiten. Maar ze kreeg die volle o niet uit haar keel. Het deed pijn. Een schrapend geluid kwam uit haar mond. Had iemand dat gehoord? Dat was niet haar o. Die van haar was perfect rond. Ze probeerde het nog een keer. Kolken in haar buik, ze liep leeg. Nee, haar o mocht niet weg. Ze stopte haar hoofd onder het kussen. Drukte haar hand op haar mond. Stilte.
Niets zeggen, alleen maar pakken. Steeds meer o's.
Mama wil dat ze praat. Ze pakt dat ronde rode uit de mand op tafel. Houdt het voor haar neus en zegt: 'Ap-pel.'

Ze weet heus wel dat dat niet waar is. Dat is geen appel, dat is een rond.
'Ap-pel,' zegt mama nog een keer.
Dat doet ze steeds. Met alles. Maar ze doet het fout, gebruikt rare woorden.
Nee, mama, nee, ze kan het wel, maar ze doet het niet. De o is van haar.
Maar nu kan mama nooit meer haar o afpakken. Die zit veilig in haar borst. Mama zegt dat ze in dit dorp blijven liggen totdat ze beter is. Dorp. Dorp gaat op nummer één. Fok naar nummer drie.
Ze probeert stiekem onder haar verband te kijken. Het zit te strak. Ze ziet niets. Ze sluit haar ogen, ruikt teer, petroleum, zout. Voelt de koude huid van het schip tegen haar warme huid.
Ze doezelt in. Golven, schommelende petroleumlamp, een klapperend zwaard. Mama kookt, kletterende pannen. Bruno slaapt bij de kachel. Papa is op dek. Ze hoort hem boven haar hoofd lopen.
Het water. Altijd het water. Zo dichtbij. Klots, klots, klots tegen de boeg.
'Klots,' fluistert ze terug. Niemand hoort haar. Alleen de zee.

*

De dokter draagt een bril, twee zwarte patrijspoorten voor zijn ogen. Voorzichtig drukt hij op het verband om haar borst.
'Voel je dit?'
Een snijdende pijn, de tranen springen in haar ogen.
'Ze houdt hier een flink litteken aan over,' zegt de dokter.
Mama tikt met haar lange, roze gelakte nagels op de tafel. Dat doet ze ook als er storm op komst is.
'En verdwijnt dat ooit?'
'Dat kan ik nu nog niet zeggen.'

Laat het nooit verdwijnen. Tara legt voorzichtig haar hand op het verband.
De dokter hurkt voor haar neer. Hij stinkt. Naar rook. Alsof hij in de houtkachel heeft gezeten. Hij drukt nog een keer op haar borst. Niet laten merken dat het pijn doet. Dan pikt hij hem misschien. Ze bijt op haar onderlip.
'Doet dit pijn?'
Ze kijkt naar de grond. Ronde vormen in het hout. Donker rond in licht rond.
'Doet dit pijn?' vraagt de dokter nog een keer.
Hij kijkt haar afwachtend aan. Ronde vormen in ronde lijnen. O's in de vloer.
'Ze praat niet, dokter,' zegt mama.
'Hoe oud is ze?' vraagt hij.
'Drie, bijna vier, meneer, dat is toch wel wat laat?'
Hij knikt.
'Denkt u dat er iets mis is met mijn meisje?'
Mama kijkt hem met haar grote zeehondenogen aan.
'Ik zal eens kijken.' Hij haalt een hamertje uit zijn tas.
Hij laat haar rechtop zitten en net boven haar verband tikt hij op haar borst. Alsof hij zo de woorden uit haar wil timmeren.
'Aaa,' zegt hij, en hij opent zijn mond zo ver dat ze een klein dingetje achter in zijn keel ziet hangen. Heeft zij dat ook? Straks eens in de spiegel kijken.
'Zeg me eens na,' zegt hij. 'Ooo.'
Dat kan zij veel beter. Maar hij krijgt haar geheim niet te horen. Zeker deze meneer met zijn o die naar rook stinkt niet. Mooi dat hij niet aan haar o komt. Die van haar ruikt naar de oostenwind. Naar haar haren als ze net met Zwitsal gewassen zijn.
Hij voelt in haar keel. Drukt net onder haar kaken.
'Ik voel niets bijzonders, mevrouw. Waarschijnlijk is ze gewoon wat koppig.'

Koppig. Dokter uit de top drie. Koppig erin.
Mama slaat een lange steile lok achter haar oor, die er meteen weer achter uit valt.
'Merkt u verder nog iets bijzonders aan haar?' vraagt de dokter terwijl hij zijn hamer weer in de koffer doet.
'Ze is een bijzonder kind, dat had u al door. Ze haalt rare toeren uit en zit helemaal in haar eigen wereld. Maar ze lacht, huilt, knuffelt en speelt, er komt alleen geen mama of papa over haar lippen.'
'Heb geduld en blijf tegen haar praten.'
De dokter staat op en geeft mama een hand. Ze heeft haar blauwe corduroybroek aan. Lekker zacht. Ze aait eroverheen. Naar boven toe donker, naar onder toe licht.

Later had de dokter het verband eraf gewikkeld. Ze had gedraaid om haar as, haar armen gespreid. Tollen.
Ze keek in de spiegel.
Haar borst was helemaal rood.
Met witte strepen.
Kris, kras.
Ze sloot haar ogen half.
Keek door haar wimpers.
Mama smeerde haar in met koele zalf.
'Ik hoop dat het ooit verdwijnt,' zei papa.
'Ik ook,' zei mama. Ze hielden elkaars hand vast.
Ik niet, dacht Tara. Van mij. Mijn o.

*

Zonder iets te zeggen, tilt papa haar uit haar tros. Hij zet haar op zijn schoot, legt haar handje op het roer, zijn brede bruine hand eroverheen. Het roer trilt. Ze voelt het water. 'Beetje naar stuurboord,' zegt hij, en hij duwt hun handen opzij.
'En nu wat afvallen.' Hij draait de andere kant op. 'Bakboord.'
Trillen, sturen, boorden, vallen, loeven, trillen, wind.
Papa wijst naar een meeuw die naar beneden de zee in schiet. Met een klein zilver spartelend visje komt hij weer naar boven. Slik, in één keer weg. Even later wijst papa naar een zeehond die nieuwsgierig zijn kopje boven water steekt. Samen zwaaien ze naar de zeehond. Dan duikt ie weer onder. 'Dag zwartkopje,' zegt papa.
Ze springt van zijn schoot, loopt naar voren. Dat kan ze, lopen, als de beste. Met een hand op de reling. De andere op de luiken van het ruim. Haar zwemvest tegen haar kin. Ze gaat onder het zeil liggen.
De winddeeltjes vallen van het zeil, als kinderen op een glijbaan. Dat heeft ze een keer op land gezien. Een speeltuin noemde mama dat. Het schip is haar speeltuin. Ze wacht totdat het zeil een wipwap wordt. Als alle windkindjes opeens aan de andere kant van het zeil springen. Klapgijp, noemt papa dat. Ze wacht geduldig. Helemaal platgedrukt tegen het luikendek. Dan klappen de giek en het zeil met een enorme dreun naar de andere boeg, net boven haar neus langs. Sjoefff. Het dek en de mast trillen na van deze plotselinge schok. Hummm. Het staal zoemt.
'Weg daar, dat is levensgevaarlijk.'
Papa grijpt haar stevig bij de arm en trekt haar weg onder de lange liggende boom die hij giek noemt. Zijn vingers branden in haar huid. De zoemende o bevriest.

's Avonds liggen ze droog. Geen geklots meer. Een grutto roept zijn naam. Het wad pruttelt. Met haar hand op haar geheim ligt ze in bed met gloeiende wangen. Mama stopt haar in. 'Lekker slapen, mooie meid.'
Mooi. Tara mooi. Mama mooi. Mooi is een golf die van achter het schip mee rolt.
Hallo mooie mama.
Ze wil wel. Ze kan niet. Het lukt niet.
Mama echt. Jij ook mooi.
Hoor je me, mama?
Kijk dan, mama. Mooi.
Haar hand op mama's buik. Mooie mama.
Mama's buik wordt ook een o. Steeds boller. Mooi rond. Samen aaien ze eroverheen. Mama's buik schopt.
'Dat is je broertje,' fluistert ze in haar oor.
Geen idee wat dat is. Ze heeft hier op de Waddenzee nog nooit een broertje ontmoet.
Zou zij ook een broertje in haar borst hebben? Een schoppend ding. Wordt haar borst nu ook zo bol? Zal haar borst ook zo groeien dat iedereen 'm ziet?
Mama zingt een liedje. Ze valt in slaap, met haar hoofd op haar schoot. Ze hoort het water terugkomen. Wiegen, klotsen.

Datum en tijd: zaterdag 16 september 1995, 15.00 uur
Positie in de kaart: Oostzee, tussen Kiel en Aerø
Koers: 350 graden, noordnoordwest
Snelheid: 5,3 knopen
Weer: half bewolkt, westenwind 4/5

De golven breken tegen de blauwe boeg van de Maya. Het schip snijdt door het heldere water van de Oostzee, rondom de boeg schuimen en breken witte koppen en belletjes bruisen vlak onder het wateroppervlak. De rifknuttels van de fok slaan ritmisch tegen de achterkant van het zeil. Een straaltje bruin roestwater loopt van het anker, dat met zijn vloeien tegen de boeg gehesen zit, de zee in. Met mijn gezicht tussen de mazen van het kluivernet kijk ik gebiologeerd hoe de golven onderduiken en weer bovenkomen. De dunne lijnen van het kluivernet, die strak gespannen onder de boegspriet hangen, snijden in mijn benen. De stalen neuzen van mijn legerkistjes steken uit de mazen van het net. Ondertussen, na vijf jaar, steekt het staal van de schoenen door het leer heen. Door het vele zout zijn ze verroest, het zwarte leer is wit uitgeslagen en de paarse veters zijn dun en het hakje wordt steeds lager. Maar ik blijf ze dragen, op die manier houd ik Ilona bij me. Wat zou ze trots op me zijn. Eindelijk doe ik wat ik moet doen: de wereldzeeën bevaren. Mijn hand steek ik door het net en bijna kan ik de boeggolven aanraken. Er is geen plek op het schip waar ik zo dicht bij het water ben.
De Oostzee is anders dan de Waddenzee. Het water is blauwer, bijna groen. Niet dat modderige van de Meep. Helderder. Het varen op de Oostzee is ook makkelijker. We hoeven niet door de smalle geulen te kruisen, we maken lange strekken van het ene eiland naar het andere. Er zijn momenten dat we even helemaal geen land zien. Zo moet

het straks op de oceaan ook zijn. Als ik mee mag tenminste en door mijn proeftijd heen kom hier.
'Alles oké?' Inges hoofd verschijnt boven de boeg. Ze lacht naar me. Haar rode hennakrullen wapperen in de wind, kleine kraaienpootjes rondom haar zwaar opgemaakte ogen. Ik knik en steek mijn duim op.
Ze schreeuwt boven het brullende geluid van de golven en het suizen van de wind uit.
'Kom je zo naar de keuken? Ik heb je hulp nodig.'
Weer steek ik mijn duim op.
Schoonmaken met Inge is iets anders dan schoonmaken met mijn vader. Keihard zetten we Janis Joplin op en met een biertje in onze handen zwieren we door de hutten, om af en toe in de salon eens flink te headbangen. Inge kijkt niet op een vlekje hier of daar.
'Het moet een schoon gevoel geven,' zei ze. 'Het gaat om de eerste indruk, niet om wat er achter de plinten zit.' En ze proostte haar biertje tegen het mijne.
Zo is schoonmaken nog wel leuk. Bij mijn vader aan boord haatte ik het. Elke vrijdagmiddag en zondagavond weer al die hutten langs. En hij vond dat alles moest blinken. De kranen, de deurkrukken. Dat paste bij zijn luxe klipper. Maar ik was er niet goed in. Er was altijd wel een bed dat ik vergat, een spiegel die smoezelig bleef, een wc die maar bleef stinken. Ik zag en rook het niet. Laat mij maar op dek.
'De tijd van zo'n armoezalig tjalkje is voorbij,' zei hij. 'Onze gasten verwachten dit. Varen is tegenwoordig meer dan alleen maar zeilen. We zijn een serieus bedrijf.'
En met een chagrijnig gezicht ging hij dan de roestvlekken op het voordek te lijf.
Ik werd er gek van. Het strak geverfde dek, de veel te netjes opgebonden zeilen, papa die wilde dat ik precies met de juis-

te woorden de Brandaris opriep. Het mocht in niets afwijken van hoe hij het deed.
Ik voel de spetters op mijn handen. Ik lik mijn lippen. De Oostzee is superzout, schoon zout, niet modderig zout. Mijn huid voelt strak en koud van het opspattende water.
Behalve mama vond niemand het een goed plan dat ik na mijn middelbare school, met een eindexamencijfer van gemiddeld een acht en een half, de onverantwoordelijke stap ging nemen om te gaan zeilen. Meneer Wollinga vond dat ik moest studeren.
Hij had mij en mijn moeder uitgenodigd voor een gesprek over de toekomst. Want hij ging –vond hij – over mijn toekomst. In zijn bruingele corduroybroek en gebreide trui zat hij voor ons, zijn hoofd lang, zijn haar licht grijzend.
'Tara, wat wil je studeren na je eindexamen?' vroeg hij toen we eenmaal plaats hadden genomen in het kleine kamertje met uitzicht over het lege schoolplein.
'Ik ga niet studeren,' zei ik kort maar krachtig.
'En wat ga je dan doen?' vroeg hij terwijl hij een korte samenzwerende blik richting mijn moeder wierp.
'Ik ga de oceaan oversteken.'
Hij keek mij niet aan, maar keek glimlachend naar mama, iets wat mij razend maakte, alsof ik geen autoriteit over mijn eigen leven had.
'Wat vindt u daar nou van, mevrouw Huizinga?' Weer die irritante glimlach.
'Ik vind het een prima plan,' zei mama en ze beantwoordde zijn glimlach op precies de goede manier.
Eén-nul. Sukkel.
'Maar denk je niet dat je daarna nooit meer zult gaan studeren?' Hij richtte zich weer tot mij. 'Als je zo lang wacht, ben je uiteindelijk veel ouder dan de rest van de studenten.

Bovendien loop je dan een deel van je studiebeurs mis. Je hebt maar vier jaar, je kunt het beste meteen beginnen.'
Doodziek werd ik van dat praatje dat ze keer op keer op je loslaten. Zorg dat je in het systeem blijft, volg de gebaande paden, gooi de trossen niet zomaar los, blijf op koers. Boring.
'Ik heb voor de komende jaren genoeg gestudeerd, ik wil eerst op reis.'
'Maar hoe denk je aan het geld te komen voor die reis?'
Altijd weer dat geld. Dat is het eerste dat iedereen vroeg. Als ik mensen in Ziltezijl vertelde: 'Ik ga volgend jaar op reis', was het eerste wat de meeste vroegen: 'Hoe kom je aan het geld dan?' Of eigenlijk: 'Hou komst aan 't geld den?' Niets van: 'Oh, wat leuk! Waarheen?'
'Omdat ik eerst op een zeilschip ga werken. In de Caraïben. En daar verdien ik genoeg mee om een jaar te reizen.'
Zo, twee-nul, saaie sufsukkel.
Maar hij was nog niet overtuigd.
'En hoe vind je dat schip dan?'
Mama springt in. 'Dat heeft ze al gevonden. En eigenlijk zijn dat ook niet uw zaken, meneer.'
Ik kon mijn moeder wel zoenen.
Wat mijn moeder zei, was niet helemaal waar. Ik had wel een schip gevonden, maar dat lag nog op een werf in Polen. De bouw was vertraagd en mijn contract als scheepsmaat was niets waard zolang het schip nog niet te water was gegaan. Ik had overal nagevraagd of ze nog een maat konden gebruiken, maar ik was niet de enige die naar de andere kant van de oceaan wilde. Na mijn eindexamens had ik het bijna opgegeven. Daar zat ik dan, in Ziltezijl weg te rotten als drooggevallen zeewier. Daar zat ik dan – vast op het schip van mijn ouders op de veel te kleine Waddenzee. Alles voelde opeens zo klein en benauwd, zelfs mijn eigen lichaam, ik kon er wel

uit knallen. Het liefst wilde ik de hele tijd gillen, schreeuwen; geef me een uitweg, ik wil weg weg weg. Ik wilde weg marcheren op mijn kisten, bam bam bam. Maar ik zonk steeds dieper, in het slik, in het wad, in de klei. Dus was ik naar Marieke gegaan, in Amsterdam, daar kon ik eindelijk ademhalen. Ik liep over stevige stenen door de stad, hier geen zuigzand, terug op mijn kisten naar het Waterlooplein, waar ik ze ooit gekocht had. Ik liep lange middagen langs de grachten, de schepen zonder masten en zeilen, het water zonder zout. Marieke zei, voor de zoveelste keer, dat ik alles moest opschrijven, maar het lukte niet. Elke keer als ik de pen op papier zette, kwam zij bovendrijven, bleek en bewusteloos. Daarvan werd ik zo misselijk dat ik meteen stopte.
Bijna overwoog ik om toch maar te gaan studeren, om Wollinga zijn zin te geven en de droom van de oversteek te vergeten. Totdat Jitse me belde.
'Hé schatje, al een beetje bijgekomen?'
Ik gromde iets. Hoe durfde hij het te vragen. Meteen zag ik dat plaatje weer voor me; hij met die blonde van de Avontuur met haar grote bleke borsten, als gestrande kwallen, oplichtend in zijn donkere broeierige achteronder.
'Ik vaar een tijdje op de Oostzee,' zei hij.
'Fijn voor je.'
'We kunnen de komende weken nog wel een maatje gebruiken.'
'En toen dacht je aan mij.'
'Ik denk de hele tijd aan jou.'
'Je denkt toch niet dat ik nog een keer bij jou ga varen?'
'De Maya gaat hierna naar het Caribisch gebied, Tara. En daarvoor zoeken ze ook nog mensen. Je zou wel gek zijn als je deze kans aan je voorbij laat gaan.'
Dat was de druppel. Ik nam meteen de trein vanuit

Amsterdam naar Duitsland. Of eigenlijk deed ik het niet, mijn schoenen deden het. Ze liepen op mij vooruit, zoals ze dat veel vaker hebben gedaan. In de trein dreunde dat liedje door mijn hoofd. *These boots are made for walking, and that's just what they'll do. One of these days these boots are gonna walk all over you.* Deze schoenen roken avontuur en hadden lak aan mijn gebroken hart, lak aan mijn goede voornemen om nooit, nooit meer met Jitse te gaan varen.

Een dag later stond ik op de kade. Op het dek van de veertig meter lange blauwe Barkentijn waren allerlei mensen in de weer. Een grote man met zwarte krullen pakte mijn tas aan.

'Ik ben Frank, de kapitein,' zei hij.

De vijf razeilen hingen mooi opgedoekt aan de ra's. Mijn handen begonnen meteen te kriebelen. Hij stelde me voor aan zijn vriendin, Inge. Beiden hadden ze een zeilschip getatoeëerd, Frank op zijn bovenarm, Inge op haar linkerschouderblad.

Jitse gaf me een kus op mijn wang, net iets te dicht bij mijn mond. Ik voelde iets breken in mijn onderbuik. Hij keek me lachend aan. Hier op de Oostzee leken zijn ogen nog blauwer, zijn dreadlocks nog blonder, zijn huid bruiner.

'Over een uur komen de vijftig gasten al, we moeten het schip nog helemaal klaarmaken. Help je mee?' vroeg Frank.

Tijdens de dagtocht hees ik met de gasten de zeilen. Binnen de kortste keren snapte ik hoe alles werkte. Frank hoefde maar een half woord te zeggen en ik wist al wat hij bedoelde. Ik rende over voor-, midden- en achterdek, tussen de overstagen en gijpen door hielp ik Inge in de keuken. Gierend van de lach draaiden we de bitterballen die te lang in het vet hadden gelegen met de opengesprongen kant naar beneden en bedekten de schade met blaadjes salade.

'Prachtig, toch?' zei Inge. 'Da kann ja keiner über klagen!'

De Duitse gasten hadden het inderdaad geslikt als zoete koek. Gecharmeerd als ze waren door Inges lach en haar diepe decolleté, dat ze zonder gêne droeg.
Later die dag vroeg Frank of ik misschien de onderbram wilde opbinden, het op een na hoogste zeil. Ik keek naar boven, naar de ra boven in de mast, de paarden die eronder hingen, en voelde mijn benen trillen. Bijna alles aan dek gaat me makkelijk af, maar hoogtes vind ik eng. Ik kom van het lage drooggevallen wad. Van onder het NAP, van het Niet Aanstellerige Peil. Doe maar gewoon, dan klim je al hoog genoeg.
'Durf je dat?' vroeg Frank.
'Natuurlijk.'
Hij moet niet denken dat ik dat niet kan. Ik moet bewijzen dat ik een goede maat ben. De beste.
'Ga je goddelijke gang,' had Frank gezegd. 'Ik blijf eerlijk gezegd liever met mijn beide benen op het dek.'
Ik liep naar het voordek, bond het tuigje om en klom langzaam naar boven. Ook al trilden mijn benen, dit ging best goed, zolang ik maar niet naar beneden keek. Op het moment dat ik van het kraaiennest moest overstappen naar de paarden, stopte ik. Dit was een grote, spannende stap. Waarom deed ik ook zo stoer? Deze mast was veel hoger dan ik gewend was. Ik keek naar beneden, de mensen op het dek leken vanaf hier heel klein. Ik ook altijd met mijn grote mond. Het puntje van de mast bewoog heen en weer, ook al stond er niet zoveel wind. Met bezwete handen klikte ik me vast aan het stalen frame, ik legde mijn gewicht over de ra, zette mijn voeten op de dunne lijn onder de ra, die gevaarlijk heen en weer schommelde onder mijn gewicht. Even had ik het gevoel naar achteren te vallen. In dat moment van gewichtloosheid zag ik Ilona's bleke gezicht langzaam onder de

golven verdwijnen. Met een schok kwam ik terug omhoog, alsof ik wakker werd uit een nachtmerrie. Snel, zonder naar beneden te kijken, zocht ik een nieuw evenwicht en bond het zeil zo netjes mogelijk in. Mijn vader zou trots zijn. Zo netjes had ik onze fok nog nooit ingepakt. Als ik een zeil had ingepakt, deed hij het altijd nog een keer over en stopte daarbij loshangende flapjes zeil weer terug zodat het zeil als een strakke worst op de boom lag.
'Goed gedaan,' zei Frank toen ik weer beneden was.
'Och, niets aan,' zei ik.

Nu ik weg ben van het te harde, onbeweeglijke land en hier in het net, zo vlak bij het water lig, weet ik weer hoe het was, als kind op zee. Ik schrijf er zelfs over, niet over die rampzalige jaren op land, nog even niet, maar over daarvoor, over de tijd op De Hoop. En hoe meer ik schrijf, hoe beter ik het hoor. Die o. Ik druk mijn oor door het net. Ik glimlach. Het lijkt alsof de golven hier een andere taal spreken. Met Deense o's. Met een streepje erdoor. Smørregølf.

Datum en tijd: woensdag 20 september, 11.00 uur
Positie in de kaart: Oostzee, net ten zuiden van Faaborg
Koers: zuidzuidwest
Snelheid: 3,5 knopen
Weer: licht bewolkt, west 4

Heel precies laat ik de schoot van de fok een beetje slippen. Het zeil moet precies zo bol staan dat het voorlijk niet kilt. Ik leg mijn hoofd in mijn nek en kijk via de stag omhoog. De buik van de fok bolt in de wind, de top fier als een hoofd in de wind.

Zo is het goed, met een mastworp zet ik de schoot vast op de kikker op de giek. Dan zie ik dat de fok toch kilt. Heb ik het zeil te los gezet?

Ik trek de fok wat strakker aan, maar het helpt niet. Hoe komt dat? Opeens word ik onzeker, ik moet het wel goed doen. Onder het zeil door kijk ik naar het verhoogde achterdek. Daar staan Jitse en Frank met Frederik, de eigenaar van de Maya te praten. Hij is een paar dagen mee. Volgens mij om de bemanning voor de oversteek samen te stellen. Maar zeker weten doe ik het niet. Ik wilde het hem wel vragen. Maar nadat hij me een hand gaf, waarbij hij over mijn hoofd naar de staat van het schip keek, heeft hij geen woord tegen me gezegd.

Met zijn handen in de zakken van zijn broek met strakke vouw staat hij over het schip te kijken. Af en toe wijst hij naar het voordek. Ik zie Frank knikken en hoor Jitse hard lachen. Praten ze over mij? Maken ze grappen over mij? Kijkt hij nu naar mij? Shit, zou hij zien dat de fok toch niet goed staat? Als ik dit al niet eens kan, dan mag ik natuurlijk niet mee de oceaan op. Snel kijk ik naar boven. Nu zie ik het, het ligt niet aan de fok. De kluiver staat net te strak. Die zorgt

dat er vuile wind achter in de fok komt. Snel laat ik de kluiver een beetje vieren. Ah, dat helpt. Nu staan de zeilen precies in vorm samen, als twee schalen die in elkaar vallen. Nog een klein tikje meer.
'Stop!' De stem sneert door mijn botten, de lijn bevriest in mijn handen. Ik weet zeker dat ie nog een beetje kan hebben.
'Kluiver strakker.'
Ik sta met de lijn in mijn handen. Ik hoef niet over mijn schouders te kijken om te weten dat het Frederik is die naar me roept. Zal ik doen wat hij zegt? Maar die kluiver moet helemaal niet strakker.
Ik laat de lijn door mijn handen slippen, nog een klein beetje. Kijk, wat staan die zeilen mooi.
'Kluiver aan en vast!' De stem klinkt dwingender.
Ik trek de kluiver aan en zet 'm te strak vast op de bolder. Zie je nou wel, nu kilt de fok weer, het ziet er niet uit. Toch laat ik het zo staan. Waarom? Ik wil dat niet. Weer gelach van het achterdek. Hebben ze het over mij? Dat ik niet kan zeilen? Weet je, ik ga erheen, ik zal ze zeggen dat het er niet uitziet zo. Ik zal ze laten weten dat ik heus wel weet wat ik doe. Ik ben niet achterlijk, ik zie het heus wel goed, mij hoef je niets te vertellen over fokken.
Ik klim van het verhoogde voordek, loop over het middendek en klim naar het achterdek en ga naast de mannen, bij het roer, staan. Ik hef mijn kin, plant mijn kisten in de grond en schraap mijn keel.
'De kluiver speelt in de fok,' zeg ik. 'Daarom liet ik 'm gaan, want ...'
Jitse slaat zijn arm strak om mijn schouders heen.
'Die kluiver hoefde niet los, hoor, hij staat perfect zo.'
'Helemaal niet, kijk dan naar het voorlijk van de fok.'

Ik kijk naar Frederik, maar die lijkt mij niet te zien. Hij is druk in gesprek met Frank over de planning.
'We moeten zorgen dat we over een week in Havenseind zijn.'
'Dat is wel krap,' zegt Frank.
'Kun je prima halen,' zegt de eigenaar terwijl hij zijn rinkelende mobiel uit zijn broekzak vist. Al bellend loopt hij naar het achterdek.
Frank draait zich snel naar me toe. 'Zet die kluiver eens wat losser, het ziet er niet uit zo.' Hij draait met zijn ogen terwijl hij naar de eigenaar knikt met zijn hoofd. 'Denkt dat ie kan zeilen,' fluistert hij.
Ik ren meteen naar het voordek en laat met een brede lach op mijn gezicht de kluiver naar eigen inzicht slippen. Zo staat het mooi. Snel spiek ik naar het achterdek. Frank steekt zijn duim op, Jitse heeft het opeens druk met iets op het dek en kijkt niet op. Voordat de eigenaar klaar is met bellen, sta ik al weer op het achterdek.
'We moeten het ook nog hebben over de samenstelling van de bemanning,' zegt Frederik als hij zich weer bij ons voegt. Met zijn linkerhand wrijft hij over zijn kin.
'Hoeveel mensen hebben we nodig, Frank?' vraagt hij.
'In ieder geval twee stuurmannen en twee maten. Een kokkin en iemand voor in de catering.'
'Dat zijn al zes mensen, en dan nog een kapitein. Dat zijn er zeven. Dat is te veel. We zijn net in de vaart. De boekingen laten te wensen over. Kunnen we niet met een maatje minder op pad?'
'We moeten vierentwintig uur per dag varen, vergeet dat niet.'
'Kunnen we niet iemand dubbel inzetten?' vraagt Frederik.
'Jij bijvoorbeeld.' Voor het eerst kijkt hij me recht aan. 'Kun jij niet ook in de catering werken?'

'Nou, dat lijkt me niet zo'n goed idee,' zegt Jitse lachend. 'Dat is niet echt haar talent.'
Ik wil hem schoppen. Frederik hoeft niet te weten dat ik zelfs tosti's laat aanbranden en dat ik een biefstuk op een stuk brandhout kan laten lijken.
'Tara is een zeilster,' zegt Frank. 'Tara blijft op dek.'
'Mag ik mee dan?' vraag ik, terwijl ik kijk naar die drie mannengezichten.
'Dat moeten we nog even zien,' zegt Frederik. 'Ik kan echt geen zeven bemanningsleden betalen.'
'Dan werk ik wel in de keuken, hoor, en in de hutten en in de catering. Ik kan goed schoonmaken, dat heb ik van mijn vader geleerd.'
'Wie is jouw vader?'
'Huizinga.'
Nu kijkt Frederik me wat langer aan.
'Je bedoelt Huizinga van De Hoop, het eerste schip dat is gaan charteren met gasten?'
Ik knik en voel me wat groter. 'Dat is mijn vader.'
'De pionier van de chartervaart. Toen ik zelf nog voer, lang geleden voordat ik mijn charterkantoor opzette, heb ik weleens wat tochten met hem gemaakt. Hij kent de Waddenzee op zijn duimpje.'
'Precies.'
'Ja, geweldige schipper, die Huizinga,' zegt Jitse nu.
Ik kijk hem verbaasd aan. Jitse kan mijn vader niet uitstaan. En andersom. Toen ik op mijn zestiende besloot om bij Jitse aan te monsteren, was mijn vader in alle staten. Tierend liep hij heen en weer door zijn stuurhuis. 'Onverantwoord, die jonge gasten denken dat ze alles kunnen. Jij blijft mooi bij mij en gaat niet met zo'n half verroest bakkie mee.' Ik deed het toch. Wat Jitse maar al te mooi vond. 'Dat zal die zelf-

ingenomen Huizinga leren. Hij doet alsof schepen viersterrenhotels zijn.'
'Nou, een Huizinga willen we natuurlijk wel mee,' zegt de eigenaar.
Hij steekt zijn hand naar me uit.
'Welkom aan boord. Hoe heet je ook al weer?'
'Tara. Tara Huizinga.'
'Mooi, dat is dan geregeld. Dus jij helpt op dek, maar ook in de keuken.'
Frank schudt hard zijn hoofd. 'Dat is te veel, we hebben nog iemand nodig.'
Frederik laat mijn hand niet los. Zijn ogen lijken op die van mijn vader. Grijsblauw. Doordringend. Diep gelegen tussen rimpels. Ogen die vaak samengeknepen naar de horizon hebben gekeken.
'Dat is goed,' zeg ik. 'Geen probleem.'

Datum en tijd: dinsdag 26 september, 18.00 uur
Positie in de kaart: Noordzee, boven Wangerauge
Koers: 270 graden, west
Snelheid: 6,2 knopen
Weer: helder, noordoostenwind 4/5

Het glooiende gele Deense landschap achter ons is uit zicht verdwenen. Voor ons alleen water. Over een paar dagen zullen we daar weer de platte Nederlandse kust zien verschijnen. Het liefst zou ik deze tussenstop overslaan. Ik wil niet terug naar dat stinkende wad, naar dat kleine Havenseind waar iedereen over elkaar roddelt en al helemaal niet naar Ziltezijl of naar mijn ouders. Ik stik al bij de gedachte.
Ik leg mijn hoofd tegen de mast, mijn benen uitgestrekt over de ra. Ik heb geoefend in het klimmen. Elke dag even omhoog. Op mijn wilskracht kom ik ver. Sinds ik deze kisten draag, weet ik dat. Ik heb een wil en die kan ik volgen. Als ik dat nou ook maar in die ene nacht met Ilona had gedaan. Maar nee, toen was ik stil, doodstil, en wist ik niet eens dat ik een wil had. Nu heb ik een wil met stalen neuzen, en die zal ervoor zorgen dat ik zonder angst de mast in klim. Ik voel me eigenlijk best op mijn gemak hier, in de hoogte, ver boven NAP, ver boven het Normaal Aangepaste Peil. De lucht is grijs, een zeemeeuw hangt op ooghoogte met zijn vleugels gespreid. Hij is zo dichtbij dat ik het rode puntje onder op zijn gele snavel zie. Zijn poten hangen slap onder zijn witte borst, met zijn zilvergrijze vleugels licht gebogen drijft hij op de wind. Ik beeld me in dat ik die meeuw ben, mijn vleugels wijd, zonder moeite. De wind suist tussen mijn veren door, lijnen tikken tegen de stalen mast. Vanaf hier kan ik het schip goed overzien. Frank staat aan het roer, Jitse is de lijnen aan het ordenen, Inge staat achter de buitenbar en in-

ventariseert of we nog genoeg voorraad hebben voor de overtocht. Je moet helpen, Tara, niet hier zo zitten dromen. Je bent ook van de catering, dat is jouw taak. Weg meeuw, weg lucht. Die stem, ik wou dat ik 'm kon deleten uit mijn hoofd, die stem van 'je moet moet moet' en vooral 'je moet goed goed goed'. Het lijkt wel alsof ik mijn vader mee heb genomen op reis, verdomme. Ja ja, ik ga al, pap, ik zal me opstellen als een echte Huizinga, de naam niet te schande maken. Keihard zal ik werken, ook in de catering. Al is Frank het daar absoluut niet mee eens.

'Waarom heb je ja gezegd?' vroeg Frank. 'Jij bent een maat, geen keukenhulpje.'

'Ik kan toch af en toe wel meehelpen in de keuken? Dat is geen probleem.'

'We hebben genoeg bemanningsleden nodig, anders zijn we halverwege allemaal overwerkt.'

'Ik houd van hard werken.'

Als ik maar mee mag, dat is voor mij het allerbelangrijkste. Gisteren heb ik voor het eerst voor de groep gekookt. Boekweitgrutten met stroop en boter, naar het recept van mijn moeder. Dat aten we vroeger als we voor anker lagen. Het hele ruim vulde zich met de lucht van de warme grutten en romige boter. Hoe koud het ook was, daarna voelde ik me altijd warm en stevig vanbinnen. Ik dacht dat dat eten niet kon mislukken, ik had het mama zo vaak zien maken. En wat is er nou moeilijk aan het maken van pap? Maar de grutten van mama werden altijd een stevige brei, waarin je makkelijk een kuiltje kon maken zodat de gesmolten boter en de stroop erin bleven staan, als een zoetwatermeer achter een stevige dijk. Bij mij werd het een drassige bende, een waddenlandschap met zachte zandplaten en modderige geulen. Niemand at zijn bord leeg. Frederik keek me bedenkelijk aan.

Frank heeft gelijk. Ik voel me het beste aan dek. Ik adem nog eens diep. Het zout van de Noordzee is anders dan het zout van de Oostzee. Het lijkt meer op de Waddenzee, maar is wat grofkorreliger. Mooi woord, grofkorrelig.
Ik hoor getik op de mast. Kloppen. Slaat er een blok tegen de mast? Ik kijk om me heen maar zie niets. Weer geklop. Ik hoor mijn naam.
'Tara, kom es hier, joh!' Jitse staat onder aan de mast.
Ik draai me weer met mijn rug naar de mast. Ik heb geen zin in Jitse, hij draait de hele tijd om me heen.
Weer dat geklop in mijn oor.
'Hé, mastaap!'
Ik blijf naar de horizon kijken. De golven hebben witte koppen.
'Als je niet naar mij komt, kom ik wel naar jou.'
Jitse zijn hoofd steekt uit boven de zaling. 'Wat is er zo leuk hier?' Hij kijkt om zich heen. 'Ik zie helemaal niets of niemand.'
'Laat me nou maar. Ik kom zo wel helpen.'
'Is het aapje boos?'
Pestend knijpt hij in mijn enkel, snel trek ik mijn voet weg en ik kijk langs hem heen.
De Noordzee is niet zo blauw als de Oostzee, maar ook niet zo bruin als de Waddenzee. De Noordzee is eigenlijk een soort mengsel van verschillende zeeën, een afvoerput van andere zeeën. Een net niet zee. Een tussenzee.
'Dat van mij en Tina moet je niet zo serieus nemen, hè? Dat stelde niets voor. We waren zat.'
Ik kijk stoïcijns naar de horizon, naar de meeuw die nu naar beneden duikt, de golven in.
'Een biertje te veel op, snap je? Dan doe ik wel vaker domme dingen.' Hij lacht schamper. Een net niet lachje, een

Noordzeelachje. 'Ik lach wel, maar ik weet ook wel dat er niet te lachen valt'-lach.
'O, gewoon zat. Goed dat je het zegt. Dat met Jannie, Geertje en Irene betekende zeker ook niets?' De meeuw komt omhoog met een klein zilveren visje in zijn snavel.
'Jij hebt een veel te goed geheugen.'
Hij trekt zichzelf op om naast me te komen zitten. Ik wil weg, maar kan geen kant op. Als ik een centimeter opschuif, val ik naar beneden. Jitse klikt zijn tuigje vast aan de stag.
'Je ziet er lekker uit, Tara.' Zijn been rust warm tegen de mijne. 'Rijp. Je bent niet meer dat kleine meisje van een paar jaar terug. Je bent een vrouw.'
Godverdomme, ik wil hem naar beneden duwen. Ga weg. Hij had hier helemaal niet moeten zijn. Hij moest op de Waddenzee blijven en ik zou de oceaan oversteken.
'Ik ben blij dat jij in Havenseind weer van boord gaat, meneer, voordat ik het weet heb ik me weer door je laten verleiden.'
'Dat is zo zeker nog niet.'
'Jawel, nog even en je hebt me weer net zo verliefd gepraat als een paar jaar terug.'
'Ja, dat is zeker. Maar dat ik wegga niet.'
Ik kijk hem onderzoekend aan.
'Jij was toch maar tijdelijk aan boord? Moet je niet op je eigen schip werken?'
'Frederik stelt mijn vakmanschap op prijs. En ik wil het Caribisch gebied met eigen ogen zien. Straks heb jij meer gezeild dan ik, dat kan natuurlijk niet.'
Zijn schippershand op mijn knie. Verweerde huid, korte nagels, bedjes van schurend eelt over spijkerstof. Ik duw zijn hand weg.
'Ik ben klaar met jou. Als je dat maar onthoudt.'
'Ook niet een stiekem kusje?' Zijn neus tegen mijn koude

wangen. Warme lucht. Ja, zo rook hij. Bittere chocolade gemengd met teer en zout. Ik voel mijn schouders een beetje zakken. Zijn stoppels schuren langs mijn wang.
'Eentje dan? Mevrouw Huizinga, dochter van de wadpionier?'
Ik trek mijn hoofd weg.
'Houd je handen thuis, anders flikker ik je naar beneden.'
'Zo, gaan we dreigen?'
'Ik doe het echt.' Ik zet mijn handen tegen zijn borst. Blauwe schipperstrui. Wol onder mijn handen. Zijn rits een klein beetje te ver open. Blanke huid, paar borstharen. Ik zet mijn handen wat steviger tegen zijn borst. De warmte van zijn lijf dringt door in mijn handen. Stukjes zaagsel op zijn trui. Ik wil mijn handen in zijn warme nek leggen. Mijn hoofd op zijn schouder.
'Ik duw, hoor,' zeg ik.
Jitse beweegt mee naar achteren. 'Toe dan.'
Ik duw harder. Hij moet weg, weg uit mijn mast van dit schip, uit mijn nieuwe wereld. Steeds verder hangt Jitse naar achteren. Dan in één keer laat hij zijn handen los en tuimelt bijna naar achteren. Net op tijd pak ik zijn arm stevig vast en trek 'm weer op de zaling.
'Zie je wel, je wilt me helemaal niet kwijt,' lacht hij triomfantelijk.
Ik laat zijn arm weer los. 'Je zit vast, je was nooit echt gevallen.' Ik klop de stukjes zaagsel die aan mijn hand zijn blijven kleven weg.
De schemer valt in en rode, groene en wit knipperende lichtjes verschijnen aan de horizon. Niet zoveel als op de Waddenzee met zijn vele geulen, banken en boeien, slechts af en toe een lichtje.
Jitse klikt zichzelf nu los en klimt weer naar beneden.
Even steekt hij zijn hoofd weer boven de zaling uit.

‘Samen dansen in het Caribische gebied. Lijkt je dat niet wat?’
Ik duw op zijn blonde dreads maar kan een lach niet onderdrukken.
‘Onvermoeibare casanova. Rot op.’
Hij klimt weg. Steekt nog een keer zijn blonde hoofd boven de zaling uit.
‘De salsa?’
‘Nee.’ Wegduwen.
Blauwe ogen net over de rand. Blonde wenkbrauwen.
‘Bolero?’
‘Neehee.’
‘Dan niet.’ Hij haalt zijn schouders lachend op en doet een kleine dansbeweging met zijn hoofd. ‘Dan zoek ik wel een leuke negerin.’
‘Dat lukt je vast binnen een dag.’
Jitse klimt naar beneden. Boven de horizon zie ik het eerste sikkeltje van de maan. Kwetsbaar dun, op het punt om in de zee te zakken.
Zit ik weer met Jitse aan boord. Shit. Ik had me voorgenomen om me niet meer met hem in te laten, nooit weer. Ik word misselijk als ik denk aan al die momenten dat ik mezelf te grabbel gaf aan hem. Ik weet wel waarom ik dat deed – hij gaf me het gevoel iemand te zijn. En dat was ik niet gewend. In Ziltezijl was ik niets, noppes, mafkees, import, naast Lena loste ik op. Maar naast hem was ik de stoere maat, de verleidelijke vrouw, was ik bijzonder, stond ik stevig. Voor het eerst.
Ik was veertien, nu vijf jaar terug, en liep op mijn nieuwe Amsterdamse kisten door de haven van Havenseind. Mijn ouders hadden net De Hoop verkocht en voeren nu met hun gloednieuwe klipper vanuit Havenseind. Hier kon ik

opnieuw beginnen. Niemand wist dat ik eigenlijk een stil importmeisje was. Het geluid van mijn net gekochte legerkisten klonk door de haven, zoals ze ook door de schoolgang hadden geklonken. Ze zeiden: hier ben ik. Het voelde nog wat onwennig, zo zichtbaar, zo hoorbaar. Ik was gewend me te verstoppen. Om net te doen alsof ik er niet was, dat was het veiligste.

Ik ging op de hoge steiger zitten en bungelde met mijn kisten tegen het hout. Het was laag water, de ruwe witte pokken op de groen uitgeslagen meerpalen waren zichtbaar. Ik keek naar het tjalkje dat aan lange lijnen diep onder de kade lag. Oude autobanden hingen als stootwillen op de geel geverfde boeg en schuurden met een piepend, rubberig geluid langs de palen. Op de boeg zaten zwarte sporen. Na een tijdje stak een blonde maat zijn hoofd uit het roestige luik van het vooronder en rookte een shagje. Een tijdje keek ik naar hem zonder dat hij mij zag. Zijn dreads hingen tot aan zijn schouders. Ik had hem al eerder gezien. Hij had veel bekenden, stond altijd praatjes te maken met de schippers en maten in de haven.

Hij keek op en moest lachen toen hij mij zag.

'Hé, wat zit daar voor blond elfje op de kade?'

Ik schrok op uit mijn dagdromerij.

'Ben je als gast mee?'

'Nee joh,' zei ik beledigd. 'Ik ben schippersdochter.'

'O, ja, nu zie ik het,' zei hij. 'Gasten dragen geen kisten.'

Verbaasd keek ik naar mijn voeten. Even voelde ik me als klein duimpje in de zevenmijlslaarzen. Die schoenen deden iets met mij, ze maakten mij groter. Groter dan ik eigenlijk was. Dat moest Ilona ook gevoeld hebben, toen zij ze voor het eerst aanhad.

Hij drukte zijn peuk uit op het dek, gooide hem overboord

en kwam uit zijn vooronder. Hij leunde tegen de mast. Hij droeg een gescheurde spijkerbroek en een trui met menievlekken.
'Waarom kom je niet even aan boord?'
Ik keek om me heen. Zou ik dat doen? Daar moest mijn vader niet achter komen.
'Ik bijt niet.'
Hij hielp me mee om van het steile stalen en glibberige trappetje te klimmen. Toen ik bijna beneden was, zette hij zijn grote handen op mijn jonge meisjesheupen en tilde me, alsof ik een scheepshond was, zo aan dek. Mijn hart klopte in mijn keel.
'Welkom op de Victorie.'
Ik ging met hem mee in het kleine roefje. 'Biertje?' vroeg hij.
Ik vroeg me af of hij wel wist dat ik nog maar veertien was. Ik zei niets, hij opende een flesje en draaide de petroleumlamp wat hoger.
We dronken in stilte. Zijn roef leek op de roef van De Hoop. De schrootjes op de wanden, de zwarte roetvlek boven de lamp op het plafond, de patrijspoorten die nauwelijks licht doorlieten. We luisterden naar het klotsende water tussen de kade en het schip, het schuren van de banden, het trekken van de lijnen. Wankelend was ik weer naar boven geklommen. Verliefd, ik voelde me zo verliefd. Dat had ik nog nooit eerder meegemaakt.
Het volgende weekend ging ik weer naar de haven waar de kleine tjalken, aken en botters lagen. Schepen zoals De Hoop, niet zoals de nieuwe klipper van mijn vader, die in de grote haven lag. Daar wilde ik niet bij horen. Ik wilde bij de vrije, stoere maten en schippers horen. Bij hen die dreads hadden, stoppelbaarden en gescheurde spijkerbroeken, die naar

teer roken en brandende ogen vol passie hadden. Niet bij de uitgebluste schippers zoals mijn vader, die meer zakenman dan zeeman waren.
Ik liep naar de Victorie, waar Jitse maatte. Het was een uur of zes en iedereen was net klaar met schoonmaken, hier en daar stond een maat nog het dek te spoelen met zoet water. Op het achterdek van de Victorie zat een clubje maten en schippers biertjes te drinken en te lachen. Jitse zat op het helmhout en praatte met de roodharige maat van de Avontuur. Even zonk alle moed me in de schoenen. Wie was zij? Vond hij haar leuk? Wist hij eigenlijk nog wel wie ik was? Ik draalde wat rond op de steiger, als een meeuw die rond een friettent hangt. Schuchter maar hongerig. Ik leunde tegen een meerpaal toen Jitse me zag.
'Hé Tara,' riep hij. 'Kom erbij.'
Ik sprong enthousiast op het voordek.
'Wie is zij?' vroeg de rode maat met de dikke borsten.
'Zij is dochter van die nieuwe in de haven,' zei Jitse.
Ik voelde dat ik boos werd. Die nieuwe op de haven. Dei nije op de hoaven. Weer was ik een nieuwe, een import-meisje. Ik vervloekte mijn vader. Eerst als hippie op een oud tjalkje vanuit een traditioneel vissersdorp gaan varen en daarna op een luxe nieuwe klipper tussen de oude tjalkjes met hippies gaan varen. Altijd iets anders doen dan de rest, zonder er ook maar een seconde over na te denken welke gevolgen dat voor mij had. Papa had zijn eigen NAP – zijn Niet Aangepaste Peil.
'Ja, van die luxe klipper,' zei ik fel. 'Van die klipper die op een gebakje lijkt. Maar doe mij maar een schip met stalen ballen, doe mij maar een schip zoals een schip zijn moet.'
Ik ging op de bolder zitten, met mijn benen wijd. Een paar schippers keken me lachend aan.
'Hoe oud ben jij?' vroeg de rode maat van de Avontuur spottend.

‘Zestien,’ loog ik. Al was het niet echt liegen, ik voelde me allang geen veertien meer. Daarvoor had ik te veel meegemaakt.
‘Biertje?’ vroeg Jitse en hij opende er eentje op de rand van het bierkrat. Hij kwam naast mij op de andere bolder zitten. We proostten terwijl de meeuwen hoog in de lucht zweefden.
In de daaropvolgende zomer verruilde ik mijn colbert voor een kiel, mijn rokje voor een gehavende spijkerbroek, mijn gekamde blonde haren voor een wilde bos met knopen. Op school kenden ze mij niet meer terug. Waar was die stille meeloper Tara? Hoe stoerder ik werd, hoe meer vriendinnen ik kreeg. Wilskracht. Ik wilde erbij horen, dus ik hoorde erbij. Ik ging elke vrijdagavond naar de kroeg op de haven, altijd op zoek naar Jitse. Zaterdagavond ging ik stappen op de eilanden. En aan boord leerde ik van pap en zijn nieuwe maat alles wat ik wilde weten over het zeilen. Ik was een maat. Een echte.
Maar elke week was ik bang dat ze zouden ontdekken dat ik de boel voor de gek hield. Dat ze erachter zouden komen dat ik eigenlijk een blokhakkenmeisje was. Een mafkees zonder stem, een importmeisje zonder wil, een slappeling met een gat in haar hart. Vooral Jitse moest ik overtuigen van het tegendeel. Want ik wist: zolang hij mij geloofde, geloofde iedereen me. En vooral ikzelf.

Hoe vrij Havenseind toen had gevoeld, zo benauwd voelt het nu. Had ik het niet kunnen voorspellen? Dat hij niet te vertrouwen was? Ik zag toen toch al hoeveel vrouwen er om hem heen hingen? En nu zit ik met hem op dit schip en maken we een tussenstop in Nederland. Klein benauwd Havenseind, klein stinkend Ziltezijl. Ik snap niet dat mijn

broertje het daar nog volhoudt. Maar de laatste keer dat ik Yoerie sprak, zei hij dat hij het fijn vindt om zijn vrienden zo dichtbij te hebben.
'Ziltezijlers zijn niet echt zo erg als jij denkt, hoor,' zei hij. 'Mijn beste vrienden wonen hier.'
Maar ik heb helemaal geen vrienden meer in Ziltezijl. Yoerie vertelde dat hij gaat maten bij papa komend seizoen.
'Nou, succes! Mij niet gezien,' had ik gezegd.
'Is toch leuk. We gaan ook naar Sail Amsterdam,' zei Yoerie.
Maar ik hoef niet naar Sail Amsterdam, want ik ga naar de andere kant van de wereld.

*

Een broertje is helemaal niet rond. Het is een gewoon mensje. Knalrood. Op een nacht kwam hij zo uit mama's buik gezwommen. Weg is haar mooie bolle buik en weg zijn Tara's o's. 'Bollie' noemt ze haar nieuwe broertje, want zijn hoofdje is zo rond als een ankerbol. Maar rotjoch was misschien een betere naam geweest. Ze kan niet meer horen wat de golven vandaag te vertellen hebben, door al dat gehuil. De stille avonden zijn voorbij. Nu zitten ze de hele avond te tutten boven die bolle.
'Boekiedoekiesnoepie.' Papa staat gebogen over de wieg en slaat wartaal uit. Tara kijkt met open mond toe terwijl ze met haar vingers de o's in de tafel volgt. Heeft papa dat ook ooit tegen haar gezegd? Dat soort kinderachtige taal? Tegen haar sprak hij toch meteen over fokken en trossen?
'Koediekoedie.' Mama drukt haar vinger op het wipneusje van dat rotjoch. Hij schatert.
'Wat een vrolijk joch is het toch,' zegt papa.
'Wat een heerlijke kletskous,' zegt mama terwijl ze hem nog een keer instopt.
Tara staat op en loopt naar haar kooi. Drukt de handen op haar oren. Ze drukt zo hard dat ze een soort zoem hoort. Alsof er in haar hoofd een motor op volle toeren draait. Toch blijft het gekoediekoedie erdoorheen komen. Stop! wil ze roepen. Stop! Maar alle o's zitten vast in haar keel.

'Hij praat!' Mama rent van de ontbijttafel naar Bollie.
Tara hoort niets. En zij heeft echt goede oren. De beste. Zij hoort zelfs het water aankomen als het eb is. Met haar oren is niets mis. Bollie zei niets. Heus niet.
Ook papa wordt dol. En laat zijn krant voor wat hij is. Dat doet hij

normaal nooit. Hoe hard Bruno ook piept dat hij naar buiten wil. Samen gaan ze bij Bollie zitten, die in een hoekje van het ruim met blokken speelt. En weer zegt hij het. Dat wat op mama of papa moet lijken.
'Hij zei mama!' roept mama.
'Nee, hij zei papa!' zegt papa.
Onzin. Ze blijft zitten waar ze zit. Pap. Roeren. Morsen. De hele tafel vol pap. Zo. Nog een hapje voor Bollie. Fletsch.

Papa en mama lijken zelf wel kleuters te worden. Eindeloos herhalen ze woorden tegen Bollie: 'Mama. Papa. Tara.'
Bollie wijst naar haar en zegt: 'Tada.'
'Goed zo,' jubelt mama. 'Dat is Tada.'
Tada!? Sinds wanneer heet zij Tada? Al die fantasieloze klanken. Al dat gemama, gepapa, getada. Hij kan geen enkele o of r uitspreken.
Mama mooi! Ze trekt aan mama's broek. Mama duwt haar weg alsof ze Bruno is.
'Even wachten, Taraatje, eerst even je broertje eten geven.'
Ze is geen hond. Ze is een kind. Maar echte kinderen praten. Anders had je net zo goed hond kunnen worden. Blaf blaf. Stomme a's.

Ze varen door de sluis. De zoute lucht is weg. De wereld ruikt zoet, aan de kant wuivend riet. Ganzen vliegen over. Tara zit in haar tros op het achterdek. De motor bromt. In de verte ziet ze een kerktoren. Het dorp waar de o in haar borst brandde. Waar het zondag is.
'Deze zomer gaan we een huis zoeken,' zegt mama. 'Dan kan je naar de kleuterschool. Je bent al vier, het is tijd dat je vriendinnetjes maakt, zodat je lekker kunt kletsen.'
Mama pakt haar lievelingsboek erbij. Daar leest ze de hele tijd uit voor. Ze tilt Tara op en zet haar op haar schoot, slaat het boek

open. De bladzijden willen eigenlijk wapperen in de wind. Mama houdt ze stevig vast en wijst naar het groepje meiden in de tekening. Ze lachen allemaal, altijd, heel saai.
'Kijk, dat zijn vriendinnetjes.' De meisjes kletsen steeds in het boek. Nooit zijn ze stil. De Zonneclub noemen ze zich. Dat is wel een mooi woord. Koppig uit de top drie. Zonneclub erin.

*

Het huis schommelt niet, ruikt niet en maakt geen geluid. Staat stil op de keiharde grond. Baksteen op baksteen. Huis te zijn. Nergens naartoe te gaan. Het huis ruikt naar het stoffige rode tapijt op de grond en naar dat middel waarmee mama de wc's schoonmaakt. De keuken naar aardappelen, die mama te lang laat pruttelen in de pan. Maar verder nergens naar. Niet naar natte trossen, teer en petroleum. Ze heeft een eigen kamer. Met een dakraam. Er komt veel licht naar binnen. Zo anders dan haar donkere hutje met de kleine patrijspoort, waardoor slechts af en toe een zonnestraal naar binnen viel. Haar kamer is zo groot als de hele roef van De Hoop, waar ze met z'n viertjes zaten. En ze heeft nog helemaal niets. Geen bureau, geen stoel, niet eens een bed. Ze spitst haar oren maar hoort geen klotsend water, klapperende zwaarden, grutto's of meeuwen. Ze hoort 's nachts alleen de mannen in de kroeg.
'Ze zijn dronken,' zei mama. 'Dat komt doordat ze geen werk hebben. Ze vervelen zich.'
'Die dijk heeft alles verpest,' zei papa.
Door de dijk komt hier nu geen zout water meer, vertelde hij. En dus zijn er geen vissen meer om te vangen. En wonen hier vissers zonder vis. Maar eigenlijk snapt ze niet waarom ze dan zo hard moeten schreeuwen 's nachts. En elkaar moeten slaan. Maar ze snapt wel

dat ze het zout missen. Ook zij vindt geen zout meer op haar lippen, knarsend tussen haar tanden, schurend op haar huid. Er zijn hier alleen maar weilanden, met rode klaprozen en wit fluitenkruid. Met langharige buffels en domme schapen. Niets valt hier droog of stroomt onder water. Al het water staat stil. En stinkt, stinkt naar … tja, zoet. Zoet, muffig bruin water, zoals het water in de regenton naast hun huis. Er zweven kleine vliegjes boven.
Bruno loopt steeds weg. Hij loopt in zijn eentje naar het meer aan de andere kant van de dijk en rolt zich daar in de stinkende modder en koeienstront. Hij mist het wad net zo erg als zij, want hij is een echte waddenhond. Aan boord rent hij weg zodra het laag water is. Zo ver weg dat je hem niet meer ziet. En hij komt altijd precies op tijd weer terug. Als het water over de zandplaat heen glijdt, staat hij met zijn zwarte pootjes weer naast het schip. 'Hij voelt het aan zijn water,' zegt papa dan. Hier op land is hij in de war. Hij zoekt het zout. Maar vindt alleen maar koeienmest. Daarin wentelt hij zich om. Papa heeft 'm al twee keer boos onder de douche gestopt. Bruno haat dat. Hij gromt en heeft papa bijna in zijn hand gebeten.
Yoerie vindt het natuurlijk geweldig aan land. Hij laat zich in het hoge gras achter de dijk vallen, zodat niemand hem meer ziet, en komt dan weer lachend overeind, hij bouwt kastelen van bakstenen. Dat rotjoch vindt ook echt alles leuk.
Mama is ook blij. Ze heeft het steeds over de bank. De tafel. De douche. En ze wil een machine waarmee ze kan wassen. Aan boord waste ze roeiend. Alle stinkluiers van Yoerie knoopte ze aan elkaar achter het bijbootje. Dan roeide ze door de haven. Alle poep in het water. En ze is zo blij dat ze echt licht heeft. 'Nu kan ik tenminste zien wat ik aan het doen ben,' zei ze terwijl ze haar lappen stof over de eettafel uitspreidde. Het licht dat mama echt noemt is heel wit. Tara weet niet waarom het licht aan boord niet echt was. Ze hield van hun petroleumlamp. Van de zwarte roetvlek op het plafond. Van de groene vlekjes op het koper. Het dunne glas met de gebroken boven-

kant. Van het wieltje waarmee papa de lont hoger draait. Maar het belangrijkste vindt mama de mensen. Ook zij wil vriendinnen. 'De buurvrouw is heel aardig,' zegt ze stralend. 'Ze bracht ons een zak gepelde, verse garnalen.'
Ze praat dan met die mevrouw in heel rare woorden, die ze mama nog niet eerder heeft horen zeggen. Het is haar dialect, zei mama, dat ze vroeger thuis ook sprak. Haar ogen twinkelden.
Tara gaat op bed liggen. Af en toe hoort ze het hoge geluid van een brommer die voorbij raast. Mama zei dat ze zelf de kleuren voor haar kamer mag kiezen. Ze kijkt naar de witte muren. Zoveel wit. Ze mist de houten schrootjes, het zwarte staal. Ze wil geen kleur kiezen. Ze wil naar huis, naar haar kooi. Met haar hand strijkt ze over de witte lijnen op haar borst. Ze voelen als de harde ribbels in het wad. Met haar vinger drukt ze op de zandvlaktes net boven haar navel, harde witte stukken die droog liggen in de zachte modder van haar buik. Als ze haar ogen dichtdoet, is het net alsof ze weer aan boord is.

*

Het liefste wil ze zich mengen in het gekrioel, maar ze durft niet. Ze staat samen met mama vanaf het stenen dijkje, dat over het plein heen slingert, te kijken. Op het dijkje staan drie houten zwart-witte koetjes, doodstil op hun stijve poten.
De bel gaat. Alle kinderen rennen naar binnen. Het lijkt erop alsof ze elkaar kennen. Twee meisjes lopen hand in hand. Allebei dragen ze een gebleekt spijkerjasje, net als veel andere meisjes. Tara heeft dat niet. Zij draagt haar rode jurk en haar haren zitten zoals altijd in een grote knoop. Niet zo netjes gekamd als bij die twee meisjes. Dat heeft aan boord geen zin. Alles waait altijd weer uit de staart. Dus op den duur zijn mama en zij gestopt met kammen. Er is een

ander meisje dat geen spijkerjasje draagt. Zij heeft eenzelfde soort jurkje als Tara aan, maar dan paars.
Een jongen met sproeten en donkere stekels slaat een blonde jongen met een litteken boven zijn wenkbrauw op zijn schouder. De donkerharige heeft een ringetje in zijn linkeroor en allebei lopen ze op zwarte klompen. Ze tuurt over het plein. Een meisje staat naast de deur tegen de muur geleund, ze is langer dan de rest. Ze kijkt haar recht aan. Groene, scherpe ogen. Tara kijkt naar de grond. De rechthoekige stenen op het dijkje maken samen driehoeken. Als ze weer opkijkt, is het groenogige meisje weg.
Mama legt een hand op Tara's rug en duwt haar van de dijk. 'Vooruit, straks kom je nog te laat op je eerste dag.'
Ze springt van de dijk af en rent over de tegels naar de deur. Vlak voordat ze naar binnen gaat, draait ze zich nog even om. Mama zit met haar paarse lange jas op een houten koe. Ze zwaait.
De school ruikt zoals hun huis. Naar niets. Tara is er nog steeds niet aan gewend. Bij de deur van het kleuterlokaal blijft ze stilstaan. Een zee van grijs tapijt voor haar. In de klas zit iedereen al op de stoeltjes die midden in het lokaal in een cirkel staan. De juf staat in het midden en kijkt haar aan. Ze heeft kort haar en brede schouders. Het lokaal is minstens twintig keer groter dan hun roef. Met aan alle kanten ramen. Aan de rechterkant kijken de ramen uit over het schoolplein, aan de achterkant en linkerkant over akkers. Plat land tot aan de horizon. In de verte rijdt een tractor. Het meisje met de groene ogen kijkt niet naar haar en zit tussen de twee meisjes die net nog hun spijkerjasjes droegen. De ene heeft korte blonde krullen en de ander heeft lang golvend bruin haar, ze is heel mooi. Naast haar is nog een stoeltje vrij. Het paarsejurkmeisje zit naast juf en lacht met kuiltjes in haar wangen. Een ander meisje, met blond vettig haar en een varkensneusje, gniffelt en zwaait naar haar.
'Moi Tara, ik bin juf Berta. Goa mor zitten, noast Natasja is nog 'n plekje.'

Alle kinderen kijken naar haar. Ze gaat naast het knappe spijkerjasmeisje zitten. Die schuift haar stoel een beetje van haar vandaan.
De juf zegt: 'Tara komt hier nait vandoan.'
'Woar den wel vôt?' vraagt de jongen met het litteken.
Juf Berta en het jongetje spreekt met dezelfde rare woorden als mama hier doet. Is dat landtaal?
'Van 'n schip, Jelle.'
''n Vissersschip?' wil Jelle weten. Zijn gezicht licht even op.
'Nee, 'n zeilschip, toch, Tara?'
Ze knikt voorzichtig. Tara kijkt naar het tapijt. Wollen draadjes steken hun kopjes omhoog. Wollige wadpieren.
'Ze liekt wel 'n beetje op 'n witte zeehond,' zegt de jongen met het oorringetje.
'Zowat zeg je nait, Mark,' zegt juf. 'Tara zegt nog nait zoveul, maar dat komt vanzulf. Wees 'n beetje oardeg tegen heur.'
'Moi Tara,' roept het meisje met het varkensneusje en ze zwaait nog een keer. 'Ik bin Anna.'
Tara wil wel terug zwaaien, maar het lukt niet. Haar handen liggen voor anker in haar schoot.

In de pauze zit ze op de rand van de zandbank en laat het zand door haar hand gaan. Zo anders dan slik. Ze kneedt in de landgrond, maar er komt geen water uit. Het is droog, zonder schelpen, zonder pieren, zonder zeewier.
Het jongetje met het litteken, Jelle, en dat met de oorring, Mark, komen op haar af. Voor haar neus blijven ze stilstaan, op hun zwarte klompen.
Het ene jochie zegt iets waar ze niets van kan maken.
Tara ruikt aan het zand, geen geur, geen waddensliklucht.
Jelle pakt het zand uit haar hand.
Een paar woorden vangt ze op. Lekker. Eten.
Ze pakt een nieuwe hand zand. Kijkt niet op.

Jelle pakt nu haar kin vast. Duwt het zand van zijn hand in haar mond.
Nog meer. Vol. Geen lucht. Ze probeert de hand weg te duwen. Maar ze houden haar stevig vast. De zandkorrels schuren tussen haar tanden en drukken naar haar keel. De jongen heeft kortgeknipte nagels. Nog een hap zand.
Ze krijgt geen lucht meer. Ze wordt dichtgestopt, ze ziet niets meer. Nu wil ze help roepen, maar er komt niets uit.
Dan hoort ze iets, van heel ver weg, een meisjesstem. Ze voelt een harde klap op haar rug en schiet vooruit. Zand stroomt uit haar mond. Bijna komt er een o mee naar buiten. Maar net niet. Tara laat de modder uit haar mond lopen. Nu lijkt het al meer op waddenzand.
Ze ziet een hand met slordig gelakte nagels. Zwart. De hand trekt aan de haren van de jongens. Die schreeuwen zo hard dat haar oren weer openspringen.
De jongens rennen weg, het meisje blijft staan. Pas nu ziet ze haar. Het is het meisje met de groene ogen. Kattenogen.
'Ik ben Lena. Hoe heet jij ook alweer?' Het meisje staat met de handen in de zij voor haar neus. Haar bruine haren zijn stijl en hangen slap naar beneden.
Ttt. Ze wil het zeggen. Maar er komt niets.
'Hoe heet jij?' vraagt Lena nog eens, ongeduldig.
Ttt, bijna zegt ze het. Ze legt het puntje van haar tong achter haar voortanden.
'Wat is hier aan de hand?' Juf Berta staat voor hen. Ze wijst naar Tara's lippen, kin en wangen, die nog helemaal met zand besmeurd zijn.
'Wat is der gebeurd?' Juf kijkt van Tara naar Lena.
Juf pakt Lena bij haar bovenarm en brengt haar grijze ogen heel dicht bij haar groene ogen.
'Pest doe Tara?' vraagt ze.

'Ik dee ja niks!' zegt Lena, nog steeds zonder haar blik van die van Tara te halen.
'Wat dust hier den? Woarom het Tara heur mond vol zaand?'
Vriendinnetje. Dat woord had mama genoemd. Die zou ze hier vinden, in dit dorp. Dat is d'r. Dit meisje, Lena. Haar vriendinnetje. Dat weet Tara zeker.
Maar juf is niet zo blij met haar nieuwe vriendin.
'Hallo, ik vroag die wat!' Juf schudt nog wat harder aan Lena's arm. Tara's keel staat in brand van woorden die niet willen komen. Zij was het niet, juf, zij was het niet. Ze is mijn vriendinnetje.
Dan gilt juf en laat Lena los. Verschrikt kijkt ze naar de tandafdrukken in haar hand. Lena heeft juf gebeten en rent nu snel weg. Tara rent achter haar aan. Lena, niet weggaan! Maar ze veert terug. Juf heeft haar in de nek gepakt.
'Kom doe mor even mit mie mit.'

*

Vanaf het achterdek ziet ze hoe het water rondom het schip zich langzaam terugtrekt. Het is bijna windstil. Maar in haar hoofd is het een kabaal.
Ik ben Lena, hoe heet jij?
Ik ben Lena, hoe heet jij?
Het herhaalt zich als het schreeuwen van de meeuwen. Branding in haar hoofd.
Ik ben Lena, hoe heet jij?
Noppes. Niets. Nul. Niets niet Tara.
De schemer valt. De vogels worden drukker. De tureluur roept hard. Verderop, door de geul, vaart een vissersschip. Een zwerm meeuwen volgt hem. Scholeksters lopen op hun hoge pootjes door

het water, met hun rode snavels zoeken ze naar beestjes. Tara kent al hun namen. Dat komt door papa. Die wijst ze aan en zegt: 'Scholekster, grutto, gans.' Bollie zegt alleen maar 'vogel'. Maar zij weet wel beter.
Ze legt haar hand op de tros. Op het koude staal onder haar. Het suist in haar hoofd. En dan voelt ze hem komen. Vanuit haar borst. Haar geheim. Een wervelwind trekt hem uit haar. Ze wil haar mond weer sluiten, maar het is te laat. De o komt er al uit. Met zo'n kracht dat ze niet meer weet of die van haar is of van het wad om haar heen. Ze weet alleen dat ze zich net zo licht als een wolk voelt. Ze zegt o, ze roept o, ze zingt o. En hij klinkt perfect. Net zoals in haar hoofd. Maar dan tien keer zo luid.
En nu ie er eenmaal is, is ie niet meer te stoppen. Zo makkelijk. Het is gewoon als diep uitademen. De o rolt weg in de donkere diepe buik van het schip. De stalen wanden zingen mee. Haar stem is de gijp en het hele schip trilt er nu van na.
Op de drempel van de roef staat mama. Ze heeft haar handen voor haar mond geslagen. In haar ogen tranen.
'O,' zegt Tara zachtjes. Als een avondbriesje komt het uit haar mond.
Mama hurkt voor haar neer en een traan glijdt over haar wang.
'O,' zegt Tara, nu wijzend naar haar tros. Ze wil tros zeggen, maar alleen de o komt eruit.
Mama omhelst haar en drukt haar tegen haar warme huid, die naar avond ruikt.
'O,' zegt mama.
Mooie mama. Ze zegt de perfecte o.

*

Als ze weer op school komt, rent ze meteen naar Lena, die in de klas voor het raam staat. Tara beweegt door de drukte naar het raam. Het liefste zou ze Lena omarmen, maar ze durft het niet. Voorzichtig gaat ze naast Lena staan.
'Hallo Lena, ik ben Tara.' Ze heeft goed en veel geoefend.
Ze draait zich naar Lena toe en steekt haar hand uit. Zoals papa dat ook doet als hij iemand ontmoet. Lena kijkt haar lachend aan en wil haar hand uitsteken. Maar dan roept Jelle door de klas: 'Mot je es kieken, Lena proat mit dei witte zeehond!'
Lena laat haar hand zakken, Tara blijft met haar uitgestoken hand staan.
'Hallo, ik ben Tara,' zegt ze, nu iets harder.
Lena draait zich om en kijkt uit het raam. Ook Tara laat haar hand zakken. Wat is er buiten? De tractor rijdt heen en weer. Hij maait het graan. Stof waait op. De lucht is grijs. Het klimrek op het plein is leeg. De glijbaan roest, net zoals het voordek.
'Ik praat,' zegt Tara. 'Heel veel woorden.'
Glimlacht Lena nu? Ziet ze dat goed?
'Doe bist mie ook aine.'
Lena verstaat haar niet goed. Ze heet geen Aine. 'Ta-ra,' zegt ze langzaam.
Lena lacht. 'Woar komst vondoan?'
Ze voelt een lichte paniek opkomen. Ook Lena praat met die rare woorden. Ze heeft de verkeerde taal geleerd. Een taal die je alleen op zee spreekt. Waarom heeft niemand dit aan haar verteld?
Jelle en Mark, de twee jongens van de zandbank, komen erbij staan.
'Proat ze?' vraagt Jelle.
'Zegt ze oink oink?' vraagt Mark, terwijl hij met zijn ellebogen wappert alsof hij een zeehond is.

'Fok joe, dou normoal,' zegt Lena tegen de jongens terwijl ze weg beent.
Het woord komt als een schok bij Tara binnen.
Fok! Lena kent haar woord. Fok, ze zei het echt, fok!
'Foook!' fluistert Tara achter Lena aan, die ondertussen al in de cirkel in het midden van de klas zit. Net als de andere kinderen.
'Fokker de fok,' zingt Tara zachtjes. Haar woord. Lena kent haar taal. Haar geheime taal. Voor de rest praat ze misschien wat raar. Maar fok kent ze. En dat is het belangrijkste.
'Fok!' zegt ze, deze keer iets harder. Ze spreidt haar armen uit en cirkelt door de kring met kinderen. Ze hoort golven breken, de wind langs het fokzeil suizen, meeuwen roepen. Voor Lena blijft ze staan.
'Fok!' zegt ze met een brede grijns.
Maar Lena antwoordt niet. Ze kijkt met opgetrokken wenkbrauwen naar Tara.
'Wel mot nou normoal doun, Lena,' roept Jelle.
Lena trekt haar schouders op en kijkt van Tara weg. Iedereen in de cirkel staart haar aan. Mark, Jelle, Anna, de juf. Alleen het meisje met de paarse rok glimlacht naar haar, de rest kijkt alsof het gaat stormen. Het is doodstil in de klas. Dan begint Lena te lachen. De anderen volgen. Juf zegt dat ze moeten stoppen. Maar niemand luistert.
Tara's fok valt heel snel naar beneden. Harp voor harp glijdt het woord langs de stag op de vloerbedekking. Ze wil iets zeggen, maar het lukt niet meer. Er zit een dikke o om haar keel geschroefd.

Datum en tijd: vrijdag 29 september, 13.00 uur
Positie in de kaart: Ziltezijl
Koers: geen
Snelheid: nul
Weer: grijs, windstil

Het lijkt wel alsof de tijd hier heeft stilgestaan. Sterker nog, alsof de tijd achteruit is gegaan, zich in zichzelf heeft teruggetrokken. Hetzelfde dorp als veertien jaar geleden, toen we hier net kwamen wonen. Dezelfde pizzeria op de hoek, het postkantoor ertegenover, de kroeg onder de dijk. In de verte, naast de haringkraam, zie ik Bertus en zijn vrienden op het leugenbankje zitten. Zelfs de leugens zijn niet veranderd. Misschien alleen wat sterker geworden. De leugens en de sterke verhalen hangen net als de gedroogde schollengeur continu in de lucht. Snel mijn spullen halen thuis en dan over een paar uur weer de bus nemen, terug naar de Maya.
Wat moet ik mee? Mijn overlevingspak, mijn kiel, nog een extra dagboek, een leesboek. Allemaal dingen die ik vergeten ben toen ik zo overhaast aan boord was gestapt. En wat lekkere dingen misschien. Chocolade, gedroogde abrikozen, nootjes. Versnaperingen voor in mijn hut. Daar zal ik straks zin in hebben op de volle zee. Zal ik even langs de Spar gaan? Even wat inslaan? Maar straks kom ik Natasja tegen, of Greta. Niet dat ik ze sinds de lagere school vaak heb gezien, daar deed ik wel mijn best voor. Toen ik eenmaal op de middelbare school een dorp verderop zat, bleef ik zo lang mogelijk uit Ziltezijl weg. Ik nam de eerste bus het dorp uit, en kwam vaak met de laatste bus weer terug. Ik was hier alleen als het donker was. En elk weekend was ik aan het varen. Nu voel ik me opeens extreem zichtbaar.

Op mijn stevige kisten, in mijn zeiljas. Mijn huid bruin. Alsof ik uit een andere wereld kom. Gebronsd tussen al die bleke witvissen die al generaties lang hier op 't droge liggen. Nou, kom op, Tar. Ga naar die supermarkt. Je gaat verdomme de wereld over zeilen en je durft in het dorp waar je bent opgegroeid niet eens de supermarkt in? Get yourself together.
Ik draai me om en loop van de bushalte richting het dorpsplein. Gelukkig woont Lena hier al lang niet meer. Die kan ik in ieder geval niet tegenkomen. Hoe zou het eigenlijk met haar zijn? Na de tweede klas op het vwo heb ik haar nooit meer gezien. Sommigen zeggen dat ze samenwoont met een tien jaar oudere man in de stad. Anderen beweren weer dat ze het land uit is gegaan. Yoerie zei dat hij gehoord had dat ze een eigen coffeeshop was begonnen. Wie weet. Nooit zomaar iets geloven hier.
Snel langs de Rabobank, de drogist. Waar is iedereen? Lege straten, lege winkels. De Spar in. Hé, hier is wel wat veranderd. De peren liggen waar eerst de appels lagen. Ik ken mijn weg en glijd door de schappen. Chocolade, met nootjes. Abrikozen. Gemengde noten. Hup. Snel afrekenen.
'Tara, mooi dat ik die hier weer es zai.'
Ineenkrimpende maag. Bekende stem. Ik kijk van onder mijn wenkbrauwen naar de caissière. Natasja. Ze werkt hier dus.
'Ik heb in de kraant over die lezen.'
'Dat kan.'
Het Noordelijk Nieuwsblad had een artikel aan mijn reis gewijd. Een achttienjarige dorpeling die besloot om te gaan zeilen en reizen vonden ze blijkbaar nieuws. Dat moest zwart op wit. De journalist had mij gefotografeerd op het voordek van de klipper en er stond boven: *Avonturierster ontdekt grote zee.*

Toen het op de mat was gevallen, voelde ik me trots en tegelijkertijd schaamde ik me. Wat deed ik daar zo groot in die krant? En toen wist ik nog niet eens zeker dat ik ging. Ik wilde helemaal niet dat iedereen het wist.
'Gaist ver weg zailen, hè.'
'Ja, ik vertrek morgen.'
'Noar Amerika?'
'Naar de Caribische eilanden.'
'Dat was altied al dien droom, hè?' vraagt Natasja terwijl ze mijn chocolade afrekent.
Ik kijk haar nu wat langer aan. Ze heeft haar pony met haarlak opgespoten. Haar dik opgemaakte ogen kijken me nieuwsgierig aan.
'Doar hest toch dat opstel over schreven?'
Ik sta met mijn mond vol tanden. Weet zij nog welk opstel ik op de lagere school schreef? Ik dacht dat ze me een achterlijke idioot vond.
'Ik ben trots op 'n Ziltezielster dei in de kraant stait.'
Snel doe ik mijn spullen in mijn rugzak.
'Mooi. Ik ga. Dag.'
Boos ben ik. Laaiend. Ik stamp nu over het plein. Waarom. Waarom. Waarom. Waarom zegt ze nu pas dat ze dat opstel nooit is vergeten? Waarom moeten ze me eerst negeren, verminken? Pas als ik in de krant sta, alsof ik een beroemdheid ben, zeggen ze dat ze zich mijn verhaal herinneren. Nu ik met mijn kop in de krant sta, ben ik opeens iemand. En zijn ze trots. Laat me niet lachen. Trots. Trots op de gek van de school.
In gedachten loop ik door de achterdeur. Bijna alsof ik hier nog woon. Ik zou zo doorlopen naar mijn kamer, zoals ik dat altijd deed. Maar ik woon hier niet meer, midden in de woonkamer besef ik dat opeens. Papa, mama en Yoerie kij-

ken me verbaasd aan. Ik ben een buitenaards wezen dat opeens in hun veilige huisje is geland.
Mama staat op en slaat haar armen om me heen. Ze heeft een nieuwe blouse aan. Een wijde roze met schuine paarse strepen. Ik weet niet zo goed waar ik mijn armen laten moet.
'Jemig, wat ben jij bruin geworden!' zegt mama.
'En dik,' roept Yoerie.
Ze hebben allebei gelijk. Ik weet het. Ik ben uitgedijd, gedeeltelijk door mijn eigen vette eten. Niet meer de spriet die ik altijd was. Een vrouw, zoals Jitse dat noemt.
Wat kan je veranderen in een paar weken.
'Ga zitten, lieverd,' zegt mama. 'Wil je thee?'
Voordat ik kan antwoorden, is ze al naar de keuken gelopen. Ik blijf staan waar ik sta.
'Vertel eens iets,' zegt Yoerie, die op het puntje van zijn stoel zit. 'Hoe is de Oostzee?'
'Blauw.'
'Net zo blauw als op plaatjes?'
Ik lach. Yoerie. Mijn broertje. Die steeds meer een broer wordt. Hij lijkt groter en breder, dat komt vast van het maten.
'Heb je een contract?' vraagt papa.
Ik knik. 'Ik mag mee naar het Caribisch gebied.'
'Dat is mooi, meid,' zegt pap.
Hij knikt. Is hij trots? Dat zijn dochter dit onderneemt? Of vindt hij het gekkenwerk? Ik kan het niet inschatten. Hij kijkt vanuit zijn bordeauxrode leunstoel uit het raam en wrijft in zijn brede snor. Hij ziet er moe uit en heeft paarse wallen onder zijn ogen. Naast zijn stoel staan al een paar lege bierflesjes. Hij vaart te lang, bedenk ik me opeens, hij moet stoppen.
'Hoelang blijf je weg?' vraagt mama. Haar stem kraakt. Ook

al steunt ze me, ze vindt het moeilijk, dat weet ik. Ze vond het al lastig dat ik naar Marieke ging in Amsterdam.
'Jullie krijgen de groeten van Frederik,' zeg ik.
'Frederik van Buizigem?' vraagt papa.
Ik knik.
Mama komt weer. 'O, die voer vroeger toch op de Snelle Jelle?'
'Ja,' zegt papa, terwijl hij weer naar buiten kijkt, zoals hij ook over het wad kijkt. Een blik zonder focus, maar die alles ziet. De dijk aan de andere kant van de weg, de schapen die eroverheen lopen, de gele bus die voorbijkomt.
'Frederik spoort niet, hij is een uitbuiter met dat kantoor van hem. Betaalt zijn schippers veel te weinig.'
Papa, de schipper in de woonkamer.
'Frederik heeft mij aangenomen. Hij vindt dat ik supergoed kan zeilen.'
'Je moet uitkijken met die vent.'
'Nou, laten we gezellig thee gaan drinken.' Mama steekt het theelichtje aan. 'We zien Tara heel lang niet meer.'
'Ik ga eerst mijn spullen pakken,' zeg ik. 'Ik moet zo weer weg.'
Ik loop de trap op naar mijn kamer met de fel geverfde muren, het oranje bureau en de stapels dagboeken in de kast. Ik wou dat ik die mee kon nemen. Ik glijd met mijn vingers langs de bruine achterkanten met gouden letters. Lang heb ik alleen maar in die Chinese dagboekjes geschreven, met een leren rug en een geborduurde voorkant. Maar daarom kocht ik ze niet. Ik kocht ze om de plaatjes in de zijlijn, op elke bladzijde stond met rode inkt een brekende golf gedrukt en om de paar pagina's een windjammer met volle zeilen die zo het boekje uit zeilde. Ik hield ervan om met mijn vulpen tussen die golven en schepen te schrijven. Alsof ik me zo de wereld in schreef.

Uit mijn rugzak haal ik mijn knapzak, de legergroene. Ik prop mijn oranje overlevingspak erin, het ruikt naar vocht, zout, teer. Mijn blauwe kiel, veel te groot. Al pas ik 'm met mijn extra pondjes misschien wel. Nog wat kleren. Ik kan niet al mijn dagboeken meenemen. Een paar. Welke? Ik trek blind drie dagboeken eruit en stop ze in mijn zak.
Nu snel naar beneden. Een kopje thee dan. Al zou ik liever meteen gaan, voordat papa weer Frederik afkraakt en mama te veel gaat vragen. En o ja, mama even om wat recepten vragen. Makkelijke recepten. Bloemkool met kaassaus. Die kan ze lekker maken. Daar maak ik vast de blits mee aan boord. Ik heb een wil. En daarmee zal ik leren koken. Echt wel.

Datum en tijd: zondag 1 oktober, 11.15 uur
Positie in de kaart: Havenseind, haven
Koers: geen
Snelheid: aan de wal
Weer: druilerig, noordwestenwind 3

'Als Simon niet meegaat, dan ga ik ook niet mee.' Frank staat op de loopplank en heeft een tas in zijn hand. Frederik loopt heen en weer over het houten dek, van de buitenbar naar de mast en weer terug.
'Hallo, gast,' zegt Frederik terwijl zijn hoofd knalrood is. 'Waarom doe je steeds zo moeilijk.'
Frank blijft rustig. 'Dat heb ik al een paar keer uitgelegd.'
Inge komt nu ook gepakt naar buiten. Ze heeft wallen onder haar ogen. Ze hebben de hele nacht binnen aan de bar gezeten, zij, Frank en Frederik. Terwijl Jitse en ik samen boven op dek naar de sterren keken, hadden we ze gehoord. Eerst lachen, jolig van de vele biertjes in het Ankertje, later stemverheffingen, geschreeuw en deuren die dicht werden geslagen.
Frank had voorgesteld om een bevriende stuurman, Simon, mee te nemen. Maar Simon wilde alleen komen als zijn vriendin ook mee mocht. Perfect, vond Frank, want ze had ook nog ervaring in de horeca. Maar Frederik wilde er niets van weten. Te duur, was zijn mantra.
'Ga dan ook maar, ik heb jullie niet nodig,' roept Frederik terwijl hij naar binnen loopt.
Frank en Inge kijken me aan vanaf de kade.
'Wil je met ons mee?' vraagt Frank.
Vanbinnen voel ik een wantij opkomen, twee waterstromen die in tegenovergestelde richting aan me trekken. Aan de ene kant trekt de oceaan, mijn droom. Aan de andere

kant mijn nieuwe vrienden en mijn heldere verstand. Die Frederik is niet te vertrouwen.
'Weet waar je aan begint,' bevestigt Inge mijn gedachte. 'Met die vent aan het roer.'
'Niet zeggen, Inge,' zegt Frank terwijl hij een arm om haar heen slaat. 'Tara moet zelf haar keuzen maken.'
'Dit was mijn droom,' zeg ik. Het komt er niet heel overtuigend uit. Ik had het me ook wel anders voorgesteld. Het voelt alsof ik in een kleuterklas met volwassenen zit.
Frank knikt. Hij komt weer terug aan boord en slaat zijn stevige armen om me heen.
'Je bent een geweldige maat,' zegt hij. 'Je redt het wel.'
Ook Inge komt terug. 'Stoer wijf,' zegt ze, terwijl ze me op de wang kust.
Dan lopen ze weer van boord, de kade op, voorbij de grote witte visafslag, de hoek om.
En daar sta ik dan. Alleen. Op dat veel te grote dek, met die veel te hoge masten. Ik zie mezelf van bovenaf, alsof ik tegelijk op dek sta en in de mast zit. Frank en Inge zie ik van deze hoogte in hun oude kevertje stappen en wegrijden. Ik zie mezelf als klein meisje in te grote schoenen op het houten dek staan. Een blauw schip in een Hollandse haven. Een verhaal dat zich herhaalt. Meisje wordt verlaten. Meisje kan niemand vertrouwen. Meisje moet het alleen doen.
Godverdomme, ga dan ook maar! Ik schop met mijn stalen neuzen tegen de verschansing. Ik dacht dat ik nieuwe vrienden had gevonden, gaan ze er weer vandoor. Ik heb niemand om op te bouwen, alleen moet ik het doen. Alleen.
Jitse komt met een slaperig hoofd aan dek, zijn ogen klein.
'En jij bent al net zo erg!' roep ik in zijn gezicht.
'Wow, kalm aan, je schreeuwt mijn kater wakker.' Hij wrijft over zijn slapen.

'Ook jij loopt gewoon weg als het moeilijk wordt. Dat heb je altijd gedaan! En dan laat je mij alleen achter. Niemand houdt rekening met mij!'
'Waar heb jij opeens last van? Is er al koffie?'
'Ze zijn weg.'
'Wie?'
'Frank en Inge.'
'Jezus, wat een laffe actie.'
'Ze zijn niet laf. Ze hebben gelijk. Je bent zelf laf.'
Ik loop weg, klim naar het verhoogde voordek en leun tegen de fok aan op het voordek. Opgerold onder aan de stag. *Fok Fok Fok*. Ik laat me vallen tegen het zeil. Nu zit ik met die twee eikels aan boord. *Had je maar beter naar me moeten luisteren*. Jaha, pap, ga jij je er ook nog eens lekker mee bemoeien.
De haven loopt langzaam leeg. Het is zaterdagochtend en alle schepen vertrekken voor een weekendtocht naar de eilanden. De Avontuur zet al zeil tussen de pieren, het grootzeil klappert onder de naar beneden hangende gaffel, het zwaard hangt ver buitenboord.
Wij zouden overmorgen vertrekken, naar ons eerste doel: de Canarische Eilanden. Twee weken zal dat duren, met een tussenstop in Lissabon, waar we gasten aan boord krijgen. Voor het eerste stuk hebben we geen gasten. En nu dus ook nauwelijks bemanning. Met z'n drietjes komen we natuurlijk nergens.
'Tara, waar heb je je nu weer verstopt!?' Frederik roept over het dek. 'Kom eens hier.'
Frederik zit in het stuurhuis met Jitse om het kleine tafeltje, bezaaid met kaarten en papieren. Ik ga naast Jitse op het bankje onder het raam zitten.
'Nu Frank en Inge weg zijn, hebben we iets minder be-

manning dan gepland,' zegt Frederik. 'Daarom heb ik toch maar die Simon laten komen.'
Mijn mond valt open. 'Maar dat wilde je toch niet?'
'Ik wilde geen twee stuurmannen mee,' sneert Frederik. 'Maar nu Frank 'm gepeerd is, moet ik toch iets.'
Ik laat de ironie van de situatie tot me doordringen. Frank vertrekt omdat Simon niet mee kan, en omdat Frank weggaat, neemt Frederik toch Simon aan.
'Hij komt overmorgen aan boord,' zegt Frederik. 'En hij neemt zijn vriendin mee. Die gaat als kokkin aan de slag.'
'Kokkin? Ik zou toch koken?'
'Een beetje hulp in de keuken kun je wel gebruiken toch?'
'Ik heb mijn moeders recepten meegenomen.'
Ik wil een hand voor mijn mond slaan. Soms kan ik echt beter mijn bek houden. Mijn moeders recepten, wat klinkt dat kinderachtig! Alsof dat vertrouwen uitstraalt. Ik heb er de laatste weken niet veel van gebakken in de keuken. Letterlijk. Gelukkig ving Inge veel op. Ze heeft zelfs een keer een heerlijke stoofschotel op tafel gezet en gezegd dat ik die had gemaakt. Het was de eerste keer dat Frederik zijn bord leeg at.
'Jij kunt haar inwerken. Zoals we hebben afgesproken, doe jij zowel de catering, de schoonmaak als het dek. Ik betaal je niet voor niets.'
Ik denk aan mijn schamele loontje, dat hij bij het tekenen van het contract zonder toelichting nog verder naar beneden had geschroefd. Ik zei er niets van. Nu ook niet. Ik ben allang blij dat die Simon met zijn vriendin komt. Dat ik niet alles alleen hoef te doen.
'Totdat we vrijdag vertrekken, moeten we nog heel wat doen.'
Frederik schuift een lijst met taken naar voren. 'We moeten

onder andere de ladders boven in het want beter bevestigen. Is dat niet wat voor jou, Jitse?'
Ik zie Jitse nog bleker worden dan hij deze morgen al was. Hij is nog niet verder gekomen dan de eerste zaling. Verder durft hij niet. Gebrek aan wilskracht.
'Nou, ik denk dat ik beter aan de generator kan werken,' zegt hij. 'Die maakt een raar geluid. Dan kan Tara de mast in. Als ze dat tenminste durft.'
Ik sta op en loop het stuurhuis uit. 'Ik begin alvast.'

Datum en tijd: dinsdag 3 oktober, 16.15 uur
Positie in de kaart: Havenseind, haven
Koers: geen
Snelheid: aan de wal
Weer: nog steeds druilerig, noordwestenwind 3

'Hallo, is daar iemand?' Een man met een grote knapzak over zijn schouder staat aan de kade, een klein bruinharig meisje achter hem. Ik kan haar niet goed zien, maar op een of andere manier heeft ze iets bekends.
Frederik komt uit het stuurhuis.
'Simon! Goed dat je er bent, vriend,' zegt hij. 'Kom aan boord.'
Met een tuigje zit ik vast aan het want. Ik hang een beetje achterover en leun in het zitje. Ik knoop een touwladder in de verstaging, zodat we makkelijk en snel naar boven kunnen klimmen. Stevig druk ik de lijn tegen de stag, en splits een lus om de stag heen. Van rechts naar links steek ik de drie loshangende lijnen onder de gevlochten lijnen van het touw. Trek ze af en toe aan, rol ze plat in mijn handen. Knip ze alle drie op een andere lengte af, zodat ze mooi geleidelijk aflopen. Daarna knoop ik de lijn extra stevig vast met een dunner lijntje aan de stag. Een knoop die ik nu, na honderd keer knopen, bijna uit mijn hoofd ken. Mijn vingers voelen stijf van de kou en het eindeloze splitsen en knopen, maar ik blijf doorgaan. Ik zit hier nu al twee dagen en ga als een dolle door. Ik kom alleen naar beneden om af en toe een boterham te eten. Geen woord heb ik meer gewisseld met Jitse of Frederik, die samen regelmatig op het achterdek staan om dingen te overleggen over de machinekamer of de geplande route. Zolang ik hier boven zit, maakt het me allemaal niet zoveel uit. Ik kan me nu al niet meer voorstellen dat ik bang

was voor deze hoogte. Het is heerlijk hier. Hier is alleen stag, lijn, wind, lucht, zout. Af en toe kijk ik op. Vanaf deze hoogte kan ik makkelijk over de dijk heen kijken en zie ik de strekdam liggen. Veerboten en vissersschepen varen in en uit, zoals ik wolken in en uit adem. Hierboven is het leven simpel, overzichtelijk.
Simon stapt op de loopplank. Hij laat de hand van zijn vriendin niet los, die voorzichtig achter hem aan komt. Er gaat een schok door me heen als ik haar zie lopen. Ik zie slechts de contouren van haar gezicht. Scherpe neus. Die houding. Borst trots vooruit. Voorzichtige stapjes op haar gehakte laarsjes. Er raast een storm door mijn hoofd. Ik verkil, verhard. Kippenvel over mijn armen. Mijn handen geklemd om de stagen. Het zal toch niet. Dit kan niet.
Simon stapt aan boord en geeft Frederik een hand.
'Mag ik je voorstellen aan mijn vriendin,' zegt hij.
Frederik steekt zijn hand uit naar het meisje.
'Frederik.'
'Lena.'
De stem, die naam, ze snijden dwars door me heen. Ik laat mijn hand van de stag los en laat de harp die ik goed vasthad, vallen aan dek. Hij klettert met een harde knal vlak naast Lena neer. Iedereen kijkt naar boven. Ook Lena. Ik voel haar groene ogen mij doorboren. Ik wil weg, nog hoger in die mast, zodat ik alleen nog maar een zwart puntje ben, een vaantje.
'Hé, wil je onze nieuwe bemanningsleden niet meteen aanvallen?' roept Frederik naar boven.
En tegen Simon en Lena: 'Dat is onze mastaap Tara.'
Lena legt haar handen boven haar ogen om beter te kunnen zien. Simon zwaait. Ik draai mijn rug naar hen toe. Ik moet moeite doen om mezelf op mijn plek te houden. Als

ik nu overboord zou vallen, zou ik zinken naar de bodem. Loodzwaar zijn mijn voeten. Alles komt terug, *fok fok fok*, ik verdrink, maar dat wil ik niet, ik wil mijn hoofd boven water houden, *hoger en hoger* moet ik, in de wolken, verdampen wil ik. Weg van haar. En van dat wat me naar beneden trekt, dieper en dieper.

*

Het meisje met de paarse rok en de knopen in haar haar komt na de gymles achter Tara aan gelopen. 'Ik ben Ilona,' zegt ze.
Tara zwijgt. Ze wil niet nog een keer voor schut staan. Praten is gevaarlijk.
'Spreek je geen trols?'
Ze kijkt verbaasd op. Trols?
'Waar kom jij vandaan?'
'Van de zee.' Ze slaat haar hand voor de mond. Nu heeft ze toch antwoord gegeven.
Maar Ilona lacht haar niet uit. Ze zegt: 'Wauw! Ik kom uit Canada.'
'Is dat ook een zee?'
'Nee joh. Dat is een land, aan de andere kant van de oceaan.'
'Papa zegt dat de oceaan heel groot is.'
'Dat klopt, ik kom van heel ver weg.'
Ze lopen door het bosje tussen de gymzaal en de school in. Kleine jonge boompjes midden in de klei. Daarnaast worden meer huizen zoals die van hen gebouwd.
'Trols, ik ken dat woord niet,' zegt Tara.
'Nee, gekkie, dat is ook geen echt woord. Dat heb ik verzonnen. Zo noem ik de taal van die pratende trollen hier.'
Tara grinnikt.
'Jouw taal vind ik mooi,' zegt Tara. 'Jij hebt een gekke r.'
'Dat is een Engelse r.'
'Die wil ik ook wel.'
Ze zijn bij school gekomen.
'Kom een keertje spelen,' zegt Ilona. 'Dan kun je mijn paarden bekijken.'
Ze vindt de paarse rok van Ilona mooi. Zou haar moeder die ook zelf gemaakt hebben?

Ilona's tuin is omgeven door hoge, groene heggen. De tuin lijkt wel een soort jungle. De planten staan hoog en tussen de tegels groeit onkruid. Het huis, een oude boerderij, staat scheef. De blauwe deur is versleten en overal zitten kale plekken.
Ilona's moeder zit in de keuken aan een ronde tafel op hen te wachten. Ze heeft een heel grote bos knalrood, bijna oranje haar. Tara zou het wel willen aanraken. Het gloeit als een vuurtje.
Ze blijft even staan op de koude tegels en haalt diep adem. Dit huis ruikt wel. Naar mest en naar pap. Naar konijnen en appelsap.
Ilona's moeder geeft haar een groot glas melk. 'Vers, van onze eigen koeien.'
Er ligt een dikke korst op de melk, die Ilona er meteen af pakt en opeet. Tara drinkt voorzichtig. Het lijkt meer op pap dan op melk. Maar het is wel romig.
'Vertel eens, Tara, waar kom je vandaan? Ik heb je nog niet eerder gezien.' Ilona's moeder praat zonder die gekke r. Maf.
'Ze heeft op een schip gewoond, mam, dat had ik toch al verteld!' zegt Ilona.
'O ja, een schip, dat is ook zo. Is dat niet eng? Al dat water?'
'Eng?' vraagt Tara verbaasd.
'Ik hou meer van het land.'
'Is uw man dan geen visser?' vraagt Tara.
Ze dacht dat ze dat al over dit dorp had geleerd.
'Mijn man is Canadees, hij is niet van hier. Wij woonden in Canada in een stad, Ilona is daar geboren. Maar ik miste dit land. Het is hier zo lekker klein. Ik wilde weg tussen al die huizen.'
'Dat snap ik wel. Huizen schommelen niet.'
'Ha, dat klopt! De stad beweegt niet. Maar de bomen en het riet wel.' Ze wijst naar buiten, naar de wolken. 'Ik vind het heerlijk om de wolken hier voorbij te zien razen.'
Even kijken ze naar de grijze wolken, die steeds een andere vorm aannemen.

Na de melk loopt ze met Ilona naar de stallen. Ze hebben twee paarden. Een grote zwarte en een kleine witte. Ilona zelf lijkt wel op een veulen. Met haar dunne benen en haar lange zwarte manen die steeds voor haar ogen hangen.
Ze gaan op een berg met hooi zitten. Ilona trekt er een halm uit en steekt die in haar mond.
'Ben jij mijn vriendinnetje?' vraagt Tara. 'Mama zei dat die hier op land wonen.'
'Heb jij nog nooit vriendinnen gehad?' vraagt Ilona terwijl ze zich achterover laat vallen in de baal met hooi.
Ze schudt haar hoofd. 'Nee, alleen mijn hond en mijn broertje.'
'Ik ben je vriendinnetje,' zegt Ilona en ze geeft haar een strohalm. Net als Ilona steekt ze die in haar mond en gaat ze op haar rug liggen. Samen staren ze naar de spinnenwebben in het hoge puntdak van de schuur.
'Er leven zoveel spinnen op land, daar houd ik niet van,' zegt Tara.
'Ze doen niets, hoor.'
'Dat weet ik. Maar ze kriebelen. Vooral die dunne met lange poten.'
'Hooiwagens, bedoel je.'
'Doe mij maar krabben en kwallen, die kriebelen niet.'
'Nee, die bijten en prikken!'
'Niet als je ze goed beetpakt, hoor, een krab pak je van achteren op en een kwal van de bovenkant, dan doen ze je niets.'
'Een spin kun je aan zijn poten oppakken.'
'Iek.'
Ilona pakt nu de stroomhalm en kriebelt ermee in Tara's nek.
'Maar het is niet zo fijn als ze in je nek kruipen.'
Tara vouwt haar handen tot scharen en richt ze op Ilona.
'Pas op, hoor, ik ben een krab en die zijn gek op spinnen.'
Ze trekt met haar klauwen de strohalm uit Ilona haar handen en steekt 'm achter haar oor. Ze kijken weer naar het hoge puntdak van de schuur. De donkere houten balken doen haar aan het ruim van

De Hoop denken. Ze zijn een hele tijd stil. Ze hoort hoe de wind om het puntdak suist, ruikt de paarden, voelt het stro in haar haar kriebelen. Het voelt als de zee, maar toch anders. Er zijn hier geen o's. Misschien woont hier wel een andere letter. Maar ja, die kent ze nog niet.
'Ilona, houd jij van praten?'
'Wat een rare vraag. Natuurlijk! Wie houdt er nou niet van lekker kletsen?'
'Ik heb het heel lang niet gedaan.'
'Waarom niet?'
'Ik had woorden in mijn hoofd.'
'Praatte je met jezelf?' Ilona gaat rechtop zitten.
'Ja, zoiets. En met de wolken. En het water.'
'Ik praat met de bomen! En met de paarden!'
'Echt waar? En doe jij je mond dan open?'
'Nee, joh, zij verstaan toch geen mensentaal.'
'Mensentaal is stom.'
'Mensentaal is best leuk, hoor. Maar trollentaal is stom,' zegt Ilona terwijl ze opspringt. Ze zet haar handen in haar zij en trekt haar mond scheef.
'Doe bist, doe bist,' knauwt ze.
Tara kan haar lachen niet inhouden. Ilona klinkt als een schip dat vastloopt op een bank vol met schelpen. Knarsend en schurend.
'Zo wil je toch niet praten!'
Ilona komt weer bij haar liggen in het stro. 'Maar gewoon kletsen is toch gezellig?'
'Tja. Ik had heel goed geoefend, weet je, om de goede woorden te zeggen, maar hier zeggen ze allemaal andere woorden.'
'Dat had ik ook! Toen ik nog in Canada woonde, sprak mijn moeder altijd Nederlands tegen mij. Ik ken twee talen, weet je, maar hier spraken ze opeens zo maf.'
'Welke taal spreek je dan nog meer?'

'Engels.'
'Hoe klinkt dat?'
'It sounds like this. Hello, how are you? My name is Ilona.'
'Mooi. Ik houd van o-woorden. Zoals fok, wolk, tros.'
'Nice. I love it.'
'Love?'
'Ja, dat betekent liefde.'
'Love, is mooi. Die komt in mijn top drie.'
'Love is top!' gilt Ilona. 'En trol is stom.'
Ilona snapt haar. Ze is een vriendinnetje!
'Kom je een keer bij mij op de boot spelen?' vraagt ze.
Ilona stopt opeens met lachen. 'Op de boot? Op het water?'
'Ja, natuurlijk gekkie, een boot ligt niet op land.'
'Val ik er dan niet af?'
'Wie valt er nou van een boot? Kom, je moet komen.'

*

Met een bleek gezicht kijkt Ilona naar de smalle loopplank die van de steiger naar het schip loopt. In het midden buigt hij een beetje door, zo dun is de plank.
'Moet ik daaroverheen?'
'Ja, meisje,' zegt papa, die uit het ruim komt, zijn lange baard en haren onder het stof. Hij schudt zijn haren vrij. Geen enkele papa in Ziltezijl ziet eruit als papa. Hier hebben alle papa's kort haar. En spijkerbroeken die half op hun kont hangen. En net zulke zwarte klompen als Jelle en Mark. Zij dragen niet zulke sandalen als papa. 'Tara's vader is een hippie,' had Mark laatst in de klas gezegd. Ze weet niet wat dat is, een hippie. Maar blijkbaar is het niet normaal. Papa is De Hoop aan het verbouwen, want hij gaat met gasten

varen. Haar kooi is nu een hut voor vreemde mensen. Hun ruim een huiskamer voor mensen die centjes geven om te kunnen varen. Die centjes hebben papa en mama nodig om het huis te kunnen betalen.
Papa haalt twee zwemvesten tevoorschijn. 'Maar wel eerst even deze aandoen.'
Ilona lijkt in het zwemvest op een lopende aardbei. Haar hoofd komt net boven het rode vest uit en haar sprietige armen en benen steken er als stokjes uit. Ze verdrinkt er bijna in.
'Moet ik over die plank?' vraagt ze nog een keer.
'Dat is niet zo moeilijk, hoor,' zegt Tara terwijl ze over de plank rent en vanaf het schip haar hand uitsteekt om Ilona te helpen. Maar die staat met knikkende knietjes op de steiger.
'Ik durf niet. Straks val ik.'
'Kom maar,' zegt papa. En hij tilt haar in één keer van de steiger, over de reling, op het dek. Ilona gilt en spartelt met haar benen.
'Niets aan de hand.' Papa zet haar midden op het dek. Ilona klemt zich meteen aan de mast vast.
'Ik blijf hier.'
'Nee, joh, we gaan op de fok schommelen.' Ze trekt Ilona aan haar zwemvest mee naar voren. Het fokzeil hangt aan zijn schoot als een hangmat boven het voordek. Daar kunnen zij en Yoerie uren in schommelen en klimmen. Dat wil ze ook met Ilona doen. Maar Ilona laat de mast niet los.
'Straks val ik eraf,' zegt ze.
Tara gaat in een tros op het voordek zitten. 'Je valt heus niet, hoor. Je valt toch ook niet zomaar van een paard?'
'Paarden zijn anders.'
'Die zijn nog veel enger!'
'Nee, paarden zijn lief, daarmee kan je praten.'
Ilona laat zich langzaam op het dek glijden, met haar rug dicht tegen de mast. Ze speelt met haar veters. Eigenlijk is dat paarse

rokje van haar heel raar. Ze heeft het de hele week al aan. Zou ze soms niets anders hebben? Is zij ook een hippie?
Bruno komt naar het voordek getrippeld en legt zijn kop in haar schoot. Ze ziet waar de zwarte haren overgaan in de witte. Ze probeert ze netjes naast elkaar te leggen, zodat hij een beetje op een zebra lijkt.
'Ik wil naar huis,' zegt Ilona.
'Best, klim maar van het schip. Bangerik.' Ze dacht dat Ilona stoer was.
'Straks val ik overboord en dan verdrink ik.'
'Op water drijf je, hoor, net als een schip.'
'Ik kan niet zwemmen,' zegt Ilona. 'Ik haat het.'
'Voor zwemmen hoef je niets te doen. De zee draagt je.'
'Nietes, in mijn bad zink ik al!'
'Doe niet zo stom,' roept Tara.
'Niet zo onaardig doen, Tara,' zegt papa, die weer uit het ruim komt. 'Voor landkinderen is een schip best eng. Dat snap je toch wel?'
Ze haalt haar schouders op. Ze snapt het helemaal niet. Wat is er nou eng aan een voordek? En ze liggen ook nog eens aan de kade. Er beweegt helemaal niets.
Papa tilt Ilona weer op de steiger.
'Ga je mee, Tara? Dan brengen we Ilona naar huis.'
Ze schudt haar hoofd. 'Ik blijf hier.'
'Kom nou, meisje, straks kun je weer aan boord.'
'Nee! Ik blijf hie-hier!' Met haar armen over elkaar geslagen blijft ze in haar tros zitten.
'Ook goed, dan blijf je maar alleen aan boord. Koppig kind.'
Papa pakt Ilona's hand en loopt samen met haar weg over de steiger, Bruno loopt achter ze aan. Ilona kijkt niet op, houdt haar blik strak gericht op de planken van de steiger. Als ze uit het zicht zijn, gaat Tara in de fok liggen. Zachtjes schommelt ze heen en weer. Dit is

toch niet eng? Het donkerbruine zeil in haar rug, de knopen van de lijnen in haar schouders, ze ruikt vocht en zout. Ze hoort futen schreeuwen en onder water duiken. De fok schommelt zachtjes heen en weer. Van bakboord, naar stuurboord. Het blok van de schoot piept. Ze voelt de wind door haar haren, bijna doezelt ze in op het geschommel.

'Dien fok is een mooie schommel.'

Met een ruk schiet ze overeind en ze kijkt recht in het gezicht van Lena.

'Waar kom jij vandaan?' Tara kijkt verward om zich heen. Voor de rest ziet ze niemand. Papa en Ilona zijn al weg.

'Ik ston te kieken vanoaf de diek.' En ze wijst naar de haringkraam, net naast de brug. 'Zag dat die Ilona 'm smeerd is.'

Even is Tara stil. Wat zegt Lena? Dan vallen de woorden langzaam op hun plek. Ze snapt dat trols best. Ze vindt het zelfs wel een beetje mooi.

'Ze was baang,' zegt Tara met een uitgerekte a, zoals ze dat hier doen.

'Schuif eens een beetje op.' Lena duwt Tara wat aan de kant en kruipt bij haar op de fok.

Samen schommelen ze zachtjes heen en weer. Tara voelt Lena's warme lijf tegen het hare. Vanuit haar ooghoeken kijkt ze naar Lena, die haar ogen gesloten heeft en met haar hoofd tegen de fok leunt. Ze neuriet een liedje en ziet eruit alsof ze zo in slaap kan vallen. Lena's arm drukt zwaar en warm tegen haar aan. Ze durft bijna geen adem te halen. Een paar haren van Lena strijken heel zacht over haar wang.

'Is zeilen leuk?' vraagt Lena.

Ze praat met gewone woorden, dat kan Lena dus ook.

'Heb je nog nooit gezeild dan?' vraagt Tara.

Lena schudt haar hoofd.

'Nee, ik heb alleen maar op vissersschepen gevaren.'

'Die maken zoveel herrie,' zegt Tara. En ze denkt aan de motoren die ze vaak in de haven hoort en de vissersschepen die hen regelmatig met een hoge hekgolf inhalen.
'Zeilen is heel stil. Je kunt de golven horen.'
'Mmm,' zucht Lena. 'Dat wil ik ook.'
'En op zee hoor je ook mooie o's.'
'Hoe bedoel je? Mooie o's?'
'De o is mijn lievelingsletter.'
'Wie heeft er nou een lievelingsletter?'
'Heb jij dat niet?'
'Neu, wel een lievelingskleur en een lievelingsboek. Maar geen letter. En wat heb je nou aan één letter? Daar kun je geen woord van maken.'
'Ik zie de o overal. In de wolken. In de golven. Ik vang ze.' Ze grijpt met haar hand naar de lucht. 'Poef en dan heb ik ze.'
'Ik ga niet mee zeilen als die letters me om de oren vliegen.'
Hoe moet ze dit nu uitleggen? Misschien is die o ook wel raar. En snapt Ilona dat alleen maar omdat zij ook raar is.
'Laten we gaan varen,' zegt Lena, die overeind schiet. 'Laten we doen alsof het stormt en we heel ver weg gaan,' zegt Lena. Ze begint haar romp heen en weer te bewegen. 'Het stormt!'
'Ja, minstens windkracht tien!' Tara beweegt mee. Arm in arm gaan ze van bak- naar stuurboord.
Steeds hoger vliegen ze de lucht in. Steeds wilder gaat de fok heen en weer. Hoger, sneller. Ze lachen. Schuiven steeds verder naar de zijkant. Ze gillen als ze boven zijn. 'Jihoe!' En weer naar beneden vallen. De fok valt terug in zijn lijnen. Ze schommelen. Hoog. Boven op een golf. En dan baf, spat ie weer uiteen en vallen zij als een platbodem op de zee. Steeds hoger, steeds wilder. Tara sluit haar ogen. Regen, zuidwesters, schuimkoppen, fok, fok, fok! En dan bij de zwaai over bakboord, vallen ze. Allebei. Baf, op het stalen dek.
'Nee!' gilt Lena.
'Mijn hoofd!' roept Tara.

Ze is met haar hoofd tegen de reling geslagen. Er vliegen sterretjes door haar hoofd. Lena ligt languit op het dek. Langzaam komt ze overeind en kijkt met een geschrokken blik naar Tara.
'Je bloedt!' zegt ze. Ze kruipt over het dek naar Tara toe en strijkt met haar vinger over haar voorhoofd. 'Wow.'
Tara voelt een warme straal over haar wenkbrauw en haar slaap naar beneden lopen.
'Dat ziet er stoer uit,' lacht Lena. 'Je lijkt wel een beetje op Jelle. Met zijn stoere litteken.'
Lena likt Tara's bloed van haar vinger. Ze neemt de tijd om het bloed te proeven.
'Je hebt zout bloed,' zegt ze dan. 'Je komt echt van de zee.'
'Heeft niet iedereen zout bloed?' vraagt Tara verbaasd terwijl ze houvast zoekt aan de reling. Nog duizelig van de val.
'Dat van mij smaakt naar wijn.'
'Wijn?'
'Ja, zure sap die mijn moeder drinkt. Heel veel. Daarom smaak ik ernaar. Mama zegt dat ik paars geboren ben. Paars van de wijn.'
Lena komt naast haar zitten tegen de reling. Ze kijken naar de fok, die zonder hen nog heen en weer schommelt. Het fokkeblok piept.
'Heb jij weleens piraten gezien op zee?' vraagt Lena.
Tara lacht. 'Die bestaan helemaal niet.'
'Echt wel!' roept Lena. 'Jelle zegt dat hij ze op zee had gezien.'
'Echt waar?'
'Natuurlijk! Ik ben ook een piraat!' zegt Lena, terwijl ze opstaat en met een hand een oog bedekt en met het andere doet alsof ze met een zwaard vecht.
Ook Tara springt op, maar meteen begint de haven om haar heen te draaien. Het wordt zwart voor haar ogen. Snel gaat ze weer tegen de reling zitten.
'Gaat het?' Lena komt naast haar zitten en haalt een roze zak-

doek met blauwe bloemetjes uit haar spijkerjasje en dept daarmee op haar voorhoofd.
'Het valt wel mee, hoor, het is maar een kleine snee,' zegt Lena terwijl ze het bloed wegveegt. 'Gewoon even rustig blijven zitten.'
Tara sluit haar ogen en wacht totdat de duizelingen voorbij zijn. Als ze haar ogen opent, is Lena weer weg. Alleen de zakdoek met het bloed ligt nog op dek.

'Liefje, wat zie je eruit!' Mama kijkt geschrokken naar de snee op haar voorhoofd.
'Is niet erg hoor, mam,' zegt Tara vrolijk. 'Ik ben alleen maar samen met Lena van de fok gevallen. Lena is mijn vriendin. Net zoals de buurvrouw jouw vriendin is.'
Mama gaat regelmatig bij de buren op bezoek en dan drinken ze heel veel koffie, iets wat mama alleen niet doet. 'Af en toe moet je je een beetje aanpassen,' zegt ze als ze thuiskomt en meteen haar mond omspoelt. Ze gaat nu ook bij de vereniging, met allemaal andere moeders. 'Je was toch met Ilona aan het spelen?' vraagt mama.
'Ilona is bang, maar Lena is stoer.'
'Lena? Is dat niet ook dat meisje dat een keer zand in je mond heeft gestopt?'
'Neehee, dat was zij niet.'
Mama gaat zitten en houdt zich vast aan de keukentafel, alsof ze op een scheef gaand schip zit.
'Word jij soms gepest, meisje? Dan moet je dat eerlijk zeggen, hè?'
'Doe niet zo stom. Lena en ik waren gewoon aan het spelen.'
'Ik denk dat ik eens met jouw juf ga bellen, ik maak me zorgen.'

*

De volgende dag op school, roept juf Berta alle kinderen in de kring.
'We motten es even proaten, jongens,' zegt ze. 'Klopt het dat er hier aine pest wordt?'
Lena's felle ogen flitsen over Tara. Ze voelt een steek in haar borst. Ze wil wel door de stoel zakken.
'Dat kin natuurlek nait.'
Niemand zegt iets, bijna iedereen kijkt naar het grijze tapijt op de grond.
'Lena, snapst doe wat ik bedoul?' zegt juf.
'Waarom vroagen joe dat aan mie?'
'Ik heb begrepen dastoe der meer van waist.'
'Onzin.'
'Ik wil dat gainaine pest wordt,' zegt juf. 'Veuraal gain kinder dei hier nait weg kommen. Doar kinnen zai ja ook niks aan doun.' Ze kijkt iets langer naar Tara.
Haar wangen worden rood. Niet doen, juf, niet doen.
'En nou goan we weer wieder mit de les.'

Als ze in de pauze op het schoolplein komt, kijkt niemand naar haar. Ze loopt naar Lena, maar die draait zich meteen om. 'Leugenaar,' fluistert ze. Als ze naar de wc gaat en langs Natasja loopt, hoort ze 'zeurkous.'. 'Verroader,' zegt Jelle als hij langs haar loopt.
Ze gaat alleen op het dijkje op het plein zitten. Ilona komt naast haar zitten.
'Je moeder heeft zeker gepraat,' zegt ze. 'Dat heeft die van mij ook een keer gedaan.'
Tara kijkt naar het onkruid dat tussen de stenen van het dijkje

omhoog groeit. Naar de houten koe, waarvan een van de oren weggerot is. Zacht hout. Grijs hout.
'Ik heb een flesje verse koeienmelk voor je,' zegt Ilona. 'Van mijn moeder.'
Tara kan wel huilen. Ze wil geen melk. Ze wil bloed. Storm. Lena.

Datum en tijd: dinsdag 3 oktober, 22.00 uur
Positie in de kaart: Havenseind
Koers: geen
Snelheid: aan de wal
Weer: zwaarbewolkt

Ik stel het zo lang mogelijk uit om naar beneden te komen. Mijn handen zijn ijskoud. Het is al donker, de Noordkardinaal aan het einde van de strekdam licht op. De boei heeft een Quickverlichting, zestig korte witte flitsen per minuut. Aan, uit, aan, uit, aan, uit. Mijn adem en gedachten knipperen in hetzelfde snelle tempo. *In, uit, in, uit, in, uit. Ik wil dit niet, ik wil dit niet, niet, niet.*

Jitse roept naar boven dat we moeten eten. Nu moet ik wel, ik kan me hier niet de hele tijd blijven verstoppen. Mijn benen trillen, van de kou, het hangen in mijn tuigje en van de zenuwen. Ik moet zien te voorkomen dat ze me weer inpalmt. Ik moet stevig blijven staan.

Als ik de salon binnenkom, zie ik dat iedereen al zit te eten rondom de stamtafel. Lena moet gekookt hebben, heel origineel ziet het er niet uit, maar de mannen eten hun vingers erbij op. Friet, sla en worst. Ze heeft ze nu al onder de duim, ik herken het meteen. Die mannen doen alles voor haar, zoals ik dat vroeger ook deed.

'Tara!' Lena staat op van haar plek als ze mij, met blauwe lippen van de kou, binnen ziet komen. 'Wat een toeval!'

Qua uiterlijk is ze geen steek veranderd. Zwarte kohllijn onder haar ogen. Donkere oogmake-up die haar ogen nog feller maakt. Haar haren boven kort, in haar nek wat langer. Stoer en toch vrouwelijk.

Ik mompel iets onverstaanbaars, wil in een hoekje van de bank gaan zitten. Maar ze loopt op mij af en gooit haar armen om mijn nek.

'Wat ben ik blij je weer te zien!'
Ik sta er als een stalen mast bij, zij als een klapperend zeil aan me.
Ze pakt mijn schouders vast, met haar stevige grip duwt ze me wat naar achteren om in mijn gezicht te kijken. 'Nog steeds dezelfde stille Tara.'
Ik wil haar slaan, hoezo stil? Ik ben heus niet meer de Tara van veertien die alles deed wat zij zei. Als ze maar niet denkt dat we gewoon weer op dezelfde voet verdergaan.
Ik trek me los uit haar grip, ga zitten en kauw op haar frieten, die verrassend goed smaken, en negeer de verbaasde blikken van de mannen.
'Kennen jullie elkaar?' vraagt Simon, van mij naar Lena kijkend, die ook maar weer is gaan zitten.
'Ja, op de lagere school en middelbare school waren wij beste vriendinnen,' zegt Lena. Ik verslik me in mijn friet.
'Ja toch, Taar?'
Iedereen kijkt me nu aan.
'Zo zou ik het niet noemen.'
Het wordt stil aan tafel. Behalve het smakken van Frederik, die het blijkbaar niet zoveel kan boeien dat Lena en ik elkaar kennen, is er niets te horen.
'Bijzonder, hoor,' zegt Simon. Terwijl hij een hand op haar dunne been legt. 'Jij kent ook overal mensen, Leen. Populair meisje van me.'
Simon is een mooie man. Hij heeft lange bruine haren die hij in een staart draagt, netjes gekamd. Hij loopt op cowboylaarzen met van die punten over een strakke spijkerbroek. Een beetje stads. Zoveel anders dan alle maten en schippers hier in Havenseind. Hij is wel een beetje oud voor Lena. Ik denk dat hij al wel dertig is. Wat moet hij met zo'n jong ding als Lena? Stiekem ben ik wel nieuwsgierig wat er allemaal

met Lena is gebeurd in de tussentijd. Maar mooi dat ik het niet ga vragen.
Na het eten wil ik zo snel mogelijk naar mijn kooi. Maar Frederik grijpt me in mijn nekvel. 'Help jij Lena even mee met de afwas? Dat is je taak, weet je nog?'
Schoorvoetend loop ik terug, trek de afwasborstel van de haak en begin in een razend tempo af te wassen, ik wil het af hebben voordat Lena de kombuis in komt. Lena zit nog in de salon, na te tafelen met Simon en Jitse. Regelmatig lachen ze keihard. Hebben ze het over mij? Zijn Jitse en Lena hun ervaringen met mij aan het delen? Moest ik er niet bij gaan zitten? Waarom zonder ik me meteen af?
Met opeengeklemde kaken de afwas doe. Ik baal ervan, ik wil sterk zijn, ze mag me niets doen. Lena niet, Jitse niet. Kisten op de grond, stevig. Ik ben sterk nu, mij maken ze niets.
Ik schrob de vette pannen met een schuursponsje. Zoals ik mijn eigen borst had geschrobd nadat Lena me lang geleden te grazen had genomen.
'Cool, je bent al begonnen!' roept Lena terwijl ze de keuken binnenkomt. Ze spreekt met een lal in haar tong, duidelijk al te veel wijntjes op.
'De rest mag jij doen,' mompel ik en ik wil de kombuis uit lopen.
'Is er iets?' vraagt ze. 'Heb ik iets gemist?'
Het is allemaal jouw schuld, stomme trut, wil ik zeggen. Maar ik zeg niets, zoals ik op zoveel essentiële momenten niets heb gezegd. Ik kijk naar het antislipzeil op de grond zodat ik haar doordringende groene ogen niet hoef te zien en glip naar mijn hut.

Ik zit nu in een hoekje van mijn bed in mijn hut. Het is een fijn plekje. Ik heb er posters van kleurrijke Caribische vrouwen opgehangen.
Ik heb mijn hut op slot gedraaid, zodat niemand binnen kan komen. Ik moet nadenken.
Wie had ooit gedacht dat ik haar na vijf jaar weer zou zien. Hier, op het schip waarmee ik op reis ga. Moet ik dat nog wel doen? Met een onbetrouwbare Jitse en Lena, een arrogante Frederik en een onbekende Simon? Moet ik toch Frank en Inge achterna?
Lena zal wel blij zijn dat ze hier aan boord zit. Het zal me niets verbazen dat ze alleen daarom die gast aan de haak heeft geslagen, zodat ze meekon. Gehaaid als ze is.
Maar ik laat me niet door haar wegjagen. Ik blijf staan waar ik sta.

Datum en tijd: woensdag 4 oktober, 05.00 uur
Positie in de kaart: Havenseind
Koers: geen
Snelheid: aan de wal
Weer: volle maan, heldere hemel

Ik loop met mijn rugzak door het dorp. Ik ben weggelopen. Ik weet niet meer waarom. Mama had iets fout gezegd, of zo. Het is heel vroeg in de ochtend. Of laat in de avond. In de smalle straten van het dorp is het donker, maar aan de haven schemert het. Er hangt een gouden mistige gloed.
Op de steiger zit een meisje. Ze zit met haar rug naar me toe. Ze heeft alleen een bloemetjesjurk aan, terwijl het best koud is. Ze plonst met haar blote voeten in het water en ze neuriet. Ze lijkt op Ilona, maar ik zou het ook zelf kunnen zijn.
Ik ga achter haar staan en voel me opeens zo licht als een veertje. Ik kan zo wegwaaien. Het is fijn maar ook eng. Ik houd me vast aan de meerpalen. Mijn rugzak valt op de steiger en mijn lievelingsknuffel, Dolfijn, rolt eruit en in het water. Ik wil erachteraan springen, maar als ik loslaat dan stijg ik meteen op.
'Wil jij de dolfijn redden?' vraag ik aan het meisje op de steiger.
Maar het lijkt wel alsof ze me niet hoort. Ze is net zo doorzichtig als de gouden mist.
Ze zingt een zuivere o. En maakt met haar grote teen een perfecte ronde kring in het water.

Datum en tijd: vrijdag 6 oktober, 10.00 uur
Positie in de kaart: net buiten Havenseind
Koers: west
Snelheid: 5 knopen
Weer: bewolkt, zacht, noordenwind 3/4

We gaan, eindelijk, we gaan. Diep adem ik de zoute zachte lucht in. We varen op de motor de haven uit en gaan richting de west, langs de dijk. Hoe vaak heb ik dit stuk wel niet gevaren? Maar hoe anders voelt het nu, ik ga naar de andere kant van de oceaan.
De Waddenzee is net zo grijs als de lucht, het enige dat kleur heeft zijn de rode en groene boeien. Ik kijk nog een keer achterom, naar de vierkante, witte loodsen die boven de dijk uitsteken. Naar de verkeerstoren van de havenmeester. Naar de toppen van de masten die nog in de haven liggen. De windmolens statig op een rij. De groen en geel uitgeslagen stenen op de dijk. In de verte hoor ik de drie bekende stoten van de veerboot. Een schelpenzuiger komt voorbij. De stroomstrepen op het water, zo bekend, ik kan alle zandbanken natekenen. Maar ik laat ze achter. Ik ga naar een zee zonder zandbanken. Naar een oceaan met een onbekende bodem, ik voel diezelfde onbekende diepte in mezelf. Weg van de vaste gronden waar ik steeds op vastloop. Eindelijk voel ik mijn bloed weer stromen, het leek wel alsof in de haven al mijn bloedcellen samen waren gaan klitten als plakkerig, oud zeeschuim.
We zetten zeil, ik ren over het dek. Ik laat de ruwe lijnen door mijn handen gaan en voel ze over mijn eeltknobbels glijden. Lekker gevoel is dat, dat gevoel van grip.
Lena komt op haar hakken aangerend. 'Kan ik helpen?' roept ze net wat te enthousiast.

'Laat deze lijn maar even vieren,' zegt Jitse en hij geeft haar de schoot van de ondermars. Ze haalt de lijn onder de nagel vandaan en laat 'm in één keer gaan. Ze gilt, die lijn snijdt natuurlijk als brandend ijzer door haar handen, zoveel kracht staat erop. Jitse komt aangerend. Hij vangt de klapperende lijn met zijn armen en zet de schoot snel met een mastworp vast.

'Altijd een slag om de nagel houden, meisje,' zegt Jitse terwijl hij een hand op Lena's schouder legt.

'Laat maar, joh,' fluister ik. 'Dat hoef je haar niet uit te leggen. Die blokhakkentrien kunnen ze beter in de keuken laten.'

Lena kijkt me gekwetst aan. En even, heel even, raakt me dat. Ze probeert toch alleen te helpen? En we zijn toch echt vriendinnen geweest? En kon zij er eigenlijk iets aan doen? Was het echt haar schuld? Tara! Daar mag je niet aan twijfelen! Het is haar schuld. Dat mag je niet vergeten. En zij ook niet. Sterk zijn. Geen zwakke gedachten, niet nu.

Simon bemoeit zich er vanaf het achterdek ook mee.

'Lena, kom maar naar het achterdek, hier is het veilig.'

Lena werpt een vuile blik naar achteren. 'Ik wil zeilen,' roept ze.

'Kan ik niet nog wat doen, Tara?' vraagt ze aan me. 'Jij hebt zo goed overzicht.'

In een tel wordt mijn hoofd rood en meteen draai ik me om. 'Nee,' weet ik nog net uit te brengen. Ik trek Jitse aan zijn arm mee naar het voordek.

'Waarom doe je zo bot tegen haar?' vraagt Jitse. 'Jullie zijn toch vriendinnen?'

'No way,' zeg ik. 'Ik heb je toch verteld over dat wat er met Ilona is gebeurd?'

'Ja, verschrikkelijk.'

'Nou, dat was haar schuld.'
'Dat kan ik niet geloven,' zegt Jitse. 'Ze lijkt mij heel aardig. En lekker ook trouwens.'
'Houd je kop, man. Je weet niet wat je zegt. Die meid is tot alles in staat en als ik zeg alles, dan bedoel ik ook alles.'

Datum en tijd: zondag 8 oktober, 06.00 uur
Positie in de kaart: Kanaal, net ten zuiden van Engeland
Koers: 200 graden, westzuidwest
Snelheid: 6,2 knopen
Weer: westzuidwestenwind 3/4

Het is druk op het Kanaal. Aan alle kanten zie ik lichtjes. De groene en witte toplichten van de vissers, het blauwe licht van een schip met een gevaarlijke lading, toplichten van zeilschepen, en eindeloos veel heklichten en groene en rode boeglichten. Het verkeerscheidingstelsel in het midden van het Kanaal lijkt wel een snelweg. En net nu, in onze wacht, steken we die over. Het zweet staat in mijn handen. Gelukkig sta ik samen met Simon. Het is duidelijk dat hij dit al vaker heeft gedaan. Hij loopt rustig heen en weer van de radar naar het stuur. Ik sta aan het roer. We gaan op de motor, dat scheelt. Zo zijn we niet afhankelijk van plotselinge windstoten en zijn we makkelijk manoeuvreerbaar. We hoeven geen zeilen te stellen, wat met z'n tweetjes 's nachts zo goed als onmogelijk is trouwens, we kunnen ons concentreren op de route en de kruisende vaart. Frank had gelijk. Je moet met genoeg bemanning varen. We hebben de bemanning nu in wachten van zes uur verdeeld. Zes uur op, zes uur af. Simon en ik hebben de wacht van twaalf tot zes uur. Zowel 's nachts als overdag. Jitse en Frederik doen de wacht van zes tot twaalf, een stuk relaxter. Dat heeft Frederik natuurlijk niet overlegd, dat heeft hij gewoon besloten. Als Frank en Inge aan boord waren geweest, hadden we de drie vier-uurswachten kunnen verdelen. Vier uur op, acht uur af. Zoals het hoort. Maar omdat we nu maar met vier zijn – Lena telt natuurlijk niet mee – lukt dat niet. Nu houd ik dat nog wel vol, maar een hele oceaanoversteek van drie weken lang

ook? Stel je voor dat het nu gaat waaien? Dan moet ik in mijn eentje de zeilen bergen en Simon moet alles in het stuurhuis regelen. Niet te doen. Het is maar goed dat mijn vader dit niet weet, dan had ie me nooit laten gaan.
De wind is pal tegen en we hebben geen tijd om te kruizen. We moeten op schema varen, in Lissabon wachten gasten op ons. Hopelijk draait de wind snel, want met deze diesel halen we het niet tot Lissabon. We steken nu door naar de zuidkust van Engeland, zodat we straks naar het zuidwesten kunnen afvallen en hoog aan de wind kunnen zeilen. 'Simon, wat voor licht is dat aan bakboord van mij?' Ik wijs naar een groen zijlicht en een wit toplicht. 'Het ziet ernaar uit dat dat een koerskruiser is.'
Hij pakt de verrekijker. 'Ziet eruit als een vrachtschip,' zegt hij terwijl hij de kijker iets scherper stelt. Dan loopt hij naar het radarscherm achter in het stuurhuis. Hij steekt zijn hoofd in de zwarte rubberen koker die het beeldscherm omsluit. Als ik over mijn schouder kijk, zie ik nu alleen zijn bruine lange staart op zijn rug en een hand aan wat knopjes draaien. De knopjes zijn om ruis weg te halen en de peilingslijn te stellen, die zet hij nu ongetwijfeld op het naderende schip. Ik heb nooit eerder met een radar gewerkt, maar heb in de laatste weken steeds beter geleerd hoe ermee om te gaan. Vooral als het slecht weer is en de buien en de golven ook signalen afgeven, is het lastig om ermee te werken. Op de Oostzee heb ik me rot gezocht naar schepen die er helemaal niet waren. Frank leerde me toen hoe ik de ruis kon weghalen, met als gevolg dat ik ook het signaal van de onverlichte kardinaalboei had weggedraaid en we deze rakelings passeerden in de nacht. Opeens zag ik vlak naast het stuurhuis een enorme boei opduiken, ik schrok me dood. Ik scheen erop met het zoeklicht. Nog geen tien meter van de boeg.

Ik keek op de kaart. Geen boei. Frank keek mee, checkte de data van de kaart.
'Maar dit zijn oude kaarten,' zei hij.
'Die waren een stuk goedkoper,' zei Frederik.
'Heb je ze wel bijgewerkt?' vroeg Frank.
'Geen tijd voor gehad, zoveel verandert er toch niet?'
Frank zuchtte. Hij was meteen aan de slag gegaan en had de lijst met aanpassingen erbij gezocht. Gelukkig had hij ook meteen de kaarten van het Kanaal gedaan. Maar de kaarten van het Kanaal zijn niet compleet. We kwamen er gisteren achter dat we niet te dicht naar de Engelse kust kunnen doorsteken, want die kaarten heeft Frederik niet meegenomen. Simon had hem vernietigend aangekeken.
'En wat als er nou storm was en we de haven in moesten lopen?'
'Maar dat is niet zo,' zei Frederik. 'Dus het lijkt mij geen probleem.'
Frederik ziet sowieso nergens problemen in. Nou ja, alleen in het geld dan. Sinds Simon aan boord is, houdt hij zich nauwelijks meer met het varen bezig. Hij draait zijn wachten, maar is dan vooral allerlei boekhoudkundige zaken aan het regelen.
'Jullie denken dat het schip op zee drijft, maar eigenlijk drijft het op mijn fortuin. Als mijn geld op is, zinken we allemaal,' zei hij onheilspellend.
Hij heeft ook geen oog meer voor de klussen aan boord. Gisteren heb ik zelf maar een lijst van klussen opgesteld die nog gedaan moeten worden. En ik heb een schoonmaakrooster gemaakt. Daarbij heb ik er natuurlijk wel voor gezorgd dat Lena en ik nooit samen hoeven te werken. Als hij de leiding niet neemt, dan doe ik het wel. Echt belachelijk, dit is toch geen kapitein? Zo doe je je werk toch niet?

Simon haalt zijn hoofd weer uit het rubberen gat en kijkt naar het schip dat ons nadert.
'We liggen inderdaad op ramkoers,' zegt hij. 'Stuur er maar achter langs, totdat je zijn heklicht ziet, dan kun je langzaam weer terugkomen op koers.'
Ik doe wat hij zegt en val vijftien graden af. Meteen veranderen alle lichtjes om ons heen. Heklichten verschijnen zodra ik ze van een andere hoek zie. Een stuurboordlamp verschijnt. Ik heb even de tijd nodig om te herstellen en weer opnieuw overzicht te krijgen. Simon kijkt mee. Zwijgend werken we door, letten we op, wijzen we elkaar op ogenschijnlijke gevaren.
We zijn zo druk bezig dat ik nauwelijks merk dat onze wacht bijna weer voorbij is. Het is halfzes. Aan de horizon begint het al te schemeren. De sterren worden minder fel. Het zwart van de nacht wordt langzaam overgenomen door een ongrijpbaar blauw met een roze waas, die weerspiegeld wordt door het water. Meeuwen luiden schreeuwend de dag in. Om ons heen wordt het rustiger. We zijn het verkeersscheidingsstelsel overgestoken en hangen nu onder de Engelse kust, al kunnen we de krijtrotsen nog niet zien.
'Nu maar hopen dat de wind zo blijft,' zegt Simon terwijl hij een kop thee voor me inschenkt. Nu pas merk ik hoe zwaar mijn oogleden zijn. Een wacht van zes uur midden in de nacht, is toch best pittig. En dan moet ik zo ook nog de salon schoonmaken. Simon schuift een kruk naast mijn stuurkruk en komt bij me zitten.
'Volgens mij heb je veel ervaring,' zegt Simon. 'Je kunt goed sturen.'
Ik voel mijn wangen gloeien. 'Ik ben aan boord opgegroeid.'
'En in hetzelfde dorp als Lena, toch?'
Niet over Lena beginnen. Niet doen. Het is ongelooflijk hoe

goed je iemand kunt ontlopen op een schip van vijftig meter midden op zee. Elke keer als zij in de keuken verschijnt, in de vroege ochtend, zorg ik dat ik in bed lig of ergens anders aan het werk ben. En bij het avondeten neem ik mijn bordje mee naar het voordek, terwijl de rest in het stuurhuis eet. Tot nu toe kookt zij steeds. En ik laat het maar even zo. Al wil ik binnenkort toch een keer laten zien dat ik het heus wel kan.

'Lena vertelt altijd enthousiast over Ziltezijl,' zegt Simon. 'Heerlijk lijkt me dat, om zo aan de kust op te groeien. Ik kom uit Amsterdam.'

'Daar liggen toch ook veel schepen,' zeg ik. Ik herinner me mijn eerste bezoek aan Marieke. Het verbaasde me hoeveel water er in de hoofdstad was.

'Ja, schepen zonder zeilen en water zonder zout.'

'Dat was precies wat ik dacht toen ik de woonschepen zonder tuigage in de stad zag liggen! Het zijn halve schepen. Zoetwaterbakken.'

Ik gaap. Kwart voor zes. We kijken samen naar de horizon, die steeds lichter blauw wordt. De wind is even weggevallen. De lucht weerspiegelt in het water. Wolken drijven in de golven en de wolken golven door de lucht. Dat zouden Ilona en ik hebben opgeschreven. Golvende wolken en wolkende golven.

We zwijgen. De motor dreunt gestaag door. De nacht lost langzaam op in de dag.

Ik ruik gebakken eieren. Opeens zie ik het donkere roefje van De Hoop voor me, waarin ik altijd met mijn vader ankerwacht hield, af en toe liepen we naar het voordek om met een zaklamp te checken of het anker nog hield. Met de kragen omhoog tegen de kou. Maar dat anker kon me niet zoveel schelen, het ging mij eigenlijk om de eieren. Die

bakte mijn vader op het tweepits fornuisje, met een kapotte dooier en gesmolten kaas. Die aten we zwijgend op, terwijl de rest lag te slapen, alleen pap en ik en de nacht. Als de petroleumlamp stopte met schommelen aan het plafond was onze wacht voorbij. Dan zaten we aan de grond en konden we niet meer losslaan.
Zo zit ik hier nu ook met Simon. Alleen wij, het water, de komende ochtend, de zwermen kokmeeuwen die rond het vissersscheepje dat zijn netten optrekt hangen en de geur van gebakken eieren. Ik hoef nauwelijks te sturen, het schip stuurt zichzelf. Stevige koers. Rust om ons heen.
Getik op de trap. Een klopje op het raam.
'Goedemorgen! Ik heb eieren voor jullie gebakken!' Lena staat in de deuropening. Met een dienblad met twee borden met witte boterhammen en twee gebakken eieren. Met hele dooiers die gevaarlijk heen en weer slingeren in het nog vochtige wit. Daaronder een plak felroze ham.
'Oh, liefje, wat heerlijk!' zegt Simon. Hij springt op van zijn kruk, pakt het dienblad van Lena aan en zet het op tafel. Op het dienblad staan ook twee dampende koppen koffie.
Lena kijkt me glunderend aan, haar ogen twinkelen als groene kerstballen.
'Ik kan me voorstellen dat jullie daar zin in hebben na zo'n drukke wacht.'
'Ben je daarom zo vroeg opgestaan, liefje?' Simon slaat een arm om de dunne schouders van Lena. 'Wat ben je toch een schat.' Hij zoent haar op het hoofd.
Maar zij kijkt hem niet aan. Ze blijft mij aankijken.
Ik ben Lena, wie ben jij? Ik ben Lena, wie ben jij?
Ik voel het rauwe eiwit, dat ik nog niet eens heb gegeten, nu al klotsen in mijn lege ochtendmaag. Ik richt mijn aandacht op het kompas, het uitzicht, het stuur. Doe alsof het

me moeite kost om op koers te blijven. Mijn handen, die net nog ontspannen op het roer lagen, hebben nu witte knokkels van de spanning waarmee ik het stuur omklem.
'Wil jij eerst eten?' vraagt Simon. 'Dan neem ik het stuur wel even over.'
'Nee, ik hoef niet,' zeg ik terwijl ik voor me uit blijf kijken. 'Ik houd niet van eieren.'
'Maar vroeger was je er dol op!' zegt Lena, die nog steeds in de deuropening staat.
'Wat weet jij daar nou van?' vraag ik zonder haar aan te kijken.
'Dat heb je me verteld. Van je vader en de ankerwachten.'
Ik kan het niet laten om even op te kijken. Kan ze met die groene heksenogen van d'r in mijn kop kijken of zo? Hoe weet zij dat? Heb ik haar dat verteld? En waarom heeft ze onthouden wat mijn lievelingseten is? Wat zou haar dat boeien?
'Dat heb je dan verkeerd. Ik haat eieren. En koffie.'
'Nou, ik wil wel hoor, lief, ik barst van de honger, ik kan eten voor twee.'
Simon gaat zitten en begint te eten. Lena gaat naast hem zitten.
Ik bestudeer het koper van het roer. Het is een beetje dof geworden. Het kan wel weer een poetsbeurt gebruiken. Net als het bordes. Er ligt stof. Dat zal ik morgen even gaan doen. Geklets en gelach op de achtergrond. Ik hoor het niet. De lucht wordt steeds lichter. De klok slaat zes rinkelende slagen. Einde wacht. Jitse komt binnen. Net op tijd. Frederik niet. Te laat. Dat is nu al de tweede keer. Hij verslaapt zich steeds bij de ochtendwacht. Zeker weer te lang aan de binnenbar gezeten. Zijn berekeningen gaan blijkbaar beter als hij er flink wat whisky bij drinkt. Dan ziet de zaak er wat

rooskleuriger uit. Hij niet. Elke dag wordt hij een beetje grijzer in zijn gezicht, als een zoute haring.
Jitse komt naast me staan. Ik ruik zijn slaap, voel zijn warmte.
'Hoe ging het?' vraagt hij. 'Was het druk?'
We moeten hem de wacht overdragen, maar Simon lijkt ons niet eens te zien, hij eet samen met Lena zijn eitje. Zijn wangen glimmen van het vet. Zij heeft een hand op zijn knie liggen en drinkt mijn koffie.
Ik laat het roer onbemand en loop met Jitse naar het logboek. Ik vertel hem wat er gebeurd is, vat de weersvoorspellingen die we hebben gehoord samen en vertel over het plan om zo nog even door te zetten en dan af te vallen. Jitse kijkt geconcentreerd naar de weerkaarten, volgt met zijn vingers de isobaren.
'Ziet er goed uit,' zegt hij. 'We kunnen zo wel zeil zetten, denk ik.'
'Nou, daar moeten we minstens twaalf uur mee wachten, als de wind zo blijft. We moeten niet te vroeg afvallen, dan komen we bij de Franse kust in de problemen,' zeg ik.
Jitse kijkt me glazig aan, ik weet niet zeker of hij snapt wat ik bedoel. Waarom komt Simon er niet even bij? Maar die is helemaal niet meer bezig met het weer, hij lacht hard om een grap van Lena. Ik voel weer die drooggevallen zandplaat in mijn buik, een beetje alsof ik een kater heb.
Ik schuif wat dichter naar Jitse toe. Ik leg mijn hand naast die van hem op de kaartentafel, laat hem langs zijn hand glijden. Ruw. Jitse kijkt me schuin aan. Legt dan zijn hand over de mijne en knijpt er even in.
'Gaat het?' fluistert hij.
Ik zou hard willen huilen nu. Nee roepen. Zij moet hier weg. Ze verpest alles. Maar ik knik en glijd met mijn duim over

de bovenkant van zijn hand. Een golf slaat om in mijn buik. Ik heb hem gemist. God, wat heb ik hem gemist. Even kijken we elkaar aan. Jitse glimlacht en laat dan mijn hand los en loopt naar het roer.
'Zo, ik lust ook wel zo'n eitje van onze bloedschone kokkin.'
'Verroader,' mompel ik in mezelf en met een flink tempo loop ik de stuurhut uit.

In de kombuis maak ik snel een bakje muesli voor mezelf klaar. Vervolgens pak ik de schoonmaakspullen en in al mijn woede poets ik elke plint van de salon. Op dat moment komt Frederik voorbij strompelen.
Lekker op tijd, wil ik zeggen. Het is zeven uur, een uur te laat. Maar ik zeg niets en ga snel met de mop voor zijn voeten langs.
'De salon was nodig aan een beurt toe,' zeg ik zo luchtig als een poetsdoekje. 'Doe ik even tussendoor.'
'Is er ontbijt?' vraagt Frederik.
Zoek het lekker zelf uit, staat in de koelkast. Slapjanus, denk ik.
Maar ik vraag: 'Zal ik een ei voor je bakken?'
'Ja, lekker,' zegt hij.
Verdomme.
'Oké.'
Hij gaat met zijn hoofd in zijn handen in de salon zitten. Hij heeft natuurlijk een kater. Ik ga naar de keuken en laat twee eieren rondslingeren in het vet. Snel smeer ik twee boterhammen. Hoelang moet ik die eieren er nu in laten drijven? Moet dat wit echt helemaal stijf zijn? Nee toch, die van Lena glibberden ook nog. Ik laat ze op de boterhammen glijden. O ja, ham, dat had Lena ook gedaan. Snel nog even een plakje erop leggen. Tada, dat ziet er toch best goed uit. Ik zet het

voor Frederik zijn neus, maar kan uit zijn blik niet opmaken wat hij ervan vindt.
'Koffie?' vraagt hij.
'Koffie, natuurlijk.' Ik snel weer naar de keuken. Hoe werkt dat koffieapparaat in hemelsnaam? Dit is veel ingewikkelder dan thuis. En zelf drink ik nooit koffie. Als ik sta te klooien met dat ding, komt Jitse binnen.
'Wat doe jij?' vraagt hij.
'Dat zie je toch, ik zet koffie.'
'Je drinkt toch geen koffie.'
'Neehee, maar Frederik wel.'
'Zo, is die gast ook eindelijk uit zijn hol gekropen?'
Jitse komt dicht bij me staan, zijn schouders tegen de mijne. 'Ik zou er wel wat meer koffie in doen als ik jou was en iets minder water.'
Ik volg zijn advies op, samen kijken we hoe de koffie doorloopt. Zijn arm stevig om me heen. Hij kust me op mijn haren. Laat zijn arm naar beneden glijden, naar mijn heupen. Ik wil hem wegduwen, maar het lukt niet. Ik leg mijn hoofd tegen zijn schouder en tot mijn eigen verbazing begin ik te huilen.
'Wat is er?' vraagt hij.
'Ik kan niet eens koffiezetten.'
Hij begint hard te lachen. 'Is dat alles?'
'Maar ik heb beloofd dat ik dat wel zou kunnen.'
'Ik heb een goed idee,' zegt hij. 'Laten we samen een appeltaart bakken.'
'Dat kan ik al helemaal niet.'
'Maar ik wel. Kom, we beginnen, daar heb ik zin in.'
Als een klein kind rent hij lachend naar de schorten en gooit me er eentje toe.
'Hier, koksmaat, we gaan de beste taart ooit bakken.'

Hij pakt de bloem uit de voorraadkast, eieren en boter uit de koelkast.
'Snij blokjes boter, koksmaat,' roept hij. 'En sla de eieren stuk op de rand van de kom.'
Lachend doe ik wat hij zegt. Hij bestuift het aanrecht met bloem, dat alle kanten op stuift. Het restje bloem dat hij overheeft, strooit hij uit over mijn hoofd. Ik pak een hand uit het pak en strooi het over hem heen.
'Wat zijn jullie aan het doen?' vraagt Frederik, die opeens in de keuken staat.
'We bakken taart,' zegt Jitse.
'Waar is mijn koffie?' vraagt Frederik.
'Shit, de koffie.' Ik schenk snel een kopje voor hem in. Hij pakt het met een trillende hand aan en loopt door naar boven.
Als hij weg is, smeert Jitse nog wat extra bloem op zijn gezicht, zodat hij helemaal wit ziet.
'Koffie,' zegt hij met trillende stem. 'Geef me koffie.'
'Je lijkt wel een mummie,' lach ik.
'Ik sta net op uit de dood en moet koffie!' zegt hij terwijl hij zijn schouders kromt en met zijn ogen draait.
'Niet doen, niet doen,' lach ik. Tranen lopen over mijn bebloemde wangen.
'Wat zien jullie eruit.' Lena staat op de drempel met de afwas in haar handen.
Voordat Jitse ook maar op het idee komt om haar mee te laten helpen, pak ik snel de borden uit haar handen.
'Laat ons maar. Je hoeft niet te helpen.'
Ze staat wat te twijfelen op de drempel en draait zich dan om.
'Oké, dan ga ik de salon poetsen.'
'Hoeft niet, heb ik al gedaan!' roep ik haar na en ik doe de deur van de kombuis dicht en op slot.

'Zo, nu kunnen we ons weer concentreren. Hoeveel eieren zei u ook al weer, chef-kok?'
We mixen, kneden, schillen appels en zetten het geheel in de oven.
'Nu moeten we wachten,' zegt Jitse. 'Een uur.'
'Ik weet wel wat we met die tijd kunnen doen,' zeg ik. Ik knoop mijn schort langzaam af, cirkel 'm om mijn hoofd en gooi 'm in de hoek. Daarna trek ik mijn trui uit en gooi 'm erachteraan.
'Oelala,' zegt Jitse. 'Het wordt hier heet.'
'Tweehonderdvijfentwintig graden,' zeg ik.
Ik leg mijn armen om zijn nek, ook al schreeuwen alle stemmen in mijn hoofd dat ik dit niet moet doen. Dat ik dit al te vaak heb gedaan.
Stevig druk ik mijn lippen op de zijne. Zonder twijfel kust hij me terug.
'Mmm, je smaakt naar appel,' zegt hij.

*

Het hele schip zit vol met mensen. Met lachende, pratende gasten. Dit weekend gaan er voor het eerst mensen mee. Betalende mensen. Het is een familie uit het westen. Vader en moeder Ter Haar zijn twee lieve oude mensen met zes maffe, volwassen dochters. Marieke vind ik het leukst, zij woont in Amsterdam, tekent boeken en verzint het ene verhaal na het andere. Haar zus Lin is ook grappig, die haalt de hele tijd streken uit. Maar ze praten veel te veel en van het wad of van zeilen snappen ze helemaal niets.

Toen Tara vanochtend aan boord stapte, was ze meteen het ruim in geklommen. Zoals altijd. Het was er een puinhoop. Overal stonden koffie- en theekopjes. Straks met zeilen zouden die allemaal door het ruim vliegen. Dus zette ze ze in de wasbak, net zoals mama dat ook deed als ze de boel zeevast maakte. Ze ruimde de rotzooi van die landrotten op. Hun rondslingerende brillen en boeken legde ze achter het opstaande randje in de kast, zodat ze niet weg zouden schuiven. Die gekken hadden zelfs kaarsjes op tafel gezet, dat zou natuurlijk nooit goed gaan. Die gooide ze in de prullenbak. Weg ermee. Die oude moeder Ter Haar keek haar vreemd aan.

Op dat moment was mama binnengekomen en had haar aan haar arm weer uit het ruim gevoerd. 'Dit deel is nu van de gasten,' zei ze. 'En dat zijn niet jouw spullen.'

'Maar het is ons schip!' zei ze. 'En ze maken er een rotzooi van.'

Mama had haar naar de roef gebracht. 'Dit is nu onze plek.'

Zij moeten nu met hun viertjes in het piepkleine achteronder slapen en in het ieniemienie roefje leven. Het ruim is van de gasten. Gillende, schreeuwende landgasten. Die geen golf, fok of tros horen. Yoerie vindt 't natuurlijk geweldig en zit de hele tijd met ze te kletsen.

'Kijk, ik zie heksenbezems in het water staan.' Marieke wijst naar de stokken die schuin in het wad staan, met bovenin een samengebonden bundeltje kleine takken.
'Nee, gekkie, dat zijn prikken, die wijzen de weg, een soort boeien,' legt Tara uit.
Yoerie en zij zitten met Marieke op de giek. Het zeil ligt netjes opgedoekt onder de huik. Ze liggen droog.
'Volgens mij zijn het heksenbezems,' houdt Marieke vol. 'Van heksen die in het water gevallen zijn.'
'Dat denk ik ook,' roept Yoerie. 'Ze zijn van de heksen!'
'Maar waarom zijn ze naar beneden gevallen?' vraagt Tara.
'Omdat ze te veel kwallentaart hebben gegeten,' zegt Marieke.
'En garnalencake,' voegt Yoerie toe.
'Het moeten wel heksenbezems zijn. Ik kan ze horen,' fluistert Marieke. 'Luister maar, ze murmelen van onder uit het wad.'
Marieke vouwt de handen achter haar oren om goed te luisteren.
'Ja, ik hoor ze, ze spugen zand!' gilt Yoerie. Hij wordt zo enthousiast dat hij naar de reling rent en het aan de andere gasten vertelt. 'Heksen in het zand, heksen in het zand!'
Tara luistert zorgvuldig, maar ze hoort alleen tureluurs en wulpen. Stilletjes kijkt ze om zich heen. Dan ziet ze een glimmend grijskopje boven het water in de geul uit komen.
Ze stoot Marieke aan. 'Kijk, een zeehond!'
'Wauw,' zegt Marieke. 'Die heb ik nog nooit in het wild gezien.'
'In het wild? Hoe dan wel?'
'Gewoon in een badje op het land.'
Tara moet hard lachen. Ze denkt aan de badkamer in hun huis, met dat kleine bad en de witte glimmende tegels op de muur. Daar past geen zeehond in.
Ze speurt verder. En ja hoor, daar op de droogvallende bank ziet ze een hele groep liggen. Ze rent naar het achterdek om de verrekijker te pakken. Als ze door de twee kokers kijkt, ziet ze een groepje zwarte

lijven op de plaat liggen, af en toe slaat er een met zijn staart, of steekt er een zijn kop omhoog. Ze geeft de verrekijker aan Marieke, die met open mond naar de plaat staart.
'Jonge zeehondjes zijn altijd wit,' zegt Tara. 'Wist je dat?'
Marieke schudt haar hoofd. 'Nee, al die dingen die jij heel normaal vindt, daar weet ik niets van. Ik ben een stadsmeisje.'
'Ik ben een zeemeisje.'
Plotseling is ze daar best trots op. Ze weet eigenlijk heel veel. Allemaal dingen die Marieke niet weet. En Marieke komt nog wel uit de grote stad.
'Hebben alle stadse meisjes zulke lange vlechten als jij?' Ze trekt aan de lange bruine haren van Marieke.
'Nee hoor, ik ben misschien wel de enige.'
'Ik ben in het dorp ook de enige met zulke witte haren,' zegt Tara.
'Je haar is prachtig. Je lijkt wel een engeltje.'
'Dat vinden ze bij mij in de klas niet. Daar vinden ze me een wit spook. Of een witte zeehond.'
Ze is even stil. Het voelt raar om dit aan Marieke te vertellen, want ze vertelt het aan niemand meer. Zeker niet aan mama, want dan gaat ze vast weer met juf praten, en dan wordt alles nog erger. Mama snapt haar niet. Die vindt Ziltezijl geweldig en zegt dat de mensen zo lief zijn. Zij heeft alleen Ilona. Lena kijkt niet meer naar haar om.
'Zoals die daar?' Marieke wijst naar een jonkie dat zich losmaakt van de grote groep zeehonden en met een kronkelend lijfje over de plaat naar het water schuift.
'Wat is die grappig.' Lachend kijkt ze door de verrekijker.
'Misschien zijn er wel jonkies die nooit zo worden als de andere zeehonden. Die altijd wit blijven,' mijmert Tara.
'Net zoiets als het zwarte zwaantje dat nooit wit werd?' vraagt Marieke.
'Ja, een zeehond die nooit wordt zoals de anderen. Die altijd anders blijft.'

'Daar zouden we een verhaal over kunnen schrijven.'
'Nou, leuk verhaal wordt dat. De zeehond die altijd alleen bleef in de zee.'
'Misschien is die witte zeehond wel bijzonder. Kan ze iets wat anderen niet kunnen.'
'Wat zou dat nou zijn?'
'Heel snel zwemmen?'
Tara haalt haar schouders op. Ze weet niet wat witte zeehonden goed kunnen.
'Heel mooi zingen? Sprongen maken als een dolfijn?'
Ze trekt aan de touwtjes van de huik, die langzaam heen en weer slingeren.
'We gaan daar een mooi verhaal over schrijven,' zegt Marieke.
'Ik kan niet schrijven.'
'Tekenen dan.'
'Tekenen is stom, dat is iets voor broertjes.' Ze staat op en loopt naar haar achterdek. Ze wou dat ze nooit over die stomme witte zeehonden was begonnen.

*

De volgende dag gaan ze met de hele groep het wad op. Bruno rent zo snel vooruit dat ze hem na tien minuten al kwijt zijn. Papa loopt voorop, hij zoekt barnsteen. Daarna komen Lin en Marieke, zij zoeken naar roze schelpen. Yoerie gooit het aangespoelde heremietkreeftje in zijn grijze pokkige schelp weer terug de zee in. 'Tot ziens!' roept hij elke keer.
Maar zij kijkt niet op. Want ze zoekt flessen. Daar heeft ze een speciaal oog voor. Ze kan ze op verre afstand al zien liggen. Daar! Tussen die oranje en blauwe visnetten, daar ligt een groene wijnfles.

Ze rent eropaf en trek hem uit de mazen. Leeg, alleen een bodempje zand. Waardeloos. Ze gooit hem weg.
Daar, weer een. Een fles die melkwit is geworden door de schurende zandkorrels. Een soort parel. Er zit geen etiket meer op. Ze draait de dop open en schudt 'm leeg. Water. Waardeloos. Weg.
Naast haar pakt papa een tros mosselen op, die met allemaal kleine draadjes aan elkaar vastzitten. En dan ziet ze het, onder de mosselbos. Een fles. Met iets wits. Meteen trekt ze het uit het zand. Een lege wijnfles. De kurk zit er stevig op. En ja hoor, er zit iets in.
'Ik heb een brief, ik heb een brief!' roept ze.
Marieke komt meteen. 'Wat romantisch!'
Marieke houdt de fles vast en zij trekt aan de kurk. Ze valt bijna achterover als ze de kurk er met een plop uit trekt.
Mama komt met een stokje aan lopen. Tara steekt het in de fles, in het strak opgerolde papier, en drukt de brief tegen de zijkant van het glas. Heel langzaam trekt ze het stokje en de brief door de hals naar buiten. De opgerolde brief past net door de hals. Iedereen kijkt met ingehouden adem toe. Van wie zal het zijn?
Het papier kreukelt, maar ze krijgt het er heel uit. Ze knoopt het touwtje los en rolt de brief open.
'Wat staat erin? Maak nou open!' Yoerie wordt ongeduldig. 'Hallo, tot ziens?'
Uitgelopen letters. Blauwe inkt. En dan overvalt haar hetzelfde teleurgestelde gevoel dat ze krijgt bij elke brief die ze vindt. Ze kan het niet lezen. De tekens zeggen haar niets. Blauwe vlekken op wit papier. Vormen die van alles kunnen betekenen.
Ze geeft de brief aan Marieke, die met een verbaasde blik naar de letters kijkt.
'Dit is geen Nederlands,' zegt ze. 'De brief komt helemaal uit Spanje! Hij is al een halfjaar onderweg.'
'Laat zien,' zegt ze. Ze kijkt naar de blauwe letters, maar het zegt haar niets. Nederlands, Spaans, trols. Op papier is het allemaal hetzelfde.

'Ik zie helemaal geen verschil,' fluistert ze. 'Wat heb ik eigenlijk aan die brieven?'
'Het wordt tijd dat jij leert schrijven,' zegt Marieke. 'We beginnen zo meteen.'

Marieke en zij zitten met hun rug tegen de voormast. De wind komt van achter en de fok staat ver naar buiten. Allebei hebben ze een schetsblok en een pen op schoot.
'Welk woord zou je als eerste willen leren?' vraagt Marieke.
'Fok,' zegt ze terwijl ze naar het bruine zeil wijst dat in de wind danst.
Marieke schrijft drie letters op het witte vel. Een lange letter met een rechte rug en twee streepjes aan de rechterkant. Een o, die kent ze al. En nog een letter die een beetje op een stokanker lijkt en het woord op zijn plaats houdt.
Ze voelt zich even zo licht als de wind. Dat is haar woord. Ze kan het vangen als ze wil. In letters. Dan hoeft ze niet meer te zoeken in de zee of in de kokende soep. Dan kan ze haar klanken, haar letters gewoon zelf maken.
'We beginnen bij de F.' Marieke wijst naar de eerste letter. 'Hoe klinkt die?'
'Fff,' fluit Tara. 'Fff.'
Ze tekent 'm over in haar boekje. Dus dit is de F.
'Juf eindigt met een f en frikadel begint met een f!' roept ze. Ze snapt het.
'Heel goed. En kijk, je kunt een fok aan de f tekenen.' Marieke tekent een driehoekszeil aan de rechte letter, waardoor die opeens in een mast verandert.
'Schrijven moet je als tekenen zien, je tekent klanken,' zegt Marieke.
Tara knikt, ze weet precies wat Marieke bedoelt. Schrijven is het tekenen van geluiden. In letters kan ze de zee, de wind en de golven vangen. In letters kan ze de Waddenzee meenemen op land. In letters kan ze altijd aan boord zijn.

Dan gaan ze naar de o.
'Die letter ken ik al,' zegt ze. Het geluid valt om haar heen als haar tros op het achterdek. Zoemt onder haar als de trillende motor. O, die zet ze zo op papier. Haar letter. Ze tekent er een lijn aan. 'Nu is het 't oog van een tros!' zegt ze trots.
'Nu de k,' zegt Marieke.
'Kaa,' zegt Tara. Ze sluit haar ogen. Ka ka ka. Hoog vanuit de lucht hoort ze ka's naar beneden vallen. Als ze haar ogen opent, ziet ze meeuwen. 'De meeuwen roepen ka's,' zegt ze tegen Marieke. Met haar tanden in haar lippen schrijft ze de k heel zorgvuldig op. Hij is nog een beetje scheef, valt bijna achterover, maar de tweede staat al iets rechter.
'En lees nu maar voor,' zegt Marieke.
'F-O-K.' Het woord dat ze zo vaak in haar hoofd herhaald heeft, bestaat opeens uit verschillende letters. Ze snapt het woord! Het is niet alleen maar Fok. Het is een F. Een O. En een K. Ze heeft haar lievelingswoord gevangen.
F.O. K. Ze blijft het opschrijven. Steeds soepeler komen de woorden uit haar pen. Bij elke F hoort ze een golf breken. Bij elke O zit ze in haar tros. Bij elke K gaat ze voor anker en hoort ze de meeuwen schreeuwen.
'Marieke, ik weet al wat de witte zeehond goed kan. Schrijven!'
Marieke grinnikt. 'Verstuurt ze flessenpost, denk je?'
'Ja, naar landhonden.'
'Spreken die dezelfde taal?'
'Nee, maar de witte zeehond kan schrijven in een taal die iedereen verstaat. Ook landhonden.'
Ze vouwt het papier in vieren. Maandag zal ze het meenemen naar school en aan Lena laten zien dat ze meer dan één letter kan schrijven. Dat ze een woord kan maken. Dan is ze vast geen mafkees meer.

Op school stopt ze het briefje met haar lievelingswoord in Lena's lade.
Nog geen uur later haalt Lena het eruit en laat het door de hele klas gaan.
'Kiek, Fokje kin d'r aigen noam schrieven.'
En haar klasgenoten lachen als zeemeeuwen. Ka ka ka.

*

'Ben je aan het schrijven?' vraagt Ilona, terwijl Tara net de w van wind op papier vangt. Ze zit in een hoekje van het schoolplein terwijl de andere kinderen tikkertje doen.
'Kijk,' zegt Ilona. 'Het dak van de school is een omgekeerde v.'
Tara lacht. Ilona snapt haar. Die ziet net zo veel letters als zij.
Samen verstoppen ze zich op de zolderkamer van Ilona. Terwijl buiten de wind om het puntdak raast en de toppen van de bomen tegen het raam aan slaan, schrijven zij letters. Ilona's kamer lijkt wel een beetje op een achteronder. Ze heeft een hoogslaper en daaronder een hutje van doeken. In dat hutje schrijven ze op hun knieën, op het roze, vale tapijt.
'Zie je die boom?' Ilona wijst tussen de gordijnen door naar buiten, naar de knoestige wilg langs de sloot. 'Dat is een opgekrulde k.'
'En de kikkers, hoor je die? Die kwaken uitgerekte k's,' lacht Ilona. Ze doet het raam een beetje open zodat Tara het kan horen.
'En zie je de kraai op de tak? Dat is een veel te dikke k!'
'Een hoofdletter K,' zegt Tara. En ze pakt meteen haar schrijfboekje om de K heel dik in te kleuren.

Datum en tijd: woensdag 11 oktober, 22.30 uur
Positie in de kaart: Kanaal
Koers: 200 graden, zuidzuidwest
Snelheid: 6,5 knopen
Weer: heldere sterrenhemel, westzuidwestenwind 3/4

Waar ben ik? Hoe oud ben ik? Alles loopt door elkaar. Dag, nacht, land, water, vroeger, nu. Ik droom veel in de spaarzame uren dat ik slaap. Vanavond was ik om 20.00 uur naar bed gegaan. Straks, om 23.30, moet ik weer opstaan. Maar in die paar uur slaap, voltrekt zich mijn hele jeugd.
Ik liep met Bruno langs de kustlijn en de hele dijk lag bezaaid met flessen. Niet eentje hier, eentje daar, maar er waren net zo veel flessen als alikruiken. In mijn droom vond ik dat normaal. En op een of andere manier wist ik ook precies welke fles wel een brief had en welke niet. Ik liep gericht naar de flessen met brief. Ze waren allemaal van Ilona. Ze had tekeningen in de hoeken gemaakt. Maar de brieven zelf kon ik niet lezen, alle letters waren uitgelopen.
Ze heeft ze natuurlijk onder water geschreven.
Het water kwam snel op. Ik zag de vloed over het wad aanschuiven. Het was spannend, want ik wist dat het water sneller was dan ik. Ik probeerde de dijk op te vluchten, maar mijn schoenen waren te zwaar. (Had ik mijn kisten aan?)
Het water zat op mijn hielen. En alle flessen rinkelden in het opkomende water. Ik hield de onleesbare brieven van Ilona in mijn hand, probeerde te vluchten, maar het lukte niet.
Toen werd ik wakker. In deze hut, maar ik had nu net zo goed op De Hoop kunnen zijn. Ik hoor het water langs de boeg stromen. Ik schrijf met een klein lichtje.
Fff. Ooo. Kkk.
Letters. Letters. Letters. Mijn ankers op deze open zee.

Datum en tijd: donderdag 12 oktober, 06.30 uur
Positie in de kaart: Kanaal
Koers: 200 graden, zuidzuidwest
Snelheid: 7,1 knopen
Weer: helder, westenwind 3/4

Het is halfzeven in de ochtend. Mijn wacht zit er net op. Ik hield het net vol zonder in slaap te vallen. Ik ben niet de enige die moe is. Frederik zijn wallen worden steeds donkerder, Jitse maakt steeds minder bijdehante grappen en Simon is niet zo scherp als in het begin. Ik heb al twee een keer een positie van hem in de kaart moeten verbeteren. Eigenlijk is de enige die steeds aanweziger, sneller en netter wordt Lena. Ze staat elke ochtend om halfzes op, maakt een ontbijt voor onze nachtwacht. Eerst hoefde ik haar vette eieren niet, maar de volgende dag nam ze een bakje cornflakes met yoghurt voor me mee. Ik wilde het wel weigeren, maar het lukte niet. Sinds de appeltaartenactie van Jitse en mij, is ze nog actiever in de keuken en de schoonmaak. Ze schrobt elke ochtend de kombuis en maakt altijd iets warms voor de lunch. Jitse en ik komen er niet meer tussen, nog niet voor een kopje koffie. Ze maakt heel duidelijk dat de kombuis haar domein is. Na onze actie heeft ze het aanrecht, de oven en de vloer overdreven goed gepoetst en een briefje op de voorraadkast geplakt met de boodschap dat het niet de bedoeling is 'dat elk bemanningslid ingrediënten uit de kast haalt'. 's Middags gaat ze met een schoonmaakdoekje door de hutten en elke dag doet ze de toiletten, ze doet meer dan op het rooster staat en neemt bijna alle taken van mij over. Kleine streber die ze is. En altijd maar zorgen dat Frederik ziet hoe druk ze is. Als hij wacht heeft, is ze extra hard aan het werk. Dan gaat ze de hele tijd met koffie en thee naar bo-

ven en slaat de lakens uit op het middendek, ook al waait het daar veel te hard voor en hebben we gewoon een droger aan boord. Ik ben benieuwd wat voor werkervaring zij heeft, het lijkt alsof ze al veel vaker in de horeca heeft gewerkt. Soms zou ik het haar wel willen vragen, wat ze gedaan heeft in de jaren dat we elkaar niet hebben gezien. Maar dan bedenk ik wat ze Ilona heeft aangedaan en vergaat me alle lust tot spreken.
Af en toe probeer ik ertussen te komen en ook wat schoonmaakklussen op te pakken om Frederik te laten zien dat ik ook heus wel wat doe. Dan ga ik in zijn wacht opeens het dek schrobben, of het koper poetsen. Ik haat het – maar ik doe het toch.
Ik werk veel meer dan de afspraak was. Dat komt ook doordat Frederik zich steeds verslaapt en ik al tig keer tot zeven uur door heb moeten werken omdat hij gewoon niet op komt dagen. En 's avonds begint hij ook vaak te laat, omdat hij blijkbaar vindt dat dineren in de eetzaal bij zijn wacht hoort. Gapend en boerend komt hij dan pas om zeven uur naar het stuurhuis. Simon gaat steeds strak om zes uur weg en Jitse lost hem af. Ik blijf dan ook maar tot zeven uur, ook al ben ik doodop en zou ik het liefst gaan slapen. Maar anders moet Jitse een uur in zijn eentje staan. Eergisteren stuurde hij me naar bed. 'Ik red het wel,' zei hij. 'Jij hebt je slaap nodig.' Maar toen ik wegliep, zag ik Lena met een kop koffie en koekjes naar boven lopen. Ik hoorde ze lachen en kletsen. Een tijdje stond ik op het dek. Zou ik teruggaan? Zou ik erbij gaan zitten? Ik deed het niet, maar daarna kon ik ook niet slapen. Sindsdien ben ik steeds gebleven totdat Frederik kwam.
Stiekem vind ik het best fijn om even alleen met Jitse te zijn. Al houdt hij mij, na onze verhitte kus in de keuken, behoor-

lijk op afstand. Nadat we de goed gelukte appeltaart hadden uitgedeeld, waren we naar onze hutten gegaan. Eigenlijk wilde ik bij hem in bed kruipen. Het voelde zo logisch. Maar bij zijn kooi zei hij heel nadrukkelijk welterusten en trok de deur voor mijn neus dicht. De volgende wachten heb ik af en toe een hand op de zijne gelegd en als er niemand in het stuurhuis is, ga ik dicht tegen hem aan staan. Hij reageert er niet op.
Maar goed, eigenlijk is hij ook een sukkel. Van het navigeren bakt hij helemaal niets. Hij heeft al een paar keer de getijdetafel verkeerd gelezen en ziet schepen over het hoofd omdat hij achter het roer een boekje zit te lezen. Soms vergeet hij om het logboek in te vullen, wat ik (ja ja, gedrild door mijn vader) natuurlijk trouw ieder uur doe. Ik ga niet met een heel gerust hart naar beneden, moet ik zeggen, aan het einde van mijn wacht.
In mijn hutje duik ik in de woorden. Ik schrijf uitgebreid aan mijn boek en af en toe helpt het ook om in het boek *De witte zeehond* van Marieke te bladeren. Wie had gedacht dat ik naar het wad zou verlangen nu ik eindelijk op open zee ben? En nu is het ook tijd dat ik die dagboeken eens doorlees die ik mee heb genomen. Dat helpt om alles eens op een rijtje te zetten. Ik ben erachter gekomen dat ze allemaal over Jitse gaan. Op elke pagina staat wel een keer zijn naam. Gênant! Gisteren had ik de oudste opengeslagen, waarin ik onze eerste kus tot in detail heb beschreven.

Ik vond het doodeng, maar deed het toch.
Om tien uur 's avonds, nadat ik al een paar keer heen en weer had gewandeld over de kade, en hem nog steeds niet had gezien, was ik op zijn dek geklommen en klopte op het luik van zijn vooronder.
'Jitse?'

Ik was bang dat hij heel hard zou gaan lachen als hij mij zag. Dat hij zou uitroepen: 'Wat doe jij nou weer hier?' En dat hij me weg zou sturen.
Ik was ook idioot dat ik dit deed.
Maar hij leek blij verrast toen hij me zag staan. Bijna alsof hij op me had zitten wachten.
'Tara, kom binnen,' zei hij.
Ik was het steile houten trappetje naar beneden af geklommen, met mijn veel te grote kisten aan mijn voeten. De laatste treetjes miste ik en ik gleed van de trap.
Het was donker in zijn vooronder. Alleen een olielampje en wat kaarsjes op het heel kleine tafeltje tegen de linker wand. Een volle asbak, een leeg, geplet blikje Heineken. Rechts was zijn bed, een bedstee. Op de grond lagen kleren, uitgeschopte schoenen, aan de wand bungelde zijn overlevingspak. Het stonk er naar man, vocht en staal. Hij zat in bed met een gebogen hoofd, anders zou hij zijn hoofd stoten. Hij klopte op de plek naast hem. Ik sprong op bed en ging naast hem zitten.
Toen zei ik het. Zomaar. 'Ik ben verliefd op je.'
Hij lachte. 'We kennen elkaar nauwelijks.'
Ik liet mijn hoofd zakken. Dat had ik natuurlijk niet moeten zeggen. Maar hij legde zijn hand onder mijn kin, duwde die omhoog, keek me aan en zei: 'Ik vind jou ook heel leuk.' (ECHT WAAR!)
En toen ... ja ja ja ja ja ... er steekt een briesje in me op nu ik dit weer opschrijf ... kuste hij me. Eerst was het helemaal niet zo lekker. Zijn lippen waren ruw, hard en zijn tong was wild, onrustig. Als het laatste restje water dat uit een bad loopt, ronddraaiend, slurpend.
Maar op den duur werd hij rustiger, zijn tong en lippen zachter. Zijn handen op mijn rug, heupen, billen. Ik wist eerst niet zo goed wat ik moest doen. Maar ik ging maar mee op zijn ritme. We gleden samen door het badputje. Het was heerlijk.

'Alles stopte abrupt toen ik mijn vaders stem hoorde.
'Tara, ben je hier?'
Ik verschrompelde. Schaamde me rot. Wat moest mijn vader hier? Hoe wist hij dat ik hier was?
Jitse stopte meteen. 'Ga maar snel,' fluisterde hij.
Hij liet zich niet zien, bleef veilig beneden. En dat was maar goed ook want pap was laaiend. Hij hield zich in op weg naar het schip, maar ik kon het voelen in zijn hand die strak om mijn bovenarm zat, zijn te snelle stap, stuurse blik.
In het stuurhuis zei hij dat hij me over de kade heen en weer had zien lopen en me toen op het dek van de Victorie had zien klimmen. Hij houdt me gewoon in de gaten, die zak! Ik heb helemaal geen vrijheid. Hij doet alsof ik nog een klein kind ben!
Hij dreigde dat hij Jitse aan zou geven bij de politie, omdat hij met minderjarigen klooit. Ik werd zo boos dat ik alles wel om me heen stuk kon slaan.

Gelukkig waren het slechts dreigementen van mijn vader en deed hij het niet echt. Natuurlijk wist de halve vloot het de volgende dag en hoorde ik het vrijdagavond in de kroeg.
'Hé, kwam je vader je bij Jitse weghalen?'
Ik kon wel door de grond zakken. Dat was het moment dat het echt fout begon te gaan tussen mijn vader en mij. Hij probeerde mij onder controle te houden, alsof ik een kluiver was die hij kon stellen zoals hij dat wilde. Maar dat lukte niet. Ik liet me niet zeggen wat ik wel of niet moest doen. Bovendien was ik verliefd. VERLIEFD. Blindelings verliefd.
En wanhopig. Want na onze eerste zoen schreef Jitse mij een brief dat het een fout was, dat hij niet verliefd was, dat ik te jong was. In mijn dagboek heb ik dagenlang gehuild.

Ik sterf. Dit is het einde. Niets is meer iets waard.

Maar een week later, toen ik hem 's avonds laat op het havenhoofd trof, zoende hij me toch weer. Hij fluisterde in mijn oor dat hij een zwak voor me had.

Zal hij dan toch verliefd op me zijn? Ik wil hem zo graag.

Een week later nam hij me mee naar zijn vooronder, waar hij voor het eerst mijn jonge borsten aanraakte. Waarna ik natuurlijk meteen stoer op school vertelde dat we wilde seks hadden gehad. Maar in werkelijkheid duurde dat nog jaren. Ik wilde wel. Maar hij vond mij te jong. Ik deed er alles voor om hem wel zover te krijgen.
Ik danste naakt in zijn vooronder op mijn kisten.
Ik ritste zijn broek ongevraagd open en trok hem af. Eerst sputterde hij tegen, maar ik ging doelgericht te werk, en hij gaf zich al snel over aan mijn hand. Wilskracht. Maar hij weigerde om met mij naar bed te gaan. 'Iemand van je eigen leeftijd moet je ontmaagden,' zei hij. Ik werd er gek van. Kroop midden in de nacht in zijn vooronder. Hij liet het nooit zover komen. Maar hij zei ook nooit dat ik weg moest gaan.
Op een nacht trof ik hem met een ander aan. Zij was van zijn eigen leeftijd, begin twintig. Ze waren de liefde aan het bedrijven. Hij bovenop. Ik zag zijn bleke billen in het schaarse licht samenspannen en hoorde haar gehijg.
Niet dat ik hem toen opgaf, nee, ik werd alleen nog maar fanatieker. Ik zou en moest hem in dat bed krijgen. Waarom wil ik toch steeds zijn aandacht? Toen en zelfs nu, terwijl ik al negentien ben. Ik zou toch beter moeten weten. Het is gevaarlijk om me met hem in te laten. Net

zoals het gevaarlijk is om met Lena om te gaan. Soms snap ik mezelf echt niet. Waarom wilde ik vroeger dan zo graag vriendinnen zijn met Lena? Omdat ik erbij wilde horen. Daarom. Bij de Ziltezijlers, de Havenseinders en nu bij de Maya-bemanning. Ben ik dan helemaal niets veranderd? Heb ik niets geleerd?
Op mijn zeventiende had ik hem eindelijk zover, hij ontmaagde mij. Het was pijnlijk en het ging snel. Maar daar ging het niet om. Nu hoorde ik er echt bij. Al wist ik niet eens waarbij.

Ik voel weinig als we vrijen. Maar om hem te voelen genieten, doet mij ook genieten. Dat hij hijgend in me klaarkomt, zegt hoe mooi ik ben, hoe geil. Het zorgt dat ik me vrouw voel in zijn handen. Hij maakt mij echt.

Jitse werd schipper en in de zomer van mijn zeventiende jaar was ik zijn vriendin en zijn maat. Elk weekend en de hele zomer lang, zeilde ik bij hem. Mijn vader was in alle staten. Hij vond Jitse een onverantwoord broekie dat veel te onervaren was om schipper te zijn. Ik luisterde niet en liep van boord, terwijl mama huilend vroeg of ik alsjeblieft op mezelf zou passen. Dat deed ik niet. We werden bijna elke avond dronken, we zeilden roekeloos, overtuigden het schip, maakten aanvaringen die niet nodig waren geweest en hadden de grootste lol. We waren vrij, we waren samen.
Totdat ik hem aan het eind van de zomer weer betrapte, met een andere schipster. En ik erachter kwam dat zij niet de enige was geweest waarmee hij was vreemdgegaan.
Ik maakte het uit en ging terug naar huis, waar ik vol overgave begon te studeren voor mijn eindexamens. Ik wapende

mijzelf met theorie en woorden en wilde niets meer voelen. Ik besloot dat ik na mijn examens de oceaan zou oversteken. Ver weg van dat stinkende wad, mijn te strenge vader en die onbetrouwbare Jitse. En van de herinnering aan dat wat me steeds weer naar beneden trok.

Natuurlijk probeerde hij me nog regelmatig te versieren, maar ik liet het niet gebeuren. Hij beweerde dat hij steeds vreemdging uit wanhoop en dat hij misschien wel verslaafd was aan seks. Ik moest hem als een slachtoffer zien, niet als een dader. Het had iets met zijn moeder te maken, dacht hij, nooit genoeg liefde gehad, dat soort onzin. Ik lachte hard en stuurde hem weg, zonder pardon. Ik had de keersluis laten vallen, en besloot van mijn liefdesleven een zoetwaterwereld te maken, zonder getij, vol slippende geulen en gevaarlijke banken.

Ik begon zelfs te flirten met andere maten. En serieus plannen te maken om naar het Caribisch gebied te vertrekken. Ik ging met mijn moeder mee naar internationale beurzen, sprak charterkantoren en schippers met schepen in het Caribisch gebied aan. Het was me toen gelukt om dat plekje op het Poolse schip te vinden. Ik was zo trots op mezelf.

Maar dat schip bleek dus in augustus nog steeds niet af te zijn en God weet of dat schip ooit af zou komen. Ik zat vast. En toen belde Jitse. Hij had een zetschipper op zijn eigen schip gezet en was zelf dus op de Oostzee, op de Maya, gaan varen. Ik dacht dat ik naar het Caribisch gebied zou vertrekken. Maar het is een ticket regelrecht mijn verleden in. Elke dag voel ik mijn sluis een beetje omhooggaan en voel ik het gevaarlijk zoute water weer in mijn onderbuik stromen. Ik kan niet ontkennen dat ik elke ochtend weer blij ben hem te zien.

Ik moet nu echt gaan slapen. Het is al tien uur. Nog twee uurtjes dan heb ik weer wacht. Ik mag niet te laat komen, iemand moet dat schip toch sturen.

Datum en tijd: vrijdag 13 oktober, 08.20 uur
Positie in de kaart: ter hoogte van Bretagne
Koers: 200 graden, zuidwest
Snelheid: 5,3 knopen
Weer: steeds warmer, noordwestenwind 5

Ik word wakker omdat de motor uitgaat. Klapperende lijnen aan dek. Geschreeuw, gestommel. Dan valt het schip over naar de bakboordboeg. We hebben zeil gezet. Ik glijd in mijn bed tegen de scheepswand. Haal een paar keer diep adem. Het is vreemd stil zonder dat geraas op de achtergrond. Het water klotst in mijn oor. Het klinkt alsof we flink vaart maken. Windkrachtje vijf, schat ik. Langzaam wieg ik weer in slaap. Sluimerende golven. Water in mijn bed. Golfdromen. Een piepende deur haalt me weer naar de oppervlakte. Wat licht komt binnen. Een zwart silhouet in de deuropening. Daar staat hij. Ik wil dat hij weggaat. Maar nog liever dat hij blijft. Kom hier, houd me vast, bemin me. Ik sla mijn dekbed uitnodigend open. Deur gaat weer dicht.
Adem in mijn nek. Hand over mijn haar. Lijf tegen het mijne. Bekende warmte, bekende vormen. Armen om mijn middel. Een tong door mijn oor. Lippen op de mijne.
Schillen vallen open, kleren glijden uit. Hardheid in mijn zachtheid. Een zucht. Zwaarte op mijn lijf. Ik lig onder hem voor anker. Verankerd in hem. Hij in mij. Golven, bewegen, korte witte koppen, lange hekgolven. Geen woorden, vooral geen woorden. Alleen dit moment, onze lijven, ons bekende ritme.
Dan breek ik open op de kust. Schuimende branding. Onderdrukte schreeuw. Niemand mag ons horen. De golf glijdt uit op het natte zand. We dobberen samen rond, in ons zweet. Dan glijdt hij weg. Gerommel op de achtergrond.

Piepende deur. Even licht. Dan weer donker.
Ik ben alleen.

*

'Ik wil dat jullie een opstel schrijven,' zegt juf Jannie terwijl ze op en neer voor de klas loopt. Nu Tara in de laatste klas van de lagere school zit, mag ze helemaal aan de raamkant zitten van het lokaal dat uitkijkt over de straat. De straat is volgebouwd met huizen met grijze stenen en tuinen van tegels. Er ligt geen klei meer braak. Haar vaste plekje is naast Ilona. Lena en haar onafscheidelijke vriendinnen Greta en Natasja zitten achter haar. En ze kijkt tegen de rug van domme Anna aan.
'Een opstel over dat wat je later wilt worden,' zegt juf Jannie met haar westerse accent, ze is niet van hier en lijkt dat helemaal niet erg te vinden. Ze doet niet haar best om ook maar een woord trols te leren, maar ze verstaat het wel.
Tara pakt snel haar schrift en vulpen.
'Hou laang mot 't wezen?' vraagt Mark.
'In ieder geval één pagina,' zegt juf.
'Mor ik heb aan ain woord genog!' antwoordt Mark verontwaardigd. 'Visser.'
'Dan vertel je waarom je dat wilt worden en wat je er leuk aan lijkt.'
'Doar heb ik toch gain haile bladziede veur neudeg! Ik dou gewoon wat mien pabbe en mien bruier ook doun. Kloar. Punt oet.'
'Vertel dan wat je vader en broer doen.'
'Flaauwekul,' hoort ze hem mompelen. 'Dat wait ja elkenain.'

Sinds Tara kan schrijven, doet ze niets anders. Het is haar hobby. Op het moment dat ze eindelijk in de klas met de schoolbankjes kwam, waren de letters een eitje. Ze leerde over het alfabet. Ze had in haar eentje nooit bedacht dat letters een volgorde zouden hebben. De a is als de één en de b is twee. Een b is dus meer dan de a.

Ze wilde juf Jannie vragen of ze dan ook kon rekenen met letters, maar dat durfde ze niet. Dan ging Lena vast weer lachen.
'Rekenen mit letters? Dat importwichtje is echt gek!'
Ze noemen haar nu geen mafkees meer, maar import. Dat betekent dat ze niet van hier is. Elke ochtend als ze in de klas het trolse volkslied zingen, staand achter hun schoolbankjes, is dat pijnlijk duidelijk. Tara verstaat het ondertussen wel, maar hoe graag ze ook mee wil praten en zingen, dat lukt niet. Ze neuriet mee en beweegt haar lippen alsof ze zingt. Ze is bijna weer net zo stil als toen ze klein was.
Maar op papier raakt ze niet uitgepraat. Toen ze eenmaal zinnen kon maken, begon ze met Ilona aan flessenpost, die zij in het weekend overboord gooiden, in de hoop dat meisjes van haar leeftijd ze zouden vinden. In elke brief probeerden ze een ander handschrift uit. Bij elk handschrift was ze iemand anders. In de brief met de rechte a's hield ze van geel. Maar als ze met ronde a's schreef, kon ze eigenlijk alleen maar van roze houden.
Ilona veranderde per handschrift haar hobby's. Als ze met een bollebuiken-b schreef, hield ze van taartjes bakken. Maar bij de kaarsrechte t, was gymnastiek haar hobby.
Ze leerde goed spellen, aan de hand van 't fokschaap en 't kofschip. Natuurlijk vond ze het kofschip een mooier woord, vooral toen ze ontdekte dat ze er ook fokschip van kon maken.

Tara draait de dop van haar pen. Zij weet wel wat ze worden wil. Schrijfster. Maar gaat ze dat hier op papier zetten? Misschien kan ze schrijven dat ze kapster wil worden of zo. Dat snappen ze tenminste. Ze kijkt om zich heen. Iedereen schrijft al. Ook Ilona. Ze kijken elkaar even aan. Ilona's ogen twinkelen, zoals ze dat ook doen als ze thuis flessenpost en korte verhalen schrijven. Haar wangen zijn rood. Ze knikt naar Tara's lege papier. Begin nu! Snel zet Tara haar pen op papier, nu moet ze toch echt schrijven. Anders heeft ze straks niets.

'Schipster en schrijfster, dat wil ik worden.' Ze wil het weer doorkrassen, maar in plaats daarvan schrijft ze een volgende zin. 'Ik zit boven in de mast.' En dan verdwijnt de klas. Zijn er alleen nog maar woorden en golven, inkt en modder. Haar pen gaat sneller dan haar gedachten.
'Oké, jongens, rond het af,' hoort ze juf Jannie vanuit de verte zeggen.
Nog een paar woorden. Het is nog net niet af. Ze schrijft door. Nog een geul, nog een woord.
'Tara, ook jij.'
Haar pen wil niet stoppen.
Juf tikt nu op haar rug. 'Tara!' En dan hoort ze ook de rest van klas lachen en roepen. 'Wakker worden!'
Verschrikt kijkt ze op. Juf kijkt haar glimlachend aan. Ze heeft het gevoel alsof ze naakt in de klas zit. Gelukkig leidt juf de aandacht van haar af door te vragen wie er voor wil lezen.
Niemand zegt iets. Alle brutale monden zijn opvallend stil.
Ze wijst Mark aan. 'Laat maar eens horen wat je ervan hebt gemaakt.'
'Ik?' Hij lacht. Net te hard. Hij is zenuwachtig. Dat snapt Tara wel. Ze zou haar verhaal voor geen goud voor willen lezen. Als juf haar nou maar niet vraagt. Ze weet niet eens wat ze geschreven heeft, zo snel ging het.

'Ik wil visser worden. Net als mien opa, mien pabbe en mien bruier. Ik neem de ZZ 3 over. Ik ging dit weekend ook mit. Toun vingen we schollen. En toun gingen we noar de Noordzee. En toun was der storm. Der waren haile hoge golven. Doar bin ik nait baang veur. Doarom word ik visser.'

'Bedankt,' zegt juf. 'Maar dat is geen bladzijde.'
'Mor ik mos ja stoppen, meer kin ik nait schrieven binnen dei tied.'

Tara kijkt naar haar eigen schrift. Ze heeft twee blaadjes volgeschreven. Hoe kan dat?
'Natasja, wat heb jij geschreven?'

'Ik wil loater kapster worden. Net als mien tante op de Sluuskoade. Den moak ik mooie krullen en knip ik en was ik en blondeer ik wichter en vraauwen. Ik dou gain mannen. Want dei hebben stom hoar. Krullen vind ik 't mooiste. Dei wil ik ook wel.'

'Heel goed,' zegt juf. 'Lena, wil jij nu voorlezen?'
Tara voelt een kriebel in haar buik. Waar zou Lena van dromen?
Zonder te antwoorden, pakt Lena haar vel en staat op achter haar tafeltje. Kaarsrecht kijkt ze de klas rond. Wat zou ze een goede garnalenkoningin zijn. Elk jaar, als de lente begint, wordt een van de meiden in het dorp aangewezen als garnalenkoningin. Het zijn altijd de mooiste meiden. Ze worden dan in een kar, versierd met netten, door het dorp gereden. Vorig jaar was het Bianca, die in de supermarkt werkt. Ze had haar haar hoog opgestoken, met een zilveren kroontje en een grote roze garnaal. Bij de haven was een troon voor haar ingericht en daar las zij de troonrede. Zij rolde een groot document open. Voor één keer waren alle vissers stil. De koningin vertelde hoe het met de visvangst stond. Tara snapte weinig van haar woorden. Ze keek met open mond vooral naar haar witte zijden jurk. Bianca leek wel een zeemeermin.

Lena schraapt haar keel.
'Dames en heren,' zegt ze luid. Een gelach gaat door de klas, juf knikt goedkeurend.

'Ik word later actrice!'

'Dat kin ja nait!' roept Mark. 'Wel is hier nou actrice, dat kin allain mor astoe oet Amerika komst!'

'Stil, laat haar uitspreken,' zegt juf.
Lena trekt zich niets aan van Mark. Ze leest door alsof ze nooit is onderbroken.

'Ik zal in speelfilms en in series spelen. Samen met Don Johnson een sigaretje roken en daarna zoenen we natuurlijk.'

De klas begint te fluiten. 'Lena plus Don!'
Onverstoorbaar gaat ze door. Het valt Tara op dat Lena in perfect Nederlands schrijft, zonder trolse woorden.

'Ik zal dansen met Madonna. Iedereen zal me kennen. Meisjes hangen posters van mij op. Jongens worden verliefd op mij.'

'Ik nait heur,' roept Mark.

'Ik word de beste actrice van de wereld. En later zijn jullie allemaal heel trots dat jullie bij mij in de klas hebben gezeten.'

De jongens joelen, de meisjes klappen. Ook juf klapt. Lena gaat weer zitten en kijkt stralend in het rond. Zo heeft ze haar nog nooit zien lachen.

Dan kijkt juf haar aan.
'Tara, lees jij je lange verhaal eens voor.'
Haar buik krimpt samen. Ze kijkt juf wat hulpeloos aan. 'Ik?' piept ze.
'Ja, je hebt zoveel geschreven. Ik ben benieuwd.'
Ze schudt haar hoofd.
'Kom op, neem een voorbeeld aan Lena,' zegt juf.
Tara kijkt om, haar ogen ontmoeten die van Lena. Groene, stralende ogen kijken recht in die van haar. Glimlacht ze? Naar haar?
Snel draait ze zich om. Ze heeft het gevoel alsof ze in brand staat.

Ze pakt haar schrift, maar blijft wel zitten. Haalt een paar keer diep adem.

'Schrijfster en schipster, dat wil ik worden.'

'Schipster, dat is gain woord!' roept Jelle.
'Hol die de kop,' sneert Lena. 'Loat heur lezen.'
Kwam Lena nou net voor haar op? Tara's rug wordt rechter. Lena hoort haar.

'Ik zit boven in de mast. Overal waar ik kijk, zie ik zee. Het is warm, ik draag een petje en een zonnebril. Onder mij bollen de zeilen. Ik steek de oceaan over, op een windjammer, dat is een schip met ra's en vierkante zeilen, precies zoals piratenschepen dat vroeger hadden. De lange golven breken op de boeg. Dolfijnen springen naast het schip. Snel en hoog. Af en toe spuit een enorme walvis water de lucht in. Ik reis over de hele wereld, als een piraat. Naar de vrolijke Caribische eilanden. Daar zal ik dansen op de salsa. Ik zeil naar het oosten en daar rijd ik op een kameel door de woestijn. En zeker ga ik ook naar China. En dan wandel ik over de Chinese muur. Ik zeil de hele wereld rond.
En overal zal ik verhalen schrijven. Voor de krant, voor de Tina, *voor de* Yes. *En een boek zal ik schrijven. Over alle zeeën en alle landen. Mijn woorden ruiken naar kaneel en naar kokos. Niet naar garnaal, niet naar slik. Als je mijn boek leest, heb je het gevoel dat je zelf de wereld bent rondgereisd. Zelfs als je altijd in Ziltezijl bent blijven wonen, denk je nog dat je de oceaan hebt overgestoken.'*

Haar wangen gloeien. Ze durft niet op te kijken. Het is stil. Helemaal stil. Buiten hoort ze een merel zingen. Het tikken van de verwarmingsbuizen. Maar voor de rest geen ademhaling, geen bijdehante opmerking van Jelle en Mark. Zelfs Ilona kijkt haar niet

aan. Ze kijkt op naar juf. Heel langzaam knikt zij. Heeft ze iets heel raars voorgelezen? Waarom reageert niemand? Dan hoort ze geklap achter haar. Een paar handen dat heel krachtig en langzaam klapt. Ze draait zich om. Lena staat achter haar tafeltje te klappen. Alleen. Ilona, naast haar, klapt nu mee. Tara kijkt haar verbaasd aan. Wat gebeurt hier? Anna klapt mee, Greta en Natasja. Nu ziet ze zelfs Mark en Jelle klappen.
Ze voelt de neiging om zich onder haar tafeltje te verstoppen. En tegelijkertijd om erbovenop te gaan staan en te buigen. Ze weet niet meer wat ze moet doen. Ze zit vastgenageld op haar stoel en laat het applaus als een donderstorm door haar heen razen.

*

Ze loopt van huis naar school. Nog steeds hoort ze het applaus echoen in haar oren. Ze zweeft bijna boven de grond. Lena klapte voor haar. Alleen voor haar. Voor haar verhaal. Schrijfster en schipster en beroemd wordt ze. Stap, stap, stap. Ze is onderweg.
Dan verstrakt alles in haar. Ze hoort getik van hakjes achter haar op de stoep.
'Dat was 'n te gek verhoal,' zegt Lena terwijl ze op haar halfhoge zwarte laarsjes naast Tara komt lopen. Ze klemt automatisch haar tas wat dichter tegen haar lijf. Strak blijft ze naar de tegels kijken.
'Ik wil ook wel raizen,' zegt ze nu.
Tara zegt nog steeds niets. Straks zegt ze iets verkeerd en dan verpest ze alles. Dan weet Lena weer dat ze import-shit is en geen schrijfster.
Als ze om de hoek zijn, en uit het zicht van het schoolplein, gaat Lena voor haar staan met de handen in haar zij.
'Bist ook fan van Madonnaa?' De laatste a van Madonna rekt ze lang uit.

De vraag overrompelt haar. Hoe komt Lena nu opeens bij Madonna?
'Nou, hest stront in d'oren of zo? Bist ook fan van Madonna?' herhaalt ze.
Ze knikt.
'Houveul Madonna-aarmbandjes hest?'
Ze stroopt de mouw van haar jasje op en laat de tien zwarte rubberen armbandjes zien. Lena knikt goedkeurend.
'Geef mie 'n poar,' commandeert ze. Haar groene ogen staan fel. Haar wimpers zijn lang en ze heeft een fijne puntige neus. Ze is mooi en dat weet ze van zichzelf.
Tara schudt haar hoofd. Ze had al haar zakgeld voor de armbandjes gespaard en heeft ze vorige week op de markt gekocht.
'Dou mie de helft.' Lena gaat nu voor haar staan.
Ze schuift twee armbandjes van haar pols en steekt ze haar toe.
Lena trekt ze uit haar handen en voegt ze bij haar eigen verzameling zwarte bandjes.
'Kom je morgen bij mij spelen? Ik heb de nieuwe van Madonna.' Opeens praat Lena geen trols meer. Hebben ze nu met deze armbandjes een pact gesmeed? Tara knikt. Lena loopt keihard op haar laarsjes voor haar uit als ze van de andere kant Jelle aan ziet komen.
'Niemand vertellen,' fluistert ze.

Tara weet waar Lena woont. Ze komt er elke dag langs. Halverwege de dorpsstraat, in een rijtjeshuis zoals dat van hen, speelt Hendrik, Lena's broertje, met zijn vrienden op straat. Ze fietst daar niet graag langs. Dan rennen ze achter haar aan of schoppen hun bal tegen haar fiets. Ze fietst liever om.
Nu loopt ze het gangetje achter de huizenrij in. Aan de linkerkant de begraafplaats en een bos met dunne kale boompjes waardoor je naar de gymzaal de Wokkel kan doorsteken. Ze is hier nog nooit geweest. Importmeisjes horen hier niet. Die wonen aan de haven, aan de rand van het dorp of in de weilanden zoals Ilona. Ze gaat door het derde

groene tuinhekje aan de rechterkant. Lena's moeder staat te roken en te kletsen met de buurvrouw. Haar wijs- en ringvinger zijn helemaal geel en haar donkere steile haar glimt van het vet. Ze heeft een gebleekte strakke spijkerbroek aan.

'Ik zoek Lena,' zegt Tara.

Ze kijkt Tara even aan en wijst dan, zonder iets te zeggen, naar de openstaande achterdeur.

In het huis is het donker, de gordijnen zijn dicht, ook al schijnt de zon buiten. Ze loopt de woonkamer in, waar de tv aanstaat. Voetbal. Pas in tweede instantie, als haar ogen gewend zijn aan het donker, ziet ze door de walmen rook Lena's vader zitten. Op tafel staan een volle asbak en lege bierflesjes Amstel. Hij lijkt haar niet eens op te merken. Hij heeft een wit hemd aan waar grijze haren bovenuit komen. Een dikke buik en op zijn schouder een grote tatoeage van een zwart anker en een rood hart. Pas als ze drie keer naar Lena heeft gevraagd, kijkt hij op. Hij schraapt zijn keel.

'Van wel bist doe der aine?'

'Huizinga.'

'Ah, dei nije op de hoaven. Zeg mor tegen dien pabbe en moeke dat we dat vrumde volk hier nait hebben willen.'

Tara zucht. Hoe vaak heeft ze dat nu al gehoord? Mark zijn vader zegt hetzelfde. En die van Jelle ook. Ze vinden het werk van papa maar niets.

'Ze willen dat alles bij het oude blijft,' had papa gezegd. 'Maar op den duur zullen ze blij zijn met al die toeristen. Dat levert voor iedereen werk op.' Hij vergadert en praat met iedereen en gelooft er helemaal in.

Maar papa snapt niet dat hoe meer toeristen hij hierheen haalt, hoe meer zij het op haar dak krijgt. Zij verpest immers dit dorp. Zij halen al die kakkers hierheen in hun glimmende auto's. Laatst had een van papa's gasten gevraagd of hij een foto mocht maken van Bertus op het leugenbankje. Van Bertus! Hij zit de hele dag op de dijk com-

mentaar te leveren op alles en iedereen en grote verhalen te vertellen over zijn vissersverleden.

Het zag er zo lekker ouderwets uit, zei de gast. Dat zag je in Amsterdam niet. Hij liep op gympen, die niemand in Ziltezijl draagt, op Bertus af. Bertus had toen een bierflesje naar de bolle gladgeschoren kop van de vreemdeling gegooid. De gast moest naar de dokter om zich te laten hechten.

Tara had zich rot geschaamd en was een paar dagen niet naar school gegaan. Tegen mama zei ze dat ze ziek was. Ze wist maar al te goed dat zij nu ook een bierflesje of iets anders naar haar hoofd kon verwachten.

'Waar is Lena?' vraagt ze nog een keer.

'Dat loie wicht is boven.'

En hij draait zich weer terug naar de tv.

Ze loopt naar boven over de trap met dik bruin tapijt en hoort Madonna al Papa don't preach *zingen. De deur van de kamer waar de muziek vandaan komt, staat op een kiertje. Lena ligt met haar ogen dicht op bed. Haar kamer is klein, de muren zijn bedekt met posters van Michael Jackson, George Michael en Madonna. Een van de wanden loopt schuin en is donkerrood geverfd, net zoals in haar kamer. Het dakraam staat een klein beetje open. Tara ruikt sigaretten.*

Lena opent haar ogen half en gebaart Tara op bed te komen zitten. Zo zitten ze daar een tijdje te luisteren naar Madonna. Ze kan bijna niet geloven dat ze na al die jaren nu echt bij Lena op bed zit. Het kamertje van Lena is kleiner dan dat van haar. Er past maar net een bed en een bureautje in.

'Je mag lid worden van onze Madonnafanclub,' zegt Lena. Ze staat op en pakt een schrift van haar bureau.

'Ik heb hier alle regels opgeschreven. De belangrijkste: je mag aan niemand over de club vertellen. Dus niemand mag weten dat je hier was. Oké?'

Lena heeft zich opgemaakt, haar wimpers zijn zwart en haar oogle-

den lichtblauw. Tara mag dat niet van mama – dat is or-di-nair of zo.

'En de tweede is net zo belangrijk: je moet elke week iets gemeens doen om lid te blijven.'

Lena gaat naast Tara op het bed zitten en legt het opengeslagen schrift op haar schoot.

'En regel drie: je moet dialect spreken.'

'Maar ik kan geen trols.'

'Trols!? Wat is dat veur 'n woord!?'

'Eh ja, zo noemt Ilona dat.'

'O, jullie zijn zo hautain.'

'Hautain?'

'Ken je dat woord niet? Je bent toch import en je weet alles toch zo goed? Uit de hoogte, dat is het. Jullie voelen je beter omdat je ABN spreekt.'

'Jij praat toch ook Nederlands. En zelfs met woorden als hotin en zo.'

'Ja, had je niet gedacht, hè, je dacht zeker dat wij domme trollen waren.'

Lena lijkt boos te worden. Ze slaat het schriftje dicht. Dit moet niet. Ze wil lid worden van die club. Ze wil Lena niet kwijt.

'Nee, echt niet, ik weet dat je slim bent. En ik vind jouw taal best mooi, hoor.'

'Ik slim?' vraagt Lena. Opeens lijkt ze een lief klein meisje.

'Ja joh, jij hebt ook een superstuk geschreven. En jij wilt actrice worden, geen visser.'

Lena schiet in de lach. Tara lacht mee.

'Ik ben blij dat je dat zegt. Met hersens kom ik hier misschien ooit weg.'

'Wil je dat dan?'

'Natuurlijk! Ik wil weg uit dit stinkdorp.'

'Vind jij het dan ook stom hier?'

'Alleen omdat ik dialect spreek, wil dat niet zeggen dat ik geen dromen heb.'

Tara schaamt zich. Wat heeft ze daar toch stom over gedaan met Ilona. 'Tuurlijk,' fluistert ze. 'Als ik jouw taal leer, mag ik dan bij de club?'
'Het is niet de belangrijkste regel. Maar je moet wel oefenen.'
Lena slaat het schrift weer open. Tara kijkt zenuwachtig naar de bladzijden en ziet dat er vier handtekeningen staan. Boven de lijn die van Greta, Natasja en Lena. Daar staat boven: ereleden. Onder de lijn staat: gastleden. Daar staat de handtekening van Anna. Is dit een manier om alle mafkezen een oor aan te naaien?
'Ik weet het niet.' Tara geeft haar het schrift terug. 'Wat is een gastlid?'
'Iemand die eerst moet bewijzen of zij wel gemeen genoeg is om lid te zijn.'
'Wat heeft gemeen zijn eigenlijk met Madonna te maken?'
Lena lijkt haar vraag niet te horen en duwt haar een pen in de handen.
Tara staart naar de foto van George aan de muur. Hij heeft een stoppelbaard en een donkere zonnebril op. Lena ziet haar kijken.
'Lekker ding, hè?' Ze staat op om de poster een zoen vol op de mond te geven.
'Waarom vraag je mij?' vraagt Tara.
'Je houdt toch van Madonna?'
'Iedereen houdt van Madonna.'
'Maar jij bent anders,' zegt Lena.
'Hoezo anders?'
'Ik weet niet, anders. Anders dan de anderen. Je praat anders, je kleedt je anders en volgens mij denk je ook anders. Bovendien heb jij een schip. En heb je al heel veel van de wereld gezien.'
Tara kijkt haar verbaasd aan.
'Ik wil ook anders zijn. Ik wil niet net zo als mijn moeder eindigen met zo'n zak op de bank. Hij slaat haar, weet je?'
Tara knikt. Ze had het al gehoord.
'Ik zet elke nacht een stoel onder mijn deurkruk. Ik wil niet dat hij

hier binnenkomt. Vorige week probeerde hij het. Toeter als ik weet niet wat.'

Tara weet niet wat ze moet zeggen.

'Kom, teken.' Lena duwt haar weer het schrift in handen. 'Dan zitten we samen in een club.'

Voordat ze het weet, heeft ze getekend.

'Ik heb wel een idee wat je kunt doen,' oppert Lena. 'Ilona heeft een verjaardagsuitnodiging van Natasja.'

'Echt waar? Maar zij zijn toch helemaal geen vriendinnen?'

'Het moest van Natasja's moeder. Die vond Ilona zo zielig.'

'Ilona is niet zielig,' flapt ze eruit.

'Ze komt anders nooit op een feestje, best zielig toch.'

Tara denkt aan de knappe, felle Natasja. Ze trekt altijd met Lena op. Maar zou inderdaad nooit rare Ilona vragen. Niemand vraagt Ilona ooit voor iets. Zoals ook nooit iemand haar vraagt.

'Die uitnodiging ligt in de lade van Ilona's tafel maar ze heeft haar nog niet gezien. Jouw opdracht is: haal die uitnodiging weg voordat Ilona haar gezien heeft. En verbrand haar.'

'Dat is gemeen.'

'Dat is ook de bedoeling.'

'Dat ga ik niet doen, Ilona is mijn vriendin.'

'Zulf waiten, dan bist gain clublid meer.' Lena haalt het schrift weer tevoorschijn en een pen om Tara's handtekening door te krassen.

'Den blifst toch lekker vriendinnen mit dei mafkees?'

Lena aait over Tara's blonde haar. 'Astoe dizze blonde krullen hollen wilst, zol ik mor doun wat ik zeg.'

Tara schrikt. Ze is geen mafkees meer. Ze is lid van de club.

*

De volgende ochtend is ze extra vroeg op school. Niemand kijkt raar op als ze voordat de les begint, het lokaal in sluipt. Ze pakt de uitnodiging uit Ilona's lade en loopt ermee naar buiten, achter de school zet ze de aansteker eronder. Het witte papier krult op in de kleine vlam. Ze staat ingeklemd tussen de bosjes en de muur. Een paar brandnetels steken in haar kuiten. De aansteker is heet onder haar duim.
Ilona zal de uitnodiging niet missen. Echt niet. Zij wil niet eens naar Natasja. Dat weet ze zeker. Ilona vindt Natasja een trut. Dat heeft ze zelf gezegd. Ze heeft Ilona eigenlijk gered. Wat een afgang zou zo'n feestje zijn. Iedereen had haar uitgelachen. En ze was bij elk spelletje de bok geweest. Nee, het is maar goed dat zij hier een stokje voor steekt.
Ze kijkt om de hoek voordat ze weer het schoolplein op komt. Op straat ziet ze Lena met iemand staan praten, ze staat wijdbeens op haar zwarte, lage laarsjes met kleine hakjes. Dat is de laatste mode. En Lena is altijd volgens de laatste mode. Ze kan niet zien met wie Lena praat. Snel glipt ze het plein op en gaat meteen het klaslokaal in, waar nog niemand zit, en neemt haar vaste plekje in.
Langzaam komt iedereen de klas in. Ilona komt naast haar zitten.
'Ik heb gisteren een heel mooi woord in de krant gezien,' zegt Ilona en ze pakt een krantenknipsel uit haar tas en vouwt het open op tafel. Tara ziet de dikke zwart gedrukte letters staan. Het duurt even voordat haar ogen kunnen focussen op het nieuwe woord. Zonnegolf.
'Een zonnegolf, wat is dat?' vraagt Tara.
'Iets wat zonnestralen doen als ze het water raken,' zegt Ilona. Ze geeft het knipsel aan Tara. 'Ik dacht dat je het wel een mooi woord zou vinden met die o's en die golf op het einde.'
Ze legt het woord in haar handen en hoort het woord bijna klotsen, ziet de zon op het water reflecteren. Een gouden Waddenzee in haar

handen. Klotsend, kronkelend wiegend goud. Zonnegolf.

'Kom je vanmiddag bij me?' vraagt Ilona. 'Dan kunnen we het woord misschien schilderen.'

'Op een spiegel in de zon,' zegt Tara. 'Dan golven de zonnen en zonnen de golven.'

'Goed idee, ik heb nog wel een oude spiegel liggen, en dan pakken we de lippenstift van mijn moeder.'

'Ja!'

'Waar was je gisteren eigenlijk?' vraagt Ilona.

'Hoezo?' Tara kijkt opzij. 'Waarom vraag je dat?'

'Ik zag je met Lena lopen.'

'Die zei gewoon dat ze mijn stuk zo mooi vond.'

'Ze vroeg je toch niet ...'

'Wat vroeg ik?' Lena steekt haar hoofd tussen Ilona en Tara in. Ze hangt over haar eigen tafeltje heen. 'Ik zee dat dat stuk zo mooi was, nait woar, Tara?'

'Dien verhoal was echt top!' zegt Greta, die er nu ook bij komt.

'Dat most echt voaker doun,' zegt Natasja.

'Kist wel n bouk schrieven,' roept Jelle.

Tara voelt haar gezicht warm worden. Ze vinden haar verhalen tof. Ze kan wel een boek schrijven!

'Wilst op mien verjoardag kommen?' vraagt Natasja.

Even ziet ze weer een opkrullende hoek, een vlammetje. En Ilona dan? Ze kijkt opzij. Ilona zit voorovergebogen over haar schrift. Duidelijk ongemakkelijk met alle mensen rondom hun tafeltje, terwijl ze normaal genegeerd worden door iedereen.

Ze schrijft in haar schrift een aantal keer 'zonnegolf' met een heel sierlijke f op het einde.

Lena en Natasja kijken haar indringend aan.

'Moor natuurlijk kom 'k,' zegt ze dan.

Natasja's huis ligt in de wijk achter school. Ze loopt op veilige af-

stand achter Lena. Zodat ze wel weet dat ze de goede kant op gaat, maar dat niemand ziet dat ze samen oplopen. Ze is immers nog maar gastlid, en geen erelid.
Ilona had het niet leuk gevonden toen ze zei dat ze niet meeging naar haar huis.
'Dit is even belangrijker,' zei ze. 'Dat snap je toch wel?'
'Wat jij wil,' had Ilona gemompeld.
Bij Natasja in de voortuin staat een grote witte partytent, met daaronder een rokende barbecue en een verzameling tuinstoelen. Uit huis komt muziek met een harde beat en Tara ruikt hete kolen. Greta is er al, ze staat te leunen tegen een van de tentpalen en tikt op het ritme van de muziek met haar hand op haar dijbeen. Natasja zelf staat in de deuropening en schreeuwt iets naar binnen. Ze heeft een nieuw truitje aan, het is van zilverkleurig garen gehaakt en is heel kort, haar strakke bruine buik komt eronderuit.
'Wilst 'n frikadel?' vraagt Natasja. En zonder haar antwoord af te wachten, gilt ze naar binnen: 'Jan, moak es 'n poar frikadellen veur 't nije wicht!'
Lena en Greta laten zich op de witte plastic stoelen rondom de barbecue vallen. Tara gaat er voorzichtig naast zitten. Hoort ze hier nu echt bij? Ze kan het bijna niet geloven. Ze kijkt naar het grote anker dat in de tuin ligt. Daaromheen liggen grote Noordzeekrabben. Natasja's vader is ook visser.
Greta trekt een blikje cola open en geeft het door aan Tara. Cola, dat vindt mama net zo erg als make-up. Ze neemt een voorzichtige slok, de zoete prikkelende frisdrank bruist door haar lijf als een pas gebroken golf. Ze neemt meteen nog een slok. Natasja's broer brengt haar een frikadel met mayo en uitjes. Ze schrokt 'm in één keer op, dat heeft ze nog nooit gegeten.
Ze voelt zich een echte Ziltezijler. En zo slecht is dat niet.

Tara stormt het huis in. Mama zit achter het bureau in de hoek en

heeft de telefoon tussen haar schouder en haar oor geklemd. Op de tafel voor haar ligt het boekingsschema van De Hoop. Een wirwar van hokjes en pijltjes waar alleen mama wijs uit wordt. De blauwe vakjes zijn de weekenden en de oranje de midweken. In piepkleine letters schrijft mama daarin de namen van de families en groepen die boeken.
Ze zwaait naar Tara en gebaart naar de pot thee die op tafel staat. Ondertussen praat ze door met de klant aan de lijn.
Ze laat de thee staan en loopt verder, met twee treden tegelijk de trap op.
Kon ze maar aan iemand vertellen wat er vanmiddag gebeurd is. Maar Lena heeft haar op het hart gedrukt niemand iets te vertellen over de club. Of over hun vriendschap. Het is hun geheim. Ze wil het van de daken schreeuwen zodat heel Ziltezijl het kan horen. Zodat Jelle, Mark en Anna het horen. En dat ze tegen elkaar zullen fluisteren: 'Tara is lid van de club, wist je dat al?'
Maar ze kan het tegen niemand zeggen, zelfs niet tegen Ilona. Juist niet tegen Ilona. Even voelt ze zich misselijk, alsof ze een verkeerde mossel heeft gegeten. Die club. Is dat wel slim? Hoe moet dat dan met Ilona en haar? Aan wie moet ze nu haar geheimen vertellen? Ze staart naar haar spiegelbeeld en gaat wat rechter op staan.
Ze zegt hardop: 'Ik bin lid vaaan club.' Het is bijna alsof haar spiegelbeeld haar uitlacht. Daar staat ze dan in haar te korte broek en een door mama gebreide trui. Dit is toch geen clublid? Die dragen spijkerjasjes en Madonna-armbandjes. Ze kijkt naar haar pols. Ze moet er hoognodig wat nieuwe bij kopen.

Datum en tijd: zondag 15 okt, 17.00 uur
Positie in de kaart: Golf van Biskaje, 300 mijl ten westen van Roya, 100 mijl ten NW van Spanje
Koers: 180 graden, zuid
Snelheid: 9,5 knopen
Weer: dreigend, noordwestenwind 8

De lucht is donker, het water vreemd groen. Er hangt een onheilspellende gloed over de zee en de koppen steken er extreem wit bij af. We zitten in de Golf van Biskaje. De golven zijn hier anders dan in het Kanaal. Ruiger, korter, hoger. Dat komt doordat de diepe oceaan hier in één keer stort op de ondiepe kust van Zuid-Frankrijk en Noord-Spanje. Soms besteed ik de helft van mijn wacht met het kijken naar de kaart. Niet alleen naar de zee en onze kruisjes in het blauw, maar ook naar het gele gedeelte. De kust waar we langs zeilen. Af en toe spreek ik de namen van de kleine kustplaatsjes uit. La Rochelle, A Coruna, Porto, Cascais. Het is vreemd om zo dicht bij een andere wereld te zijn, maar er niets van te zien. Maar dat zal niet lang meer duren. We zijn bijna bij Lissabon. Nog een paar dagen varen en dan zullen we in die stad vol kleine kronkelsteegjes zijn. Ik hoop dat ik tijd heb om van boord te gaan en door de stad te lopen. Eindelijk reizen!
Nu moet ik echter mijn aandacht erbij houden, want er is storm voorspeld. Het is koud, ook al is het midden op de dag. Terwijl het de laatste dagen juist steeds warmer werd, nu we zo zuidelijk zitten. Maar vandaag voelt het weer alsof we op de Noordzee zijn.
Simon staat deze wacht aan het roer. Wijdbeens staat hij om op zijn plek te blijven. De lucht voor ons wordt steeds donkerder, alsof de wolken van inkt zijn. Op de radar zijn dikke

groene plekken te zien. Squalls. Heftige regenbuien, waar vaak veel wind in zit.
De bovenste zeilen heb ik net geborgen. We zeilen op de fok, twee kluivers, de onderste twee stagzeilen en het grootzeil. Ik heb ook de tafels en stoelen van het middendek gehaald, die vlogen van de ene boeg naar de andere. Nu staan ze met een touw vast achter de buitenbar. Water schuimt door de spuigaten over het middendek.
'We moeten Jitse en Frederik wakker maken,' zegt Simon. 'We hebben alle handen aan dek nodig.'
Ik doe het kleine opblaasbare zwemvest over mijn hoofd, trek mijn zeiljas tot onder mijn kin dicht en loop het stuurhuis uit. Ik houd me goed vast aan de reling als ik de trap naar het middendek neem. Het hout is glibberig.
Ik loop door het ruim, verder naar beneden, naar de buik van het schip. Met mijn handen glijd ik langs de deuren van de hutten. Hier moeten straks de gasten slapen, maar zolang die er niet zijn, hebben wij allemaal onze eigen luxe hut geconfisqueerd. Ieder met eigen douche en toilet. De hutten zijn vernoemd naar eilanden. Ik slaap in hut Martinique, het eiland waar we na de oversteek als eerste aan zullen komen. Frederik slaapt in Guadeloupe. Ik klop hard op zijn deur. Geen geluid. Ik duw de deur een klein beetje open. Het stinkt binnen, dranklucht. Frederik drinkt na elke wacht. Te veel. Jitse doet met hem mee, zelfs na de ochtendwacht. Om twee uur 's middags glijden ze allebei aangeschoten in bed. Nu is het vier uur. Frederik snurkt met zijn mond open.
'Frederik!' roep ik. 'Het stormt!'
Hij reageert niet. Ondergedompeld in zijn eigen drankzee. Ik word een beetje misselijk, hier onder in het schip voel je het staal trillen op de golven. De schommel gaat door al mijn ingewanden heen. Ik voel nu ook hoe moe ik eigenlijk ben.

De laatste dagen slaap ik veel te weinig, vooral nu Frederik het er zo bij laat zitten en ik nog steeds in de schoonmaak werk.
Ik schud aan zijn schouders, ik zou hem wel willen slaan, word wakker, sukkel. Hij heeft zijn kleren nog aan, zelfs op zee draagt hij nog blousejes en broeken met een strakke vouw erin.
Ik hoor opeens weer mijn vaders stem. 'Die gast spoort niet.'
Ik schud hem heen en weer. 'Verdomme, alle hens aan dek!'
Geen reactie, alleen gesnurk, dranklucht. Waardeloze kapitein.
Laat maar, ik ga snel naar Jitse. Ik kan hier niet eeuwig blijven want Simon staat alleen aan dek. Jitse slaapt een paar hutten verderop, in Gran Canaria.
Ik storm binnen zonder te kloppen. Ook hier stinkt het. Even sta ik te wankelen op mijn benen, het ruikt naar zijn kleine vooronder. Dezelfde mannelijke staallucht. Hij ligt met een blote bast boven de dekens. Ik leg mijn koude hand op zijn blote borst, ik zou er wel bij willen kruipen. Net doen alsof de storm niet echt is. Hij kreunt.
'Lena,' mompelt hij.
Snel trek ik mijn hand weer terug.
'Ik ben het, Tara!' schreeuw ik. In mijn hoofd een snelle film van naakte vrouwen in zijn bed. Ik zie de beelden als in een gebroken spiegel voorbijkomen. Scherven scherpe herinneringen.
'Je moet nu komen, zak!' roep ik. 'Storm komt!'
Jitse opent zijn ogen moeizaam.
'Tara?' zegt hij met schorre stem. Hij slaat zijn dekbed open. Hij heeft alleen een strakke onderbroek aan waarin zijn geslacht stevig ligt. Hij legt zijn hand erop. Het schip slaat op de golven. Ik moet bijna kotsen.

'Je moet nu komen,' zeg ik nog een keer en ik ren zijn hut uit, naar boven.
Als ik buiten kom, schrik ik. De lucht is van inktblauw inktzwart geworden. De regen valt met bakken naar beneden. De golven geven geen licht meer, maar zijn donkergroen geworden, waar de dikke regendruppels gaten in slaan. De squall, we zitten er middenin. Het middelste stagzeil flappert wild. Ik zie dat de schoot is gebroken.
Simon staat op het achterdek en wijst naar het zeil, gebaart dat het naar beneden moet. Ik duik achter de buitenbar, haal mijn gordel tevoorschijn en haak me vast aan de stormlijnen die over het dek lopen en die ik eerder heb gespannen.
Hoe krijg ik dat wilde zeil bedwongen? Het schootblok slaat gevaarlijk boven mijn hoofd heen en weer. Met gebogen hoofd loop ik naar de val, laat het vieren. Het eerste deel van het zeil zakt, maar halverwege op de stag blijft ie hangen. Ik heb iemand nodig om de neerhaler aan te trekken, zodat het zeil naar beneden komt. Maar ik kan de val niet alleen laten want die raakt dan geheid in de knoop. En dan zijn we helemaal ver van huis. Verdomme, waar zijn die mannen nu?
'Kan ik helpen?'
Ik draai me om. Lena staat achter me in een veel te grote regenjas, die ze vast van Simon heeft. Daaroverheen een zwemvest. Met een hand houdt ze zich vast aan de hoge boeg. Haar mascara is uitgelopen.
'Laat deze voorzichtig vieren, wel een slag onder de pin houden,' schreeuw ik boven de storm uit.
Lena pakt de lijn en laat de val vieren. Ik ren naar de stag, haal de neerhaler van de kikker en hang met mijn hele gewicht aan de lijn. Ik gebaar naar Lena dat ze de val snel-

ler moet laten komen. Ze haalt een slag van de pin, maar houdt de lijn wel onder de nagelbank en ze laat 'm op precies de goede snelheid gaan.
Ik trek aan de lijn en krijg het stagzeil naar beneden. Ik zet de neerhaler vast en steek een vuist in de lucht naar Lena om aan te geven dat de val ook vast mag. Zonder twijfelen of vragen zet ze die vast. Omdat het zeil nog niet aan een schoot vastzit, klappert die wild om zich heen. Ik moet naar boven om het zeil vast te zetten. Dan heb ik lijnen nodig om de boel vast te binden. En die liggen nog in de kist bij de bar. Ik wil naar achteren lopen, maar zie dat Lena me voor is. Ze komt al weer terug met een lading lijntjes om haar arm, en een gordel om haar middel. Verstandig.
Zonder iets te zeggen, geeft ze me de lijnen aan. Ik schuif ze om mijn schouder, klik me vast aan de stag en wil omhoog klimmen. En dan wordt het me opeens te veel. Ik durf niet. Het is te hoog. Mijn wil laat me in de steek. De golven slaan wild tegen de boeg, ik word zeiknat. De wind raast door mijn haren. Ik moet me stevig vasthouden, het schip beukt op de golven.
Ik voel dat mijn grip door de moeheid minder wordt. Waarom heb ik me ook zo uitgesloofd de laatste week? Waarom doe ik steeds zo stoer? Maar nu is er geen tijd voor twijfel, dat zeil moet geborgen worden. Punt. We hebben hier te maken met een Niet Alledaagse Piek. Ik moet boven mezelf uitstijgen. Ik adem diep in en voel dan een hand op mijn schouder.
'Je kunt het,' fluistert ze. 'Je kunt het.'
Een deel van mij wil haar slaan. Natuurlijk kan ik het. Een ander deel wil in haar armen vallen. Maar ik knik haar kort toe, haal diep adem en klim dan naar boven. Gelukkig hoef ik niet zo hoog. De touwladder onder mijn voeten schom-

melt heen en weer. Ik word alle kanten op geslingerd. Stevig moet ik me vasthouden. Ik wil dit, ik kan dit. Halverwege het want blijf ik staan en buig me voorover om het klapperende zeil te pakken. Ik kan er net bij, met alle geweld houd ik mijn arm eromheen. Maar hoe krijg ik nu de lijn eromheen? Ik kan het zeil niet loslaten en ook niet mezelf. Een hand voor het schip, een hand voor mezelf. Als ik mezelf loslaat, dan ben ik zelf een klapperend zeil. Verdomme, dit is toch onverantwoord, ik alleen hier in de mast. Waar is Jitse? Dan voel ik dat de kracht van het zeil gaat, ik kan het beter houden. Ik voel een andere hand, een arm. Iemand is aan de andere kant de stag in geklommen en houdt het zeil ook vandaar vast. Ik zie de hand. Zwarte nagellak. Jezus, ik hoop dat ze zichzelf vast heeft gezet. Ik heb haar nog niet eerder in de mast gezien.

'Ik heb hem!' hoor ik haar schreeuwen. Ik laat voorzichtig los, pak snel een lijntje van mijn schouder en sla dat om het zeil. Ik buig gevaarlijk ver voorover om het andere uiteinde te pakken. Mijn arm schuift langs die van Lena. Natte regenpakken glijden langs elkaar. Ik hang nog iets verder in mijn life-line en haak mijn voet stevig achter de stag. Ik ben er bijna. Ik leg mijn lijf tegen het zeil en zie dan aan de andere kant het gezicht van Lena. We zijn nog geen halve meter van elkaar verwijderd. Haar gezicht is bleek. Ik zie dat ze het eng vindt. Haar kaken staan strak op elkaar maar ze houdt het zeil stevig vast. Haar ogen zijn zo donker als de golven. Vol concentratie.

Ik grijp met mijn andere hand het uiteinde van het lijntje, trek het om het zeil, steek de lijn door de lus en zet de lijn vast met een slipsteek. De volgende lijnen gaan makkelijker. Het zeil hebben we onder bedwang. Lena kan het zeil loslaten. Ik geef de lijn aan, zij pakt 'm aan en zet 'm vast. Twee

lijven, vier handen, knopen, zeil. We werken samen zonder woorden. Ik weet op den duur niet meer wat mijn hand en wat de hare is. De wind raast om onze kop, maar we laten ons niet afleiden. Het laatste lijntje zit.
Ik wil naar beneden klimmen en kijk Lena nog een keer aan. Ze kijkt angstig naar beneden. Ze zucht een keer diep, haalt haar zekerheidslijn los, zet 'm lager vast en doortastend klimt ze naar beneden.

*

Ze luisteren naar Madonna. Lena ligt languit op bed, ze lijkt wel een popster, zo half op haar zij liggend, met haar losse haren en het zwarte lijntje onder haar ogen. Ze heeft links boven haar lip een zwarte stip gezet, net als Madonna.

Lena had haar in de pauze gevraagd te komen. 'Maar zorg dat je niet gezien wordt,' fluisterde ze.
Daarom was Tara direct vanaf de gymzaal gekomen, door het bosje en over de begraafplaats die aan de achterkant van Lena's huis grenzen. Het was eng om daar te lopen. Langs de grijze grafstenen met ankers erop en eeuwenoude Ziltezijler namen. Ze had het gevoel niet alleen te zijn. Ze liep zo snel mogelijk door. Af en toe kraakten de bosjes. Werd ze gevolgd? Had iemand haar gezien? Niemand mocht haar zien.
Toen ze uit het bosje was gekomen, zag ze dat Lena uit haar raam hing. Tara zwaaide naar haar, maar Lena leek haar niet te zien. Het was alsof ze over haar hoofd keek, naar iets wat achter haar gebeurde. Ze keek even om, maar zag alleen kale, dunne, groen uitgeslagen boompjes en scheve grafstenen.

'Ben jij eigenlijk verliefd?' vraagt Lena.
'Nee, niet echt.'
'Wees blij. Ik ben moe van al die jongens. En nu wil Jelle verkering met me. Hij heeft me al drie keer gevraagd.'
'Echt waar?'
'Ja, een keer achter het fietsenhok, een keer bij de wc en een keer op de begraafplaats. Hij is best een leuk joch hoor, die Jelle, maar ik blijf bij Sonny.'
'Sonny?'

'Je wilt toch niet zeggen dat je hem niet kent, hè.'
Hebben zij een Sonny op school? Tara's hersenen draaien op volle toeren.
'Van Miami Vice natuurlijk! Zo'n lekker ding. Hoe hij superlangzaam zijn sigaret aansteekt, megasexy.'
Eerlijk gezegd snapt Tara niet wat er sexy is aan het opsteken van een sigaret. Die asbakkenlucht. Daar wil je toch niet mee zoenen?
En eerlijk gezegd moet ze ook bekennen dat ze Miami Vice nog nooit gezien heeft. Ze kijken bijna nooit tv thuis. Alleen naar het nieuws en het weer, na het eten. En de reclame die daarna komt. Dan hebben ze wel weer genoeg onzin gezien, vindt mama.
'Weet je wie ik nou echt wat voor jou vind?' zegt Lena.
O, als ze haar maar niet gaat koppelen aan iemand uit de klas. Ze gruwelt van die sproeten van Mark en van die vette stekels van Jelle.
'Tom, die knappe dokter van Flying Doctors.'
'Rookt ie?'
'Het is een dokter, geen gangster. Natuurlijk niet. Dokters roken niet.'
'Nou, de dokter van hier anders ...'
Lena laat Tara niet uitpraten maar rent de trap af en komt met de tv-gids weer naar boven. In dikke letters staat er Veronica *voorop.*
'Kijk, er staat een plaatje van Tom in.' Ze ziet een gladgeschoren man met blonde haren en een gebruinde huid naast een wit vliegtuigje in de woestijn staan. De zon gaat net onder en alles is mooi, warm rood.
Daar wil ze best verliefd op zijn.
'Kom, laten we fanmail gaan schrijven!'
Lena pakt haar Madonnafanclubschriftje erbij.
'Naar Madonna!?' Dat lijkt Tara leuk.
'Nee, sukkel, naar Sonny en Tom natuurlijk.'
'Maar we zijn toch fan van Madonna?'
Lena wuift het weg alsof dat er niet toe doet.

'Het moet natuurlijk wel in het Engels, anders kunnen ze het niet lezen.'
Lena pakt een paarse pen.

'Deer Sonny,
Jou are sexy.
I luf you.
Lena.'

'Nu jij!' Ze schuift Tara het schrift toe. Oké, Nederlands schrijven in haar dagboek, dat kan ze. Een opstel ook. Een beetje trols. Maar fanmail in het Engels?
'Toe nou, dan kunnen we het meteen posten!'
'Maar hoe doe je dat, fanmail schrijven?'
Zeg gewoon dat je 'm cool vindt!'

'Deer Tom,
Fok, Jou are kool.
I luf jou.
Tara.'

Terwijl Lena in haar bureaulade rommelt op zoek naar enveloppen, vraagt ze Tara over welke zee zij het eerste zal zeilen als ze uit huis gaat.
'Over de Caribische zee,' droomt ze. 'Lekker warm.'
'Dat wil ik ook wel,' zegt Lena terwijl ze opkijkt. Ze staart naar de muur alsof het de horizon van de zee is en ze in de verte al een eiland ziet liggen.
'Ik ga naar Spanje,' zegt Lena, 'en dan zoek ik mijn echte vader op.'
'Hoezo je echte vader? Die zit toch beneden op de bank?'
'Nee joh, dat is mijn stiefvader.'
'Stief? Wat betekent dat?'

'Jonge jonge, jij bent echt niet van hier. Hij is gewoon de zoveelste scharrel van mijn moeder die zich mijn vader noemt.'
'Mag dat zomaar?'
'Ja, hè hè, mijn moeder is met hem getrouwd.'
'Je kunt toch maar met één iemand trouwen?'
'Nou, mijn moeder kan wel met vier mannen trouwen!'
'En je vader?'
'Die woont in Spanje. Ik wou dat ik hem kende,' zegt Lena. 'Ik weet zeker dat hij mij wel zou begrijpen.'
'Vertel eens over hem.'
Lena gaat op haar rug liggen, met haar armen onder haar hoofd. Tara gaat naast haar zitten.
'Toen mijn moeder zestien was, liftte ze naar Spanje,' begint Lena. 'Ze leek toen wel een beetje op jouw moeder, denk ik. Als een soort hippie ging ze de vrijheid tegemoet. Zo kwam ze in Spanje en daar kreeg ze al snel een baantje in een strandbar en ontmoette mijn vader.
Hij was de mooiste man van de hele kust. Mijn moeder was toen ook nog jong en mooi. Ik heb een foto van ze. Mama was bruin en straalde, haar haren waren blond van de zon. Hij was groot en droeg zijn lange zwarte haren in een paardenstaart. Hij leek wel een beetje op Don Johnson, hij had hetzelfde stoppelbaardje. Een tijdje later, op het strand, midden in een zomernacht, ben ik verwekt.'
'Wat een romantisch verhaal!'
'Ja, tot nu toe wel. Maar mijn moeder heeft alles verpest. Ze heeft hem nooit verteld dat ze zwanger was.'
'Waarom niet?'
'Ik denk dat ze bang was haar vrijheid te verliezen. Ze ging in haar vierde maand weer terug naar Ziltezijl en beviel daar van mij. En nog geen drie maanden later is die trut, zonder mij, weer naar Spanje gegaan.'
'En jij dan?'

'Mij liet ze achter bij oma. Pas na twee jaar is ze weer teruggekomen, omdat oma heel erg ziek werd.'
'Dus je vader weet helemaal niet dat je bestaat?'
'Die heeft ze nooit over mij verteld. Ze heeft mij verstopt zodat ze haar vrije leven voort kon zetten.'
'Waarom nam ze jou toen niet mee naar Spanje?'
'Ik weet het niet. Maar ik heb wel gehoord dat ze er slecht uitzag toen ze terugkwam. Met wallen onder haar ogen. Graatmager. Het was niet meer die levendige vrouw van een paar jaar eerder. Over mijn vader heeft ze niet meer verteld dan dat het een eikel is die haar had ingeruild voor een andere vrouw.
Zij vond al snel een andere man en trok bij hem in. Het was een echte Ziltezijler, een visser. Ze is nog geen twee jaar bij hem gebleven toen ze hem al weer inruilde voor een ander. Jan. Hij was wel oké. Hij probeerde in ieder geval een vader voor me te zijn. Hij nam me mee naar de haven, voor op zijn fiets. Fietste met mij over de dijk. Zong liedjes voor me. Maar ondertussen scharrelde mijn moeder met die vieze Luppo. En ploef, werd ze weer zwanger. Dat is mijn halfbroertje. En toen heeft Jan haar uit huis gezet. Groot gelijk. Nu wonen we al zeven jaar bij die gast. Maar als ik klaar ben met school, ga ik naar Spanje. Dan ga ik doen wat mijn moeder wilde doen: weg uit dit dorp.'
'Wauw. En neem je je broertje dan mee?'
'Dat broertje is half. Die is van die vent op de bank, die blijft maar mooi hier.'
Tara lacht hard. 'Een half broertje! Dat zou ik ook wel willen. Dat scheelt de helft aan gedoe.'
Lena lacht nu ook. 'Zo had ik het nog niet gezien.'
'Mijn broertje praat en lacht zoveel, dat ik de zee niet meer kan horen. Hij is veel te heel!'
Lena gaat weer rechtop zitten, naast Tara. Even zijn ze samen stil. Tara laat Lena's verhaal bezinken. Je zou maar een vader hebben

die niet eens weet dat je bestaat. Dan mag ze eigenlijk best blij zijn met haar eigen vader. Ook al weet hij ook de helft van de tijd niet meer dat zij bestaat. Hij is zo vaak aan het varen, dat hij laatst zelfs moest vragen in welke klas ze nu zat. En hij weet al helemaal niet wie haar vriendinnen zijn.
'Ik moet hier weg, Taar,' fluistert Lena. 'Elke dag is mijn stiefvader dronken. Ik haat die klootzak.'
Ze loopt ondertussen heen en weer door haar kleine kamer.
'Gisternacht wilde hij dat ik bij hen in bed kwam liggen. Hij fluisterde met die zware rookstem van hem dat hij een leuk spelletje wist. De goorlap. En mijn moeder, die hoor ik niet. Die doet alsof ze niets doorheeft.'
Tara roept harder dan ze had gewild: 'Belachelijk! Dat kan ze niet maken!'
'Ik heb vriendinnen nodig, Tara,' zegt Lena terwijl ze zich op haar bed laat storten. 'Je moet me beloven dat je me altijd zult helpen als er iets gebeurt.'
'Natuurlijk.' Ze pakt Lena's hand met haar beide handen vast. Ze is koud. Langzaam wrijft ze de huid warm. 'Ik beloof dat jou niets overkomt. Nooit niet. Ik ben er altijd.'
'Zweer je dat?'
'Dat zweer ik,' zegt Tara plechtig.
'Ik heb soms zoveel in mijn hoofd, zoveel gedachten, zoveel plannen – ik raak er helemaal van in de war,' zegt Lena.
'Misschien moet je het opschrijven,' zegt Tara. 'Dat helpt mij.'
'In een dagboek bedoel je?'
'Ja! Ik doe dat elke dag.'
'Wat schrijf je dan?'
'Tja, gewoon alles wat ik denk. En wil. En niet wil. En waar ik over droom.'
'Dat wil ik ook!'
Ze trekt het Madonnaschriftje van onder het kussen vandaan.

Tara schudt haar hoofd. 'Nee, daar mag het niet in. Je moet echt een nieuw schriftje pakken. Dat alleen van jou is. Dit is van de club.'
Lena doet meteen wat ze zegt. Uit de lade van haar bureautje pakt ze een nieuw, rood schrift. Ze vouwt het open en strijkt de eerste pagina glad.
'Hoe begin ik?' vraagt ze.
'Eerst bedenk je een naam voor je boek, zodat het niet zomaar een schrift is, maar echt een vriendin,' antwoordt Tara alsof ze een specialist is.
'Zal ik haar Tara noemen?'
Zei ze dat echt? Toch schudt ze haar hoofd. 'Nee, ik besta immers al, je moet wat verzinnen.'
'Ik noem het boek Lucia,' zegt Lena. 'Zo zou ik heten als ik bij mijn Spaanse vader was gebleven. Ik ga schrijven naar de Lena die niet van hier is.'
'Lieve Lucia,' schrijft ze met haar afgekauwde ballpoint in haar schriftje.
'En nu? Hoe schrijf je aan jezelf?'
'Doe alsof je fanmail schrijft,' zegt Tara. 'Schrijf naar jezelf zoals je ook naar George schrijft.'
Lachend schrijft ze. 'Lieve Lucia, je bent een lekker ding.'
Ze klappen dubbel van het lachen op haar bed. Als ze weer adem kan halen, zegt ze streng: 'Nu mag je niet meer schrijven. Niemand mag je dagboek lezen. Ook ik niet. Verstop het, zodat vooral je stiefvader het niet kan vinden.'
'Nee, stel je voor!' Snel schuift Lena ook dit schrift onder haar kussen.
Opeens staat Lena op en kijkt uit haar dakraam. Ze steekt haar duim in de lucht.
'Wie is daar?' vraagt Tara.
'O, niemand,' zegt Lena. 'Gewoon mijn broertje.'
'Je half-broertje.'

'Juist ja.'
Lena komt terug op het bed en trekt het Madonnaschrift tevoorschijn. Ze bladert er zwijgend doorheen.
Dan vraagt ze: 'Wil je nog steeds lid zijn van de club?' Iets in haar stem verandert. Wordt scherper.
'Natuurlijk,' zegt Tara. Waarom vraagt Lena dat? Ze was toch al lid.
'Dan moet je weer een gemene actie uitvoeren.'
'Maar ik heb de uitnodiging van Ilona al verbrand.'
Lena lacht scherp. Als een slijptol door staal, met vuurvonkjes.
'Dat was een opwarmertje. Nu is het tijd voor het echte werk.'
Tara knikt.
'Anna moet nog steeds dat opstel schrijven over wat ze later wil worden,' zegt Lena.
Waarom begint Lena nu over Anna? Anna, het dikste meisje van de klas. Ze loopt altijd overal tegenop. Struikelt zelfs over haar eigen voeten. En de opdrachten van juf snapt ze nooit. Ze praat ook alleen maar trols. Zwaar trols.
'Als jij dat opstel nou eens voor Anna gaat schrijven.'
'Hoe bedoel je?'
'Jij schrijft dat opstel en doet net alsof je Anna bent. En dan lever je het in.'
'Waarom zou ik dat doen?'
'Dan kan je lachen. Want je maakt niet zomaar een opstel. Je maakt een heel slecht opstel. Zo slecht dat ze had gehoopt dat ze zelf een stuk had geschreven.'
'Ik moet dus een slecht stuk schrijven?' Ze is nu echt in de war. Hoe gaat ze dat doen?
'Precies.'
'Maar hoe schrijf ik nou een slecht stuk. Ik weet niet of ik dat kan.'
'Natuurlijk.' Lena legt een arm om haar schouder. 'Je bent een superschrijfster.'
'Maar ik weet toch niet wat ze worden wil.'

'Zij ook niet, dus je kunt wel wat verzinnen.'
Lena lacht en legt even haar hoofd op Tara's schouder. Tara moet moeite doen om overeind te blijven zitten.
'Wanneer moet het af zijn?' vraagt Tara.
'Over een paar dagen.'
'Dan al? Maar ik ken Anna helemaal niet.'
'Dan zorg je daar maar voor. Je verzint vast wel iets.'

De volgende dag op school praat Lena niet met haar. Maar dat maakt niet uit. Want ze weet dat ze niet zomaar een importmeisje is. Nu is ze lid van de club. Ze schrijft fanmail en is op Natasja's feest geweest.
Het lijkt ook wel alsof de anderen het zien. Want nog niemand heeft een propje in haar nek gegooid en Hendrik trapte deze morgen geen bal tegen haar fiets.
Ze ziet Lena vanuit haar ooghoeken naar haar kijken. Een klein knikje? Greta en Natasja lachen zelfs naar haar.
Ze schrikt zich een hoedje als ze Ilona de klas binnen ziet komen. Ze heeft een raar piekerig kapsel. Ze ziet er nog maffer uit dan eerst. De zwarte plukjes zijn allemaal ongelijk en staan alle kanten op. Ze lijkt op een pasgeboren veulen. Hoe heeft ze dat nou kunnen doen? Tara zou het liefst ergens anders willen gaan zitten, maar dat mag vast niet van juf.
'Most es zain wat 'n maal kapsel Ilona het!' roept Jelle.
'Bist van 'n peerd vaalen?' roept Mark eroverheen.
Ilona's hoofd wordt rood en ze buigt zich over haar schrift heen.
Natasja tikt op Tara's schouder.
'Most dat ook nait es doun? Zo'n lekker kört kapsel als dien vriendin?' Ze lacht luid.
'Ik kiek wel oet,' zegt Tara. 'Het ziet der nait oet.'
Lena lacht haar harde meeuwenlach. 'Dat kist wel zeggen, ja!'

Datum en tijd: woensdag 18 oktober, 11.00 uur
Positie in de kaart: Lissabon
Koers: aan de kade
Snelheid: nul
Weer: zonnig, windkracht 2/3

Ik loop met mijn kisten heen en weer over de kade. De stevige stenen onder mijn schoenen liggen nu stil. Toen ik een uurtje terug aan de kade sprong om de trossen vast te zetten, golfden de stenen nog onder mijn voeten. De wolken tolden om mijn hoofd. De hoge brug boven de Taag in de verte werd vaag en scherp. Het enorme kruis op de oever bolde en boog zoals de mast de afgelopen twee dagen had gedaan. Ik werd misselijk. Dit is dus landziekte; duizelig worden van het vasteland na weken bewegende zee. En of die zee bewoog de laatste dagen! Wat een storm was dat. Nadat ik met Lena de laatste zeilen had geborgen, waren we met een paar strakke stormzeilen en de motor aan op gaan stomen tegen de storm in. Hoe dichter we bij de kust kwamen, hoe hoger en venijniger de golven werden. Uren heb ik wijdbeens aan het roer gestaan, vastgehaakt in een gordel. Als ik dat niet deed, zou ik door het stuurhuis vliegen zoals vroeger de tafel door de roef van De Hoop vloog.
Ik kwam erdoor in een bepaalde trance. Die golven, het suizen van de wind, het trillen van het schip, het continue geronk van de motor. Het enige wat me uit die trance haalde, was het geruzie tussen Lena en Simon, achter mij in het stuurhuis.
'Liefje, ik wil niet dat jij met dit weer in de mast klimt.'
'Ik besluit zelf wel wat ik doe.'
'Lena, het is levensgevaarlijk op dek. Ik wil je niet kwijt.'
Zij liep boos weg, hij boog zich mokkend over de kaart en de

radar en zei de rest van de wacht niets meer. Totdat Jitse en Frederik bij de wachtwissel kwamen.
'Wat zijn jullie een stel waardeloze zeelui,' riep Simon tegen hun grauwe gezichten. Ze leken op bleke dode vissen, omhooggedreven vanuit de buik van het schip, nog steeds hing er een walm van drank om ze heen.
'Als het stormt, moeten jullie verdomme paraat zijn. Niet je roes uitslapen. Lena is bijna overboord geslagen door jullie.'
'Lena overboord?' vroeg Jitse terwijl hij zijn ogen uitwreef.
'Tara kan toch niet alleen die zeilen bergen. En ik moest bij het roer blijven. Lena is in de mast geklommen. Levensgevaarlijk!'
'Ik weet zeker dat Lena het prima heeft gedaan,' zei Jitse. 'Die meid van jou kan wel een paar stormen trotseren. Stevig ding dat ze is.'
Simon was Jitse bijna aangevlogen, als Frederik er niet tussen was gekomen.
'Simon, ga jij maar naar bed. Wij nemen het over,' zei hij.
Na vijftig uur waren we bij Lissabon aangekomen. Mijn hart maakte een sprongetje toen ik de heuvels zag, de pastelkleurige gebouwen tegen de helling, de indrukwekkend hoge brug boven de brede Taag, zelfs bij dat bizar grote kruis met Jezus eraan.
Zodra we aan de kade lagen, ging iedereen een andere kant op. Frederik dook in de papieren en keek meteen of zijn telefoon bereik had. Simon sprong van boord en liep richting de stad. Volgens mij hebben hij en Lena nog meer ruzie lopen maken. Ik hoorde in hun hut tenminste veel geschreeuw.
Lena en Jitse zitten samen op het middendek en drinken koffie en roken. Af en toe zeggen ze wat tegen elkaar. Ik wist niet dat Lena rookte, dat heeft ze de hele tocht niet gedaan. Waarom neemt ze dan nu wel zijn sigaret aan? Wil ze iets

van hem? Misschien moet ik ook een peukie gaan roken, dan kan ik erbij zitten. Waar hebben ze het over?
Het is raar om het schip van buitenaf te zien. Het blauw van de boeg, de hoogte van de masten. In die dagen dat we nu aan boord zitten, ben ik een soort onderdeel van het schip geworden. Een blok of een nagel. Nu kan ik opeens naar onze wereld van buitenaf kijken. Het voelt alsof ik een astronaut ben en de aarde van boven zie. Een klein bolletje in een groot universum. Een klein schip in een enorme haven tussen grote vrachtschepen. Vervreemdend is het. En de mensen op dek onbekenden. Lena blaast rook uit, Jitse neemt nog een slok koffie. Zijn voet raakt die van Lena. Zo op een afstandje lijken ze wel een stel.
'Lena en Tara, ik wil dat jullie de inkopen gaan doen.' Frederik komt uit zijn stuurhuis en staat op het dek.
'Hier heb ik een pinpas voor jullie. Buit het niet uit, we moeten zuinig doen. En wacht ook niet te lang, want ik wil morgen weer verder. De gasten die aan boord zouden komen, komen toch niet. Er komt slechts een enkele man.'
'Hebben we maar één gast?' vraag ik.
'Ze hebben geannuleerd. Op de Canarische Eilanden komen nu andere gasten,' zegt Frederik met een chagrijnig hoofd. 'En nu hup, aan de slag. Jitse, ik wil dat jij de machinekamer naloopt.'
De kapitein is weer terug, hoor. Zodra we aan land zijn, heeft hij weer praatjes. Terwijl hij op zee een kwast is, een nietsnut, een waardeloze kapitein.
'Kan ik niet beter de zeilen checken?' vraag ik. 'Lena kan toch wel alleen boodschappen doen?'
'Geen sprake van, jullie gaan niet los van elkaar die stad in.'

Lena en ik lopen zwijgend over de kade. Allebei hebben we

twee grote boodschappentassen in onze handen. Lena heeft haar hakken weer aangetrokken, ze klikken op de kade. Haar zwarte schoudertas met zilveren sluiting slaat heen en weer tegen haar heupen, haar ogen zijn opgemaakt. Lena is land-proof. Ik loop nog steeds op mijn kisten, mijn haren in de war. Heb geen tijd gehad om te douchen en de vochtige dampen van mijn overlevingspak hangen nog om me heen. Ik voel me vies.
'Wat een prachtige stad,' zegt Lena. 'Zullen we er even doorheen dwalen?'
'We moesten opschieten.'
'Ach, het kan wel even, toch?'
'Je hebt gehoord wat Frederik zei, we hebben haast.'
'Moet hij nodig zeggen,' bitst Lena. 'Hij is bij geen enkele wacht op tijd geweest. Dat weet jij als geen ander. Moet hij nu niet opeens op de minuut gaan kijken.'
Ik gniffel. Lena heeft het dus ook gezien, ze heeft zelfs opgemerkt dat ik de gaten opvul.
'Kom, we nemen een zijweg.' Lena schiet een klein kronkelsteegje in. Ik blijf stilstaan en volg haar niet. We moeten de snelste weg nemen, en volgens de kaart, waar ik van tevoren op heb gekeken, moeten we rechtdoor.
'Tara, kom, het is superleuk hier!' roept Lena.
'We hebben geen tijd voor leuk.'
'Maar hier kun je een te gek reisverhaal over schrijven, kom es kijken.'
Verdomme, ik ben toch ook niet al die weken naar Lissabon gevaren om vervolgens niets van de stad te zien? Ik wilde reizen. Ik schiet Lena achterna.
Het is alsof ik een andere wereld in loop. Boven het steegje hangt een netwerk van elektriciteitsdraden. De hoge huizen hebben bijna allemaal kleine balkonnetjes, die vol hangen

met was. Op twee tegenover elkaar liggende balkons steken twee oude vrouwen hun hoofden door de drogende rokken en broeken en praten schreeuwend met elkaar over de straat heen. Beneden, in de schaduwrijke steeg, schieten een paar magere honden weg om de hoek. Op een pleintje zitten vier tandeloze mannen.

'Kijk, ze hebben hier ook een leugenbankje,' zegt Lena. 'Ik wed dat ze hier dezelfde soort verhalen vertellen als in Ziltezijl.'

Lena wijst naar de gebogen man met een met een zwarte pet met een gouden ankertje er op, hij leunt op zijn wandelstok, maar hij voert het hoogste woord.

'Da's Bertus, kin nait missen.'

Ik kan een lach niet onderdrukken. Hij lijkt inderdaad sprekend.

'En da's dei van Mulder,' zegt ze terwijl ze naar een vrouw wijst die met twee volle boodschappentassen aan komt schuifelen en de spelende kinderen chagrijnig toespreekt.

We lachen. Lena steekt een arm door de mijne. Ik verstijf en wil haar wegduwen, maar het lukt niet. Ze heeft me stevig vastgeklemd en loopt vastberaden door. Op een hoek stopt ze en wijst naar een vaasje met verkleurde plastic bloemen in een nisje. Daarachter verscholen staat een beeld van Maria, daaronder een rood graflichtje. Eigenlijk wil ik dit niet leuk vinden, wil ik koppig op mijn kisten doorlopen. Maar Lena blijft stilstaan, zonder zichtbaar op mij te letten. Ze wijst me op het ronde mozaïekfiguur gemaakt in alle kleuren blauw boven de kerkdeur en voordat ik het weet, wijs ik haar op de sinaasappelboom naast de kerk. Langzaam ontspan ik. De Portugese keien onder mijn voeten, de warme lucht op mijn huid. Ik ben op reis!

We komen uit de kleine kronkelstegen en zien recht voor onze neus de grote supermarkt liggen.

'Perfect,' zegt Lena. Ze haalt haar boodschappenlijstje uit de tas. Ze heeft het goed voorbereid. Ik zie dat ze alles in groepen heeft opgeschreven. Groente, blik, drank, lekkers, zuivel. Lena doet haar werk goed. Van haar hoef ik tenminste geen diensten over te nemen.
'Doe jij de zuivel? Dan doe ik de verse waren,' zegt ze als we de winkel binnenkomen.
Efficiënt lopen we door de winkel. Binnen een uur hebben we alles in het bomvolle winkelwagentje geladen. Als alles gescand is, overhandigt Lena de pas aan de caissière. Ik moet denken aan mijn korte bezoek aan de Spar in Ziltezijl. Aan Natasja achter de kassa. Hoe ongemakkelijk dat was. Wat ben ik blij dat ik hier ben en niet in Ziltezijl. Samen met Lena. Dat ook zij niet achter een kassa is beland. Ik ben plotseling een beetje trots op haar, hoe ze haar werk doet, haar verantwoordelijkheid neemt, hoe ze dit avontuur aangaat. We zijn niet meer de Tara en Lena van vroeger. We zijn vrouwen op reis, wij zijn niet blijven hangen in dat te kleine dorp, wij zijn echt gegaan.
De pinautomaat begint vreemd te piepen.
'Niet voldoende saldo,' fluistert Lena.
'Shit, dan moeten we wat terugleggen,' zeg ik.
We scannen samen de boodschappentassen op de toonbank, waar ik alles al in had gepakt. We halen de koekjes er weer uit, een aantal blikken met bonen, groente, vlees. De caissière kijkt ongeduldig. De mensen achter ons gaan in een andere rij staan. Het meisje, ze lijkt toch verdacht veel op Natasja, scant de producten terug. Niet van harte, dat is duidelijk. Als ze even niet opkijkt, zie ik dat Lena snel een pakje sigaretten in haar tasje stopt. En terwijl de Portugese Natasja met de op tilt lopende kassa worstelt, steekt Lena mij een fles wodka toe. Ik twijfel, dit is niet goed, dit wil ik niet.

'Snel nou, anders ziet ze het.'
Ze duwt de fles in mijn handen en net voordat Natasja opkijkt, heb ik 'm in de binnenzak van mijn zeiljas gestoken. Lena probeert weer te pinnen. Weer die piep. Nog steeds niet voldoende saldo.
'Dan moet de drank eruit,' zegt Lena. 'Dat is maar beter ook.' Ze knipoogt naar me.
We trekken de flessen wijn en whisky uit de tassen. Het meisje achter de kassa zucht, mensen achter ons vloeken. Zonder de drank kunnen we het betalen, de pinpas wordt geaccepteerd. Snel pakken we de overgebleven boodschappen en lopen naar buiten. Daar krijgen we spontaan de slappe lach.
'Zag je dat gezicht van die caissière!' lacht Lena.
'Het was net Natasja,' zei ik.
'Oh, dat dacht ik ook!' giert Lena.
'Wat gênant, al die boodschappen op de toonbank.'
'Ze dachten vast dat we zwervers waren of zo.'
'Helemaal ik,' lach ik. 'Moet je zien hoe ik eruitzie!'
'En ze moest eens weten wat je onder je jas hebt zitten! Daar kunnen we een mooi feestje van bouwen aan boord.'
Lachend lopen we met de zware tassen over de parkeerplaats. Ik voel de hengsels in mijn handen snijden.
'Dit is niet te doen,' zegt Lena. 'Veel te zwaar.'
Ze pakt een boodschappenkarretje, we laden onze spullen erin en gaan rijden. Lena achter, ik voor om de kar te sturen en over de drempels te tillen. Met het karretje rijden we het woonwijkje weer in. Over de hobbelige keitjes gaan we de heuvel af naar beneden. We houden de winkelwagen bijna niet.
'Het lijkt wel op een schip in de Golf van Biskaje,' zeg ik terwijl ik met alle macht het karretje tegen probeer te houden.

De mannetjes op het bankje lachen, de twee vrouwen op het balkon steken hun duim op. Wij lachen terug. De blikken schudden in het karretje heen en weer, de potten klinken tegen elkaar aan. In een smal steegje schiet het wiel van de kar in de goot, ik trek het er met geweld weer uit en een zak met appels valt op de grond. Ze rollen voor ons uit naar beneden.
'Dat wordt appelmoes,' lacht Lena.
Twee kleine jongetjes rennen achter de appels aan, vangen ze en brengen ze terug naar ons.
Een soort tropisch Ziltezijl is dit. Ook hier hangen vissen te drogen aan de lijn, ruik je de zee in de verte en lijkt iedereen elkaar te kennen. Maar hier voel ik me niet opgesloten. Ik ben vrij. Ik kijk even naar de hoge blauwe lucht boven me, de lucht is hier niet zo laag en grijs als in Ziltezijl. Hier kan ik ademen. Uit een van de huizen komt muziek. We rijden voorbij een klein barretje waar ze port schenken. Meeuwen schreeuwen, hun geluid galmt door de grote stad. Beneden ons, in de haven, zie ik de Maya liggen.
Midden op de stoep stopt Lena.
'Ik wil je iets vragen,' zegt ze.
Meteen voel ik een stalen plaat op mijn hart drukken. Niet doen. Niet over beginnen. Niet over hoe ik was de laatste dagen. Niet over Ziltezijl. De club. Ilona. Niet doen. Het was net zo goed. Alles was net goed.
'Waarom moet jij eigenlijk ook in de catering werken?' vraagt ze.
Ik zucht.
'Omdat Frederik dat wilde.'
'Waarom?'
'Omdat hij niemand extra aan wilde nemen.'
'Maar nu ben ik er toch.'
'Da's waar.'

'Volgens mij moet je tegen Frederik zeggen dat je niet meer gaat koken of schoonmaken. Dat je je handen vol hebt aan het dekwerk. Je werkt je helemaal te pletter.'
'Maar jij ook. Red je het wel zonder mij?'
Lena kijkt me iets langer aan. Dan beginnen we allebei te lachen.
'Ik geef het toe,' zeg ik. 'In de keuken heb je niet zoveel aan me.'
'Niet echt, nee.'
'Maar met poetsen toch wel?'
'Jawel, maar ik red het ook alleen. Jij hoeft niet alles te doen.'
Tranen wellen op, alle moeheid en stoerheid van de laatste dagen wil eruit. Ik wil smelten. Ik hoef niet meer te doen dan ik kan. Ik word al gezien. En dan, plotseling, is er alertheid. Ik schrik. Dit is natuurlijk een truc. Zo neemt zij alles over.
'Wil je me soms weg hebben?' vraag ik fel. 'Dan kun je dat ook gewoon zeggen, hoor.'
'Doe toch niet steeds zo koppig!' roept Lena en tot mijn verbazing zie ik ook in haar ogen tranen. 'Ik bedoel het goed. Ik kan toch niet tegen je op. Jij bent hier de ervaren maat, ik ben maar een dom keukenhulpje. Zie je niet hoe blij ze allemaal met jou zijn?'
'Is dat zo?'
'Ja! Maar jij bent niet verantwoordelijk voor alles. En je hoeft ook niet alles te kunnen.'
'Ja ja, nu snap ik het wel,' zeg ik. 'Ik zal met Frederik gaan praten.'
'Goed zo. Kom, we gaan naar het schip. Ik heb zin in een borrel,' zegt Lena en ze klopt lachend op de fles in mijn binnenzak.

Datum en tijd: vrijdag 20 oktober, 12.00 uur
Positie in de kaart: tussen Lissabon en de Canarische Eilanden
Koers: zuidzuidwest
Snelheid: 0,5 knopen
Weer: windstil, heet en helder

Alles piept en kraakt. De lijnen slaan tegen de mast, zeilen klapperen bij elke golf en de schoten vallen strak in een dal en beginnen te klapperen op de top. De golven zijn lang en hoog, het schip stijgt af en toe wel vijf meter de lucht in, om daarna weer meters te dalen, zodat we alleen nog maar water zien. Het is helemaal windstil. We gaan niet sneller dan een knoop, waardoor we op dezelfde plek blijven dobberen. Tweehonderd mijl van Gran Canaria. Alleen maar water om ons heen.
Zonder druk in de zeilen word ik gek van alle bewegingen. Alles slingert van bakboord naar stuurboord. Samen met Lena heb ik gisteren alles vastgezet, de stoelen binnen, de barkrukken, de voorraad ingebonden met theedoeken, zodat alle glazen potten en flessen niet zo rammelen. Maar de zeillijnen blijven maar slaan. Wel heb ik ze allemaal wat strakker gezet. Maar de zeilen blijven omhoog staan, voor het geval dat. Frederik loopt zenuwachtig over het dek, kijkt nog een keer in het logboek, op de kaart, op de weerkaart. Alsof hij het weer kan veranderen als hij er maar vaak genoeg naar kijkt, alsof hij het lagedrukgebied hierheen kan denken. Maar de kaart laat vooral een uitgestrekt hogedrukgebied zien, waar wij precies middenin drijven. Als we genoeg diesel hadden gehad, dan konden we iets west opsteken, daar zou weleens wind kunnen zitten. Maar er zit net genoeg diesel in de tank om het laatste stukje naar Porto Santo te

overbruggen, een klein eilandje op weg naar de Canarische Eilanden, midden in de oceaan, waar we goedkoop kunnen tanken. Frederik hoopt dat er dan wel geld op zijn rekening staat.
'Zo niet, dan moet ik van boord om thuis wat zaken te regelen.' Over wie zijn gat moet opvangen, rept hij met geen woord.
Toen we aan de grote kade van Lissabon lagen, met de zwarte dikke dieselslang al over dek, riep de pompbediende iets in het Portugees wat ik niet verstond. Hij zwaaide met zijn armen en leek pissig. Frederik schreeuwde terug, in het Engels.
'Wat is er aan de hand?' vroeg ik aan Jitse.
'Er staat geen geld op de pas,' fluisterde hij.
Het duurde wel een uur. Frederik belde, liep met een rood hoofd rond, sprak in wilde gebarentaal met de pompbedienden die hem met een uitgestreken gezicht aankeken.
Ik had van dat moment gebruikgemaakt om mijn ouders te bellen in een telefooncel op het haventerrein. Mama was blij me te horen, dat kon ik horen aan de hoogte van haar stem. Ze slikte een paar tranen weg.
'Tara, hoe is het? Papa zit hier naast me. Hij zei al dat jullie ondertussen wel in Lissabon aangekomen moesten zijn. Hoe is het met je? Gaat alles goed? Geen stormen gehad? En is de bemanning leuk? En ...'
'Rustig aan, mam. Het gaat goed hier, hoor. Een beetje storm gehad in de Golf van Biskaje, maar dat was eigenlijk wel kicken.'
'Pas je goed op jezelf?'
'Ja, ja, tuurlijk. We hebben een prima bemanning. Lena is ook aan boord.'
'Lena uit Ziltezijl?' riep mama verbaasd uit. 'Hoe kan dat nou weer?'

Ondertussen zag ik uit mijn ooghoeken hoe de dieselslang weer werd teruggetrokken, zonder dat wij een druppel hadden getankt.
'Hoe gaat het met die Frederik?' hoorde ik papa vanuit de kamer roepen.
Ik slikte, ik had nog een droge mond van het teveel aan wodka van de avond ervoor, ik voelde mijn hoofd bonken. Met de complete bemanning hadden we de hele nacht doorgedronken, voor het eerst voelden we als een team. Met een paar borrels op durfde ik tegen Frederik te zeggen dat ik niet meer in de catering of de schoonmaak wilde werken. Ik stotterde dat het dekwerk veel aandacht vroeg, dat ik daar echt wel mijn best deed. En dat ik nog wel wat schilderklusjes op me kon nemen. Ik nam een flinke slok wodka, die zo zeer in mijn keel brandde dat ik begon te proesten.
Hij keek me een tijdje stil aan. Nu gaat hij me ontslaan, nu gaat hij zeggen dat hij nooit vertrouwen in me heeft gehad, dat ik een waardeloze maat ben en beter kan gaan, dacht ik. Toen trok hij zijn schouders op. 'Prima,' zei hij.
Ik wist niet wat me overkwam. Is het dan zo makkelijk om voor mezelf op te komen? Om mijn grenzen te stellen?
Toch wilde ik nu best even mijn hart luchten bij pap, over Frederiks onverantwoordelijke gedrag, maar het kwam er niet uit. Ik wilde niet dat ze zich zorgen gingen maken. En ik wilde al helemaal niet dat mijn vader zich ermee ging bemoeien. Als hij wist dat we nu zonder diesel zouden vertrekken, dan zag ik hem ervoor aan om het vliegtuig te nemen naar Las Palmas om me van boord te trekken. Ook al heeft hij ooit beweerd dat hij als schipper nooit in een vliegtuig zou stappen.
'Het gaat goed, pap, hij is een prima kapitein.'
In een flits zag ik mezelf als een klein meisje. Het meisje dat

in haar gebreide dolfijnentrui van school komt, gepest, vernederd, en tegen haar ouders zegt: 'Het gaat prima.' En ik zie mezelf als puber, vanbinnen verscheurd van liefdesverdriet, zeggend: 'Niets aan de hand, mam, die vent doet me niets.' Alleen. Ik moet het alleen doen. Ik mag niet laten zien hoe ik me voel. Kisten, stalen neuzen.

'Wij hebben ook nieuws,' zei mama. 'We gaan de klipper verkopen.'

'Wat?' Ik slikte, wat moeten wij nou zonder schip?

'Ik wil weer eens wat anders doen,' zei papa. 'Fotograferen of zo.'

Ik zweeg. Hoe moet dat als ik thuiskom en wij hebben geen schip meer?

'Ik denk dat ik te lang heb gevaren,' zei hij. 'Ik had er geen lol meer in. Ik leek wel een marineofficier, zo streng.'

'Ja, vertel mij wat!' riep ik. 'Sinds wanneer geef jij toe dat je niet te doen bent?'

'Een beetje zelfinzicht heb ik heus wel,' lachte hij.

'Kom je met dat zelfinzicht aanzetten als ik bijna aan de andere kant van de wereld zit?!'

'Beter laat dan nooit, meiske. Maar geniet jij vooral van het zeilen.'

'Heb je al dolfijnen gezien?' riep Yoerie vanuit de kamer.

Frederik kwam weer terug aan boord en wilde het schip starten en wegvaren. Simon begon nu te schreeuwen.

'Je wilt toch niet zonder brandstof vertrekken?'

'Dat kan niet anders,' zei Frederik. 'We moeten nu weg, dan zijn we nog op tijd op de Canarische om de gasten op te pikken.'

'Zonder diesel de zee op gaan, is gekkenwerk.'

Maar Frederik luisterde niet en startte de motor. 'We gaan nu, we moeten die betalende gasten halen.'

Daar zal hij nu wel spijt van hebben. We drijven doelloos rond en de tijd tikt door. Als er nu wind zou komen, zouden we het misschien nog net halen. Frederik rekent het steeds opnieuw uit.
'Als we nu een snelheid van gemiddeld zeven knopen zouden halen, dan zijn we precies op tijd.' Weer verplaatst hij zijn aandacht naar de weerkaart. Hij schuift met zijn vingers over de isobaren alsof hij ze kan verplaatsen.
Ondertussen blijft alles piepen en kraken.
Ik loop naar het achterdek en kijk naar de enorme golven achter ons. De oceaan. Dit is dus de oceaan. Ik haal wat dieper adem. De lucht is warm, zout, stil en toch fris. De deining is zonder koppen, de golven breken niet, de zee deint als geheel op en neer. Als een waterdeeltje bewegen we mee in dat huis van water. Ik voel mijn schouders zakken, mijn kaken ontspannen. Ik spreid mijn armen en haal nog een keer diep adem. Vrijheid! Ik voel me zo licht als het zout.
'Mooi, hè?'
Ik draai me verbaasd om. Ik had niet gezien dat er iemand anders op het dek was.
Het is onze nieuwe gast, Vikram, een Indiaas uitziende man met een karamelkleurige huid. Zijn haar is grijs, zijn bruine ogen staan zacht en zijn lippen lijken continu te glimlachen. Sinds ons vertrek uit Lissabon zit hij op dek en kijkt naar de zee. Hij kwam bijna ongemerkt aan boord, had geen vragen toen ik hem rondleidde langs de hutten en over het dek en nam zwijgend plaats op het achterdek.
'U geniet van de zee?' vraag ik.
'Dit was altijd mijn droom,' zegt Vikram. Hij heeft een zangerig accent.
'De mijne ook.'
'Je hebt geluk, meisje,' zegt hij. Als Vikram praat, wiebelt

zijn hoofd heen en weer, bijna alsof zijn hoofd losstaat op zijn nek. 'Ik moest wachten totdat ik zeventig was.'
'Het is niet zo idyllisch als ik me had voorgesteld,' zeg ik.
'Dat geldt voor het hele leven, nietwaar?'
Ik haal mijn schouders op, kijk naar de deinende horizon. Dit is eigenlijk de eerste keer dat ik de zee echt kan zien. En dat ik echt kan genieten. Tot nu toe was ik vooral aan het werk en ergerde ik me aan Lena, Jitse, Frederik. Maar nu lijkt alles goed te komen. Lena is toch niet zo erg als ik dacht. En zelfs mijn vader is tot zelfinzicht gekomen. Zelfinzicht, ha! Ik wist niet eens dat hij dat woord kende. Hij klonk zo anders dan normaal. Wat is er met hem gebeurd? Misschien zat hij ook wel in een windstilte en nam hij even de tijd om echt naar de zee te kijken. Dat doet iets. Het kijken naar de zee. Het spoelt de ideeën over jezelf weg of zo. Ik probeerde de hele tijd iemand te zijn, mezelf te bewijzen. Frederik te laten zien hoe goed ik kan werken, hoe verantwoordelijk ik ben. Jitse laten zien hoe lekker en leuk ik ben. Lena laten zien hoe sterk en zelfstandig ik ben. Nu hoeft dat niet meer. Ik hoef dat niet meer zo nodig te doen. Ja, zelfinzicht. Nu we hier zo drijven, zonder dat we ergens heen gaan, zie ik mezelf van een afstandje. Dat komt door al die ruimte, ik voel me minder nauw. Ik sluit mijn ogen. Ik hoor de oceaan ruisen, suizen, breken, rollen.
'De zee is een mantra, die zichzelf herhaalt. Om, om, om. Hoor je het?' zegt Vikram.
'Wat betekent 'om'?'
'Het is de basisklank van het universum, de toon van de schepping.'
'Toe maar weer.'
De om, dat lijkt op mijn o. Dat is ook wat. Heel in de

verte, in het trillen van het schip, in het galmen van het water, hoor ik een o zoemen. Steeds dichterbij, maar niet zo helder als toen ik klein was.
'Ik hoorde vroeger altijd overal o's.'
Vikram kijkt me aan, zijn ogen lijken van water gemaakt te zijn, ze zijn zo donker dat ik de pupillen niet kan onderscheiden.
'Vergeet dat niet, Tara,' zegt hij. 'Vergeet dat niet.'

Tijdens mijn wacht heb ik weinig te doen. Het schip is met deze snelheid eigenlijk niet te sturen. Ik draal een beetje rond het stuurhuis. Ik vouw de was op het dek, doe wat achterstallig onderhoud. Lees wat, schrijf een gedicht. Ik voel mijn botten ontspannen, mijn huid dunner worden. Ik ben op zee en tijd lijkt niet te bestaan.
Simon is steeds vaker benedendeks. Meestal zit hij in de machinekamer en onderhoudt de motoren, de generator, de watermaker. Hij komt er altijd zwart van de smeer weer uit. Het valt me op dat hij en Lena minder samen zijn. Het is eigenlijk wel een opluchting dat ze niet steeds als twee tortelduifjes in de stuurhut zitten. Lena is vaker bovendeks. Ook nu komt ze bij me zitten in het stuurhuis. We schrijven allebei, ik een reisverhaal voor Frank en Inge, zodat ze een beetje weten wat er gebeurt. Het eerste deel heb ik naar ze gestuurd in Lissabon. Lena heeft haar dagboek bij zich. Aan het tafeltje in de hut gaat ze zitten schrijven. Vol concentratie zit ze gebogen over haar schrift.
'Schrijf je fanmail?' vraag ik.
Ze kijkt lachend op. 'Zoiets,' zegt ze.
Het voelt alsof we weer op haar kamer zitten samen. Zoals het eerst was. Voordat alle rampspoed begon. Toen we nog gewoon vriendinnen waren. Clubleden.

'Eigenlijk is het geen fanmail,' zegt Lena. 'Het is eerder hate-mail.'
'Hoezo?'
'Simon en ik hebben ruzie.'
'En daar schrijf je over?'
'Ja, want ik kan het aan niemand vertellen.'
'Je kunt het aan mij vertellen.'
'Maar jij moet elke dag met hem samenwerken.'
'Ik dacht dat jullie zouden gaan trouwen. Hij wilde niet zonder jou mee.'
'Ja, hij is nogal gek op mij.'
'En jij niet op hem?'
'Hij is bezitterig, wil de hele tijd bij me zijn, ik word er gek van.'
'Het is wel een toffe gast.'
'Ja, dat lijkt zo, maar ondertussen.'
'Wat ondertussen?'
'Ondertussen vraagt hij dingen van me die hij niet mag vragen. Vooral in bed.'
'Hoe bedoel je? Gaat het over seks?'
Op dat moment komt Jitse binnengelopen. 'Hebben jullie het over seks?'
Hij lacht guitig. Hij is de laatste dagen vrolijker. Wakkerder. Misschien komt het doordat de drankvoorraad op is. Hij is op tijd op zijn wachten, en vaak zelfs te vroeg.
Jitse gaat naast Lena zitten op het bankje. Zij slaat meteen haar dagboek dicht.
'Geheimen?' vraagt hij terwijl hij snel naar mij knipoogt.
Wij houden allebei onze mond.
'Jullie hadden het zeker over mij, hè?' lacht Jitse.
'Natuurlijk,' zegt Lena. 'We hebben het altijd over jou. Je bent ook zo'n lekker ding.'

Jitse haalt een hand door zijn blonde dreads en balt zijn vuisten, zodat zijn spierballen zich duidelijk aftekenen onder zijn shirt. 'Ik weet het,' zegt hij.
Lena en ik knijpen tegelijkertijd onze neus dicht.
'Het stinkt hier naar testosteron,' zeg ik met geknepen stem.
'Even een raampje open,' piept Lena.
'Geen idee waar jullie het over hebben,' zegt Jitse, terwijl hij overdreven met zijn borst naar voren door het stuurhuis paradeert. 'Werkelijk geen idee.'
Ja, zo was het. Lena en ik. Lid van de club, samen schrijven, samen kletsen. Vriendinnen.
Toch? Of toch niet?

*

De keuken ruikt naar draadjesvlees. Ze eten hier warm tussen de middag. Geen brood zoals zij dat thuis doen. Anna's moeder is blij Tara te zien. Dat zag ze meteen, want zo kijkt mama ook als ze vertelt dat ze een nieuw vriendinnetje heeft. Haar ogen gaan dan schitteren. Anna krijgt ook niet zo vaak bezoek. Op de tafel ligt een soort tapijt. Een heel dik kleed. Ze eten gekookte aardappelen, met worteltjes uit een pot, ze zijn veel zachter dan die van mama. Daaroverheen vette jus waar kringen op drijven. En grote brokken draadjesvlees. Hoe hard ze ook kauwt, ze krijgt het bijna niet weg. Alsof ze op een krant zit te kauwen.
Niemand zegt iets. Anna's moeder niet, haar vader niet en haar oudere broer niet. Haar vader en broer kwamen net van de haven, daar hadden ze op hun vissersschip gewerkt. Ze drinken allebei een blikje bier bij het eten en laten af en toe een luidruchtige boer, waar niemand van opkijkt. Hun gele vissersbroeken hangen op hun heupen. Rinus, Anna's broer, heeft dezelfde schipperstrui aan als papa. Die kopen ze bij de coöperatie op de haven. Een heel saaie winkel waar ze alleen vishaken, trossen en blauwe truien verkopen, waar het hele dorp in rondloopt. Rinus heeft in zijn linkeroor een rij oorringetjes. Hij gluurt onder zijn zware wenkbrauwen naar haar. Ze durft niet meer op te kijken en blijft maar naar de kringen in de jus staren.
Na het eten gaan ze naar Anna's kamer.
Ze zitten allebei op de rand van haar bed en kijken naar buiten. Ze kijkt uit op het busstation. Gele bussen rijden af en aan. Tara kijkt goed of haar lievelingsbus ertussen staat, die met het kenteken XV-77-HH. Zeven is haar geluksgetal. Als ze die bus ziet als ze naar huis fietst, weet ze zeker dat er iets goeds zal gebeuren. Soms ligt de Tina *opeens een dag eerder in de bus. Soms heeft mama gebakjes gekocht.*

Nu ziet ze de bus niet staan.
Een beetje ongemakkelijk voelt ze zich wel, ze praat nooit met Anna. En nu zit ze opeens op haar bed. Toch had Anna niet heel raar opgekeken toen Tara vroeg of ze bij haar mocht spelen vanmiddag.
'Bist ook zat van aal dei flaauwekul mit Lena?' vroeg ze.
Tara wist niet wat ze bedoelde, maar ze had maar geknikt.
Toen had Anna 'best' gemompeld.
Nu moet Tara uitvinden wat Anna wil worden. Zodat ze vanavond een goed opstel kan schrijven. O nee, een slecht opstel.
'Ik wil later schrijfster worden,' zegt ze om het ijs te breken.
'Wauw,' zegt Anna.
'Wat wil jij worden dan?'
'Wait ik nait.'
'Weet je helemaal niets?'
'Wilst mien nije Barbie zain?' vraagt ze opeens. Tara moet haar best doen om haar te verstaan. Ze kent niemand die zo'n zwaar trols accent heeft.
Anna haalt een hele doos Barbies tevoorschijn. Ze trekt er een uit met kort, donker verbrand haar.
'Barbies zijn toch altijd blond?' vraagt Tara.
'Dizze is bie de kapper west,' zegt Anna trots. 'Ik heb heur kop in 'n föhn stoken. Nou is ze mooi zwaart.'
'En gesmolten.'
'Joa, 't stonk wel,' lacht Anna.
'Wil je geen kapper worden?' probeert Tara.
'Wilst doe der zo oetzain?'
Ze kijkt naar de samengesmolten haren op het hoofd van de Barbie. Ze zijn keihard.
'Eh, nee.'
'Zallen we de Barbie 'n tatoeage geven? Dat hek zulf ook.'
Anna trekt haar shirt omhoog en draait zich om. Onder op haar rug, net boven haar broekrand staat een blote vrouw getekend.

'Hoe kom je daaraan?'
'Het mien bruier doan.'
'Waarom?'
'Hai von dat ik ook 'n tatoeage mos. Hai het der zulf wel vief. 'n Anker, 'n hart, 'n meeuw en nog wat.'
'Gaat dat er niet af als je gaat douchen?'
'Bie hom nait. Bie mie wel.'
Tara kijkt nog eens naar de blote vrouw. Ze heeft heel grote borsten. Groter dan het hoofd van de vrouw. Ze heeft een staart en geen benen. Het is eigenlijk heel slecht getekend. Ze vraagt zich af waarom die broer dat doet. Da's toch niet normaal?
Anna trekt haar shirt weer naar beneden en gaat weer zitten.
'Wil jij ook een tatoeage?' vraagt ze.
'Nee.'
'Ik ook nait.'
'Waarom heb je het dan?'
'Ik kin mien bruier nait aan.'
Op dat moment horen ze voetstappen op de trap.
Meteen springt Anna op en gooit al haar gewicht tegen de deur. Ze gebaart naar Tara dat ze erbij moet komen.
'Loat mie der es in!' klinkt er van de andere kant van de deur.
'Nee, nee,' giechelt Anna. 'Ik heb bezuik.'
'Kin mie niks schelen, dut ze toch gewoon mit.'
Tara staat nu met haar rug tegen de deur en zet zich krachtig af tegen de grond. Anna duwt haar heup tegen de deur en drukt met haar dikke worstenvingertjes de deurkruk omhoog. Tara is nu best blij met Anna's gewicht, alleen had ze de deur nooit gehouden.
'Goa vôt, Rinus,' zegt Anna, terwijl ze zenuwachtig naar Tara lacht.
'Verdomme, dou wat ik zeg.' Rinus struikelt over zijn eigen woorden. Hij heeft ondertussen vast wat biertjes gedronken.
'Oprotten!' roept Anna met schelle stem.
Ze voelt het harde hout in haar rug, haar voeten stevig op de grond.

Haar handen, die nat zijn van het zweet, veegt ze af aan haar spijkerbroek. Hoelang blijft die Rinus voor de deur staan? Hoelang houden ze dit vol? De deur gaat steeds verder open, Rinus is sterk. Ze voelt haar schoenen over het tapijt schuiven. Ze houden het niet langer. Anna valt om en daarmee vliegt de deur open.

Snel ren ik van de deur weg, maar ik kan nergens heen, met mijn rug sta ik tegen de klerenkast in de hoek bij het raam. Zonder twijfel komt hij op me af. Hij is zo dichtbij dat ik kan zien dat hij roodbruine sproeten op zijn vettige huid heeft. Zijn haar is rossig en zit plakkerig op zijn voorhoofd, hij ruikt naar bier en asbak. Met zijn dikke hand duwt hij mij tegen de kast, de andere glijdt langzaam over mijn borsten. Borsten die er niet zijn. Net onder de rits van zijn trui zit een wittige vlek. Ik krijg de neiging om die eraf te krabben, maar ik kan me niet bewegen. Anna trekt aan zijn arm.

'Blief van heur af, man,' roept ze.

Maar met een korte stoot duwt hij haar op de grond.

'Mooi nait, zuske.'

Hij drukt zijn lijf tegen het mijne. Ik voel de deurknop van de kast tussen mijn wervels steken. Ik probeer hem weg te duwen, draai mijn hoofd af. Maar hij laat me niet gaan. Ik voel iets hards duwen tegen mijn buik.

'Wat dust hier aigenlieks, mien wicht? Most nait bie de hoaven wezen, op dat dure schip van dien pa?'

Zijn hand glijdt naar beneden, naar mijn billen, die verdwijnen in zijn grote hand. Ik wil wel gillen maar het lukt niet. Ik hang erbij als een zeil bij windkracht nul. Met ingehouden adem knijp ik mijn ogen dicht, ik wil die ranzige bierlucht niet ruiken. Hij duwt mij nu keihard tegen de kast. Met zijn andere hand maakt hij zijn riem los. Ik voel zijn mond, zijn vieze biermond, in mijn nek, zijn adem in mijn oor. Waar is Anna? Ik zie haar nergens meer.

'Dat smoakt nait slecht veur 'n importwichtje,' hijgt hij.

'Rinus, wat dust?' hoort ze nu van achteren. Het is Anna's moeder

die binnenkomt, met Anna rennend achter haar aan. Hij laat me los, ik ben zo slap dat ik meteen op de grond zak.
'Loat dei wichter allain, kom mit,' zegt zijn moeder.
Blijkbaar heeft zij overwicht. Zonder mij nog aan te kijken, loopt hij weg.
Anna's moeder komt op me af, ze hurkt voor me neer.
'Gait het wel?' vraagt ze.
Ik knik. Vanbinnen tril ik nog. Ik heb even geen woorden meer. Wat gebeurde hier?
'Hest die nait zeer doan?' vraagt Anna's moeder.
Ik schud.
'Den vaalt het ja mit,' zegt ze terwijl ze opstaat. Als ze in de deuropening is, draait ze zich om.
'Vertel dit mor nait aan dien pabbe, oké? Naargens veur neudeg. 't Was niks. Gewoon 'n geintje.'
Anna's moeder loopt de trap af. Buiten trekt een bus op en verlaat het station. Tara ziet dat ze met haar nagels in haar hand geknepen heeft. Anna zit op de rand van haar bed, ze kijken elkaar een tijdje aan.
'Wilst mit de Barbies speulen?' vraagt Anna dan.
'Nee.'
Ze zijn weer even stil. Ze wil weg, heel ver weg. Langzaam staat ze op. Ze voelt zich slapjes.
'Ik ga,' zegt ze en ze wil naar beneden. Maar dan herinnert ze zich haar missie. Ze was hier niet voor niets. Ze moet haar plan nog uitvoeren. Met het laatste restje moed in haar lijf zegt ze: 'Ik heb gehoord dat je je opstel opnieuw moet doen.'
'Klopt. Ik kin nait schrieven,' zegt Anna.
'Ik kan je wel helpen, als je wilt. Geef je schrift maar aan mij. Dan maak ik er iets moois van.'

*

Juf krijgt een rood hoofd. 'Wat is dit, Anna?'
'Dat is mien opstel.'
'Maar dat kun je toch niet menen.'
'Houzo nait?'
'Dit soort dingen schrijf je toch niet op?'
Nu begint Anna van haar ene been op haar andere te wiebelen.
Ze heeft dat opstel zelf niet gelezen. Tara had haar het schrift gegeven en zonder er ook maar een blik in te werpen, had ze het bij juf op tafel gelegd.
Tara zou nu het liefste de klas uit willen rennen. Hier wil ze niet bij zijn. Straks zegt Anna nog dat zij het was. Al verraadt ze dan natuurlijk ook zichzelf.
Het is een verschrikkelijke tekst. Ze had dit niet moeten doen. Waarom doet ze dit eigenlijk? Ze kijkt over haar schouder naar Lena. Die geeft haar een korte knipoog.
O ja, daarom, de club. Ze is een clublid. Dit hoort erbij. Daar kan zij ook niets aan doen. Dat zijn nou eenmaal de regels. Straks is ze ere-lid.
'Hoe kom je op dit idee, Anna?'
Anna haalt haar schouders op. Kijkt naar de grond. Peutert aan lange slierten blond haar. Bovenin is het vet en donker. Bijna alsof ze haar eigen hoofd ook in de föhn heeft gestoken.

Tara had wel een uur op Anna haar handschrift geoefend. Dat was niet makkelijk. Er zat nauwelijks eenheid in. De ene keer schrijft ze een f met een krul en dan weer open. Haar l en haar p vallen steeds voorover of achterover. De a is soms als een hoofdletter geschreven en soms als een kleine letter. Maar toen ze een tijdje had geoefend, kon ze het eigenlijk heel goed nadoen. Het leek precies. Door de telefoon had ze advies gevraagd aan Marieke.

'Hoe schrijf je een slecht opstel?' vroeg ze.
Marieke lachte. 'Dat is pas een leuke vraag. Mensen willen meestal iets goeds schrijven. Maar het kan een opluchting zijn om iets slechts te maken.'
Zo had ze het nog niet gezien, als een opluchting.
'Maak eens extreem lange zinnen of herhaal steeds het woordje 'heel' of 'echt'. 'En toen, en toen, toen' helpt natuurlijk ook, wat spelfouten. Jemig, heerlijk, ik wou dat ik dat mocht doen.'
Ze had haar natuurlijk niet verteld waarom ze dat moest doen, dan had Marieke het vast wat minder heerlijk gevonden. Maar toch hielp het. Ze gooide voldoende trolse woorden in het opstel, ze kent er steeds meer. En ze gebruikte de tips van Marieke, en klaar, een perfect slecht opstel.

'Tatoeages tekenen op mensen? Blote vrouwen zonder benen? Is dat wat je later wilt?'
Het is alsof er een onweersbui over Anna's gezicht trekt. Een donkere wolk. In een flits boren haar ogen in die van Tara. Haar blik slaat als de bliksem bij Tara in. Ze buigt zich voorover, slaat een boek open, heeft geen idee welk. De letters duizelen voor haar ogen. Ze is misselijk. 'Ik heb dat nait schreven,' zegt Anna.
'Hoe bedoel je, dat heb je niet geschreven? Dit is toch jouw handschrift?' Juf wijst naar het korte opstel in het schrift.
Anna kijkt er verbaasd naar. 'Joa. Hou kin dat den?'
'Ik zie het toch echt staan, mevrouwtje.'
'Mor ik wil dat hailemoal nait.'
'Dat had je eerder moeten bedenken. Dat wordt tien opstellen als straf. En nu naar je plaats.'

Na school staan Lena, Natasja en Greta haar op te wachten bij de fietsen.
'Mooi doan,' zegt Lena terwijl ze naar voren stapt en Tara op de schouders klopt.

'Bist 'n goie schriever,' zegt Greta.
Lena vraagt of ze met hen meegaat naar het dorpsplein. Nog voordat ze kan antwoorden, heeft Lena haar arm al door die van Tara gestoken. Natasja steekt haar arm door de andere en Greta haakt weer in bij Natasja. Als vier vriendinnen lopen ze van het plein. De Zonneclub! Opeens herinnert ze zich het boek dat mama haar vroeger voorlas weer. Dat boek over die vriendinnenclub. Ze is lid!
Ze lopen langs Ilona, die wat beteuterd staat te kijken. Haar haren zijn al iets langer, maar staan nog steeds als een zee-egel op haar hoofd.
'Dag Ilona mit dien male hoar,' roept Natasja.
Tara lacht met de meiden mee. Ze zijn een sleepnet, samen schuiven ze over de bodem van de zee, iedereen aan de kant, hier komen zij. Ze lopen over het dorpsplein, langs de Spar en de cafetaria Het Ankertje. Lachend vissen ze de straten schoon. Op het bankje voor de kapper gaan ze zitten, op de rugleuning. Met hun voeten op het bankje.
Greta en Natasja klagen over de komende projectweek op school, die gaat over Australië.
'Wat mot ik mit aal dei kangoeroes,' zegt Greta.
'En we motten der weer 'n stuk over schrieven,' zucht Natasja.
'Dat wordt niks bie mie,' zegt Lena. 'Ik kin mie thoes nait concentreren. Mien staifvoader blift mie mor lastigvaalen.'
'Dat snap ik. Den kinst nait schrieven,' zegt Tara.
'Wilst doe 't veur mie schrieven?' Lena legt haar hand op Tara's knie.
'Natuurlek, we binnen toch lid van dezelfde club?' zegt Tara.
'En we binnen toch vriendinnen.' Lena knijpt in haar bovenbeen. Vriendschappelijk.
'Mor nait zo slecht schrieven as veur Anna, hè?' Alle meiden lachen.

Datum en tijd: maandag 23 oktober, 10.30 uur
Positie in de kaart: vlak bij Porto Santo
Koers: zuidzuidwest
Snelheid: 0,5 knopen
Weer: windstil, heet en helder

We zitten al dagen in een windstilte, we worden er een beetje flauw van. Lena, Jitse en ik hebben de grootste lol. Over niets. Maf, hoe ik eerst niets met ze te maken wilde hebben, en hoe goed het nu voelt. Het is toch ook zonde om mijn vriendschap met hen zomaar overboord te gooien? Ik zie nu pas hoe eenzaam ik de eerste weken ben geweest. Jitse zei tegen me: 'Je bent een stuk leuker als je niet meer zo koppig zwijgt.'
Hij pakte me stevig vast om mijn middel, zoals hij me, lang geleden, de eerste keer op zijn dek had getild. Ik voelde zijn warme lijf tegen het mijne. Elke avond dansen we, op het dek, onder die enorme sterrenhemel. Wat voel ik me dan vrij. Ik snap steeds beter wat dat is; vrijheid. Vrij van wrok.
'Kijk! Kijk daar!' Lena wijst enthousiast naar de horizon. 'Zijn dat? Zijn dat echt?'
'Waar?' vraag ik. Ik volg haar wijzende vingers. En ja hoor, uit het niets, uit het spiegelgladde oppervlak verschijnen ze. In groten getale. Eerst zie ik alleen hun glimmende grijze rugvinnen, het zijn er wel twintig, vijftig, honderd. Overal. Hoe dichterbij ze komen, hoe beter ik ze zie. Dolfijnen! Ze zwemmen met het schip mee, springen voor het schip uit, schieten eronderdoor, laten zich afglijden naar achteren en komen dan weer in een noodvaart naar voren. Ze zijn net zo mooi als ik had verwacht.
Lena, Jitse en ik staan op het voordek, we hangen over de boeg, wijzen en lachen. Een dolfijn heeft een kleintje bij zich.

Zo lief. Dat kleintje speelt echt. Het springt af en toe hoog de lucht in. 'Hallo!' roepen wij dan. De moeder blijft steeds in de buurt. Ze stuurt haar jong af en toe aan met haar snuit. Op den duur kijk ik Lena aan en ik zie haar ogen glinsteren. Het is zo ontroerend mooi. Ze pakt mijn hand vast en we kijken weer naar die slimme, razende, spelende dieren.
We zijn vriendinnen, Lena en ik. Volgens mij is ze veranderd. Ze neemt echt haar verantwoordelijkheid, ze doet haar werk goed. Ik ben eigenlijk wel blij dat ze er is, alleen met die mannen is ook niets.
'Ik ga met ze zwemmen,' zegt Jitse opeens.
'Durf je dat?' vraagt Lena.
'Dat is hartstikke gevaarlijk, joh,' zeg ik. 'We zitten midden op de oceaan en jij wilt overboord springen?'
'We gaan toch nauwelijks vooruit,' zegt Jitse. 'En ik zeker me natuurlijk met een gordel en een lijn.'
Hij wacht onze reactie niet af en loopt naar het middendek. Hij doet een gordel om zijn middel. Simon, die op ons enthousiaste gegil is afgekomen, zet de fokkera dwars op het schip en sluit Jitses gordel aan op de fokkeval. Ik zie Simon voor het eerst sinds tijden weer een beetje lachen. Hij kijkt de hele tijd zo bezorgd.
Jitse springt overboord en laat zich meeslepen door het schip. Vandaag staat er iets meer wind, we maken nog best snelheid, maar dat zie je pas als je een referentiepunt hebt. Jitse drijft meteen weg. Maar Simon zekert hem, laat de lijn af en toe wat verder vieren en trekt 'm dan weer aan.
De dolfijnen zwemmen om Jitse heen. Sommige springen zelfs over hem heen. Af en toe duikt Jitse onder en komt gillend weer boven.
'Ze zwemmen boven me langs!' roept hij als een kind zo blij. De dolfijnen zijn nu heel dichtbij. Ik kan ze bijna aanraken

vanaf het schip. Wat zijn ze groot. Sommige zijn wel vier à vijf meter. We genieten allemaal, totdat de lijn opeens slipt en Jitse steeds verder naar achteren drijft.
'Hé, wat gebeurt er?' roept Lena.
Ik kijk naar Simon en zie dat hij de lijn expres laat vieren. Hij heeft een rare blik in zijn ogen.
'Wat doe je?' roep ik.
Hij antwoordt niet, hij laat de lijn steeds verder gaan. Lena ziet het nu ook.
'Simon, doe niet zo debiel,' roept ze. 'Zet die lijn vast.'
Maar Simon laat de lijn vieren en kijkt lachend naar Jitse, die steeds verder achter het schip verdwijnt. De dolfijnen vinden het spelletje ook niet leuk, want ze verlaten het schip en duiken onder water. Nu is er alleen nog maar deining, een lange lijn en Jitse als een klein stipje achter het schip. Simon laat de lijn in een noodvaart gaan. Samen met Lena ren ik naar hem toe, ik probeer de lijn te pakken, maar hij duwt me met zijn vrije hand weg. Lena gaat aan zijn arm hangen. Nu laat Simon de lijn helemaal los, het touw wikkelt zichzelf af. Er ligt nog maar een paar meter op dek. Straks zal het uiteinde door het blok schieten en zullen we Jitse kwijt zijn. En hoe vind je iemand op de oceaan weer terug? Ik duik naar de lijn. En net voordat het uiteinde richting het blok in de ra schiet, heb ik de lijn te pakken. Er staat zoveel kracht op de lijn, dat ik een stukje de lucht in vlieg. Ik voel twee handen om mijn bovenbenen. Een schok schiet door mijn ruggengraat. Lena houdt me aan dek en trekt me weer naar beneden. Met zijn tweeën kunnen we de lijn net houden. Simon loopt boos weg. Wij trekken met alle macht de lijn weer naar binnen, net zo lang totdat Jitse weer naast het schip drijft. Hij lijkt uitgeput. Er staat paniek in zijn ogen, zijn lippen zijn blauw. Lena en ik kijken elkaar even aan. Ik weet zeker dat we al-

lebei aan Ilona denken. Ik open het deurtje in de boeg, ga op mijn knieën zitten en trek Jitse, nat en zwaar, het dek op. Lena komt bij ons en slaat haar armen om ons heen. Trillend zitten we met z'n drietjes op het dek, dicht tegen elkaar aan. Lena doorbreekt ons stille samenzijn door hem te zoenen. Ze doet het vol aandacht, traag, ze drukt haar lippen op zijn paarse lippen. Hun handen verliezen grip op mij. Ik zet een stapje achteruit. Ze laten elkaar los en kijken elkaar met een vreemde, broeierige blik aan. Snel buig ik naar voren en kus Jitse ook op zijn lippen.
'Fijn dat je er weer bent,' zeg ik.
Maar hij ziet me niet echt. Hij is boos. Laaiend.
'Wat was dat voor grap van die Simon!' roept hij.
'Hij kent zijn grenzen af en toe niet,' zegt Lena, terwijl ze Jitse op zijn voeten helpt. Lena loopt met Jitse mee naar binnen. 'Je moet onder een warme douche,' zegt ze.
Ik blijf op dek en kijk naar de horizon. Wat is hier nou net gebeurd?
Waarom doet Simon zoiets? En wat was die kus tussen Lena en Jitse?
Met een licht zeeziek gevoel loop ik naar het achterdek en ga naast Vikram zitten. Hij ruikt naar land, naar India, denk ik. Een beetje wierookachtig. Zoet. En rokerig.
'Ik voel me opeens heel erg alleen,' zeg ik.
Vikram kijkt me met een schuin oog aan. 'We zijn allemaal alleen.'
'Nee hoor, Lena en Jitse zijn nu samen, binnen.'
'Je bent altijd samen.'
Tja, wat moet ik daar nou mee? Samen, alleen. Hij spreekt in een ondoorgrondelijke taal. Toch stellen zijn woorden me op een of andere rare manier gerust. Zoals het me vroeger ook geruststelde als ik naast Marieke op dek zat. Naast

Marieke, die van de grote stad kwam en eigenlijk niet op het schip hoorde. Een stukje wal aan boord. Ze was mijn bolder, waarop ik een lijn kon vastzetten. Ik zat naast Marieke op dek, een beetje zoals ik nu naast Vikram zit. Het helpt om met iemand te praten die van ergens anders komt. Wiens blik wat groter is dan de mijne. *Ik ben niet alleen, ik ben altijd samen.* Als ik dat vaak genoeg herhaal, ga ik het dan vanzelf geloven?

Datum en tijd: woensdag 25 oktober, 23.00 uur
Positie in de kaart: tussen Porto Santo en de Canarische Eilanden
Koers: zuid
Snelheid: 9,5 knopen
Weer: helder, warm, dikke vaarwind

Mijn hoofd voelt vol en draaierig. Het kan zijn van de lange dagen windstilte, het geklots, gewieg. Of van het plotselinge geronk van de motor. Of van spelen op het dek als jonge honden, omdat we zo blij zijn dat we weer voortgang hebben. Ik sluit mijn ogen en laat me samen met Lena vallen op de zonnestoelen op het middendek. Ah.

We hebben op een klein eilandje midden in de oceaan getankt. Vrij bizar, moet ik zeggen. Eerst is er niks, dan nog meer niks niks niks, tot aan de horizon, en dan verschijnt er plotseling zo'n rotspuntje aan de horizon. Jitse zag 't het eerst, hij wees het mij aan. Ik moest mijn ogen samenknijpen om het zwarte vlekje van de golven te onderscheiden. Het was ook niet veel meer dan rots, een lange stenen kade en een pomp. Blijkbaar stond er nu weer geld op de pas en konden we tanken. Toen we weer vertrokken, gooide Frederik meteen het gas op vol. We voelden allemaal een soort opluchting dat we weer vaart maakten. Dat niet langer alles piepte en kraakte. Dat we weer de lucht langs onze gezichten voelden strijken, dat de golven weer braken op de kop, dat de zeilen er niet meer werkeloos bij hingen. Het was heerlijk om ze in te pakken, om weer wat te doen.

Vanavond, terwijl we door de donkere nacht stoomden, met een halve gele maan boven ons, deden we tikkertje op dek. Daarna verstoppertje. Ik heb me rot gelachen, we werden weer een stel kleine kinderen. Jitse verstopte zich in de gro-

te koeling. Hij was blauw toen ik hem vond. Lena vonden we in de kasten voor lijnen, op het achterdek.
Nu heeft Jitse wacht, en over een uurtje neem ik het van hem over. Uitgeput en tevreden liggen Lena en ik languit te kijken naar de halve maan, die steeds lager zinkt. De maan staat hier niet rechtop als ie half is, maar ligt op zijn rug.
'De maan heeft siësta,' zegt Lena.
We zeggen een hele tijd niets en zijn gewoon samen. Ilona drijft tussen ons in, als de derde vriendin. Dat weet ik zeker.
'Weet je dat ik me nog heel goed kan herinneren toen je voor het eerst het dorp binnenzeilde,' zegt Lena opeens.
'Echt?' Dit heeft ze me nog nooit verteld.
'Ik zat in mijn eentje op het pierenhoofd van Ziltezijl, ik denk dat ik vier of vijf was. Mijn moeder had natuurlijk niet door dat ik daar zat. Die was lazarus. Of verliefd op een nieuwe vent. Ik zat daar graag, aan het water. En op een dag verscheen jullie zeilschip, het leek precies op het piratenschip uit mijn boeken. Eentje met van die bruine, zware zeilen. Achterop stond jouw vader, met lang haar en een lange baard. Voorop je moeder in een lange rok. En achter op het dek zat jij. Je zat trots en rechtop in de tros. Zelfs van die afstand kon ik jouw blauwe ogen zien stralen. Alsof jij iets zag wat de rest van de wereld niet zag. Zo'n piratenmeisje dat als eerste de vijand aan ziet komen of als eerste land in zicht ziet. Ik wilde meteen vriendinnen worden met jou. Je was zo anders dan mijn andere klasgenoten.'
'Waarom deed je die eerste keer in de klas dan zo onaardig tegen me?' De vraag is eruit voordat ik het weet. Eigenlijk wil ik het daar helemaal niet over hebben.

'Ik deed ook aardig, maar je zei niets terug! Tegen niemand sprak je een woord. Blijkbaar waren wij als landrotten niet goed genoeg voor jou. Je zat daar maar in de klas, met je armen over elkaar, te zwijgen. Zo gesloten als een mossel.'
'Dat had niets met jou te maken! Ik wilde juist heel graag met je praten.' Ik voel een soort onmacht over me heen komen. Hoe leg ik dit nou uit?
'Weet je, toen ik een paar weken terug aan boord kwam, deed je net zo. Sprak je ook niet tegen me. Je keek me zo fel aan dat ik het liefst weer was omgedraaid om naar huis te gaan, om weer aan die studie te beginnen waar ik net mee was gestopt.'
'Je moet niet vergeten wat er gebeurd is, vlak voordat wij elkaar voor het laatst hebben gezien,' zeg ik. Ik voel de woede weer opkomen. Dat snapt ze toch wel? Of was ik echt ondoenlijk en onredelijk de eerste weken?
We zijn weer even stil. Ilona hangt nog steeds tussen ons in. Ik wil wel over haar praten maar ik weet niet hoe.
'Studeerde je?' vraag ik om van onderwerp te veranderen.
'Totdat ik Simon tegenkwam.'
'Vertel eens over jullie.'
'Dat is wel grappig, mijn eerste ontmoeting met hem lijkt wel op die met jou. Hij had dezelfde vrijheid in zijn ogen die jij altijd hebt gehad. Alsof jullie elk moment weer achter de horizon konden verdwijnen, een uitgang hadden die ik niet had. Ik zat gevangen achter die rotdijk. Toen ik hem voor het eerst zag, kon ik de zee bijna ruiken, ook al waren we midden in de stad, in een rokerige kroeg. Met mijn vriendinnen stond ik op de kleine dansvloer. Hij stond aan de bar. Hij keek me, zonder gêne, onophoudelijk aan. Hij deed me denken aan de enige, oude foto die ik heb van mijn echte vader, die Spaanse man met paardenstaart. Die foto is altijd mijn

houvast geweest, de foto vertelde mij dat ik niet alleen zout, wadderig bloed had, maar dat er echt port, rode wijn, passie in mijn bloed zat. Dat bloed voelde ik borrelen toen ik Simon zag, alsof hij mijn nooduitgang was uit mijn tot dan toe verknipte leventje. Ik liep naar hem toe, hij gaf me een biertje. Het ging daarna allemaal erg snel. We dansten, we kusten, hij nam me mee naar huis, ik ging pas na een paar dagen weer weg. Misschien had ik toen al gewaarschuwd moeten zijn. Door de rare wensen die hij had. Hij wilde dat ik naakt over zijn vloer kroop. Dat ik blafte, hijgde als een teefje. Hoe onderdaniger ik werd, hoe stijver zijn lul. Het wond me ook wel op. Hij nam me op de vloer. Hard. En daarna was hij weer poeslief. Maakte warme chocomelk voor me. En vertelde over al zijn tochten op de zee. En dan vergat ik alles weer. Hier is dat moeilijker. Hij laat me geen seconde met rust, houdt me nauwlettend in de gaten. En doet van die rare dingen als met dat touw en dolfijnen. Toen ik zei dat hij echt te ver was gegaan met dat slippende touw, riep hij: 'Ik zal je eens laten zien wat te ver gaan is.' Hij knoopte mijn polsen vast aan het bed en nam me een paar keer achter elkaar, van achteren. Hij wordt steeds agressiever. Hoe beter ik me hier aan boord voel, hoe meer lol ik heb met jullie, hoe harder hij me aanpakt. Ik zou eigenlijk ergens anders willen slapen, in een andere hut. Maar dat kan ik natuurlijk niet maken. Ik kan geen kant op.'
Ik kijk opzij. Lena huilt. Ik pak haar hand vast.
'Dat wist ik niet, joh. Ik dacht dat hij echt wel oké was.'
'Tja, dat lijkt zo. Maar mannen zijn niet wie ze lijken.'
'Nee, dat herken ik. Jitse lijkt ook leuk, maar eigenlijk is hij een lul.'
'Ja, hoe zit dat tussen jullie? Jitse vertelde me dat jullie ooit wat hebben gehad.'

'Heeft hij ook verteld dat hij tig keer vreemd is gegaan?'
'Nee,' lacht Lena. 'Dat vertellen mannen niet.'
'Dat bedoel ik.'
'Vind je hem nog leuk?'
'Nee, hij is gewoon een vriend. That's all.'
'Ik zou willen dat Simon wegging,' zegt Lena.
'We kunnen Frederik vragen of hij hem van boord wil zetten.'
'Ik weet niet.'
We houden elkaars hand vast onder de sterren en zwijgen.
'Beter één vriendin bij de hand, dan honderd lekkere mannen op het land,' grapt Lena.
We lachen, we lachen keihard en ik voel me lichter dan ooit.

Datum en tijd: donderdag 26 oktober, 23.00 uur
Positie in de kaart: tussen Porto Santo en de Canarische Eilanden
Koers: zuid
Snelheid: 9 knopen
Weer: heldere nacht, halve maan, dikke vaarwind

We zitten op het rode roeibootje. Lena, Ilona en ik. We gaan het meer op. Het stormt. Dit moeten we eigenlijk niet doen. Dat weten we allemaal. Lena en ik zijn gloeiend gemeen tegen Ilona. We lachen en lachen, we rollen van het lachen in het bootje. Ilona wordt steeds bleker. Als ik haar aankijk, schrik ik. Haar ogen zijn helemaal paars. Alsof er een soort duivel in haar zit. Ze gloeit met haar paarse ogen door me heen. Ik voel me vanbinnen branden en begin te gillen. Het spijt me, het spijt me!
Opeens is ze weg. Ze drijft in het water. De golven zijn hoog. Ik wil overboord springen maar Lena houdt me tegen. Laat haar maar, lacht ze. Laat haar maar. Ze lacht als een heks, ik stop mijn oren dicht, maar kan het gegil niet buitenhouden. Happend naar lucht word ik wakker.

*

'Kom je nu eindelijk eens buiten spelen?' roept Yoerie vanaf het dek.
'Nee, ik heb geen tijd!'
Al een tijdje zit ze achter een wit vel. Ze krijgt geen woord op papier. Dit is te moeilijk. Een opstel voor Lena schrijven. Dit moet ze goed doen. Maar het is veel moeilijker om Lena haar stijl te imiteren, die is origineel en bijdehand. Ze maakt nauwelijks fouten. Lena zou niet zomaar een saai stuk schrijven over Australië. Dat in tegenstelling tot Anna en haar andere klasgenoten. Vorige week hadden ze de Cito-toets gedaan. Iedereen in de klas kreeg mavo of vmbo-advies. Behalve zij, Lena en Ilona. Vreemd eigenlijk, dat grote verschil. Lena en zij mogen naar het vwo, een paar dorpen verderop. Ilona kan zelfs naar het gymnasium, maar ze mag van haar ouders ook naar de vrije school in de stad.
Ze moet nu wel een goed opstel schrijven, want Lena moet haar beste vriendin blijven. Straks gaan ze samen naar een andere school, ze moet het nu niet verpesten.
Maar schrijven aan boord is niet bepaald makkelijk. Vooral vandaag niet. Er staat een dikke wind en ze liggen schuin over één oor. Ze moet zich schrap zetten om niet met tafel en al door de roef te vliegen. Haar armen drukt ze hard op de papieren, zodat ze niet van tafel schuiven. Het is koud in de roef, het tocht, en de petroleumlamp geeft nauwelijks genoeg licht om bij te schrijven. Wat een ellende. En al dat kabaal om haar heen. Die zwaarden. Die golven. Ze kan echt niet helder denken zo. Was ze maar weer thuis, lekker aan haar eigen witte bureau. Waar ze alles geordend heeft en niet iedereen steeds maar binnen komt lopen. Waar alles recht staat en waar het stil is.
Ze gaat op de bank in de hoek liggen. Bruno komt bij haar liggen, hij legt zijn kop op haar buik. Hij heeft ook geen zin in zeilen

vandaag. Ze kijkt naar de schommelende lamp boven de tafel. Een opstel. En het moet ook nog mooi, grappig en gevat zijn.
Nu ze niet meer aan de tafel zit, begint die langzaam door de roef te schuiven. Vroeger zou ze er met Yoerie op gesprongen zijn om te spelen dat de tafel een boot was. Daar is ze nu te oud voor. Tara voelt zich zwaar worden, het schip schommelt haar in slaap. Het schip ligt over één oor, en ze wordt tegen de bakboordboeg geduwd. Het is net alsof haar eigen oor ook onder water zakt, ze hoort de zee fluisteren, lispelen, schuimen. Als ze in hun huis met haar oren onder water in bad ligt, hoort ze hetzelfde geruis en haar eigen hartenklop, stemmen klinken ver weg. Langzaam vallen haar ogen dicht. Trillende staaldraden. Brekende boeggolven. Zingend roer. Steeds sneller, steeds verder weg.

Ze wordt weer wakker als het schip stilligt. Papa, mama en Yoerie komen naar binnen in regenpakken en met verwarde haren.
'Had jij geen zin om te zeilen?' vroeg mama. 'We hebben zeehonden gezien.'
'Ik moest schrijven,' zegt Tara terwijl ze haar ogen uitwrijft.
'Dat zie ik,' lacht Yoerie terwijl hij haar nog geheel witte papieren van de grond raapt. Ze liggen tussen de omgevallen kopjes en zijn besmeurd met restjes koffie. Shit. Haar opstel. Nog geen woord op papier. Schrijven en zeilen gaan echt niet samen. En nu komt er ook niets meer van. Want de hele roef zit vol met haar familie. Ze heeft geen plekje meer voor haarzelf.
'Gaan jullie maar even op het wad spelen,' zegt papa terwijl hij haar en Bruno van de bank duwt. 'Ik ben moe van al die gasten steeds.'
'Ik wil niet naar buiten!' zegt Tara.
'Je moet,' zegt mama. 'Ga maar naar de familie Ter Haar, die zijn niet zo vaak aan boord.'
Ze neemt haar pen en papier mee en gaat tegen de giek aan zitten. Hij schokt irritant in haar rug. Nog een keer schrijft ze op:

'Australië.' De woorden staan houterig en met een paar uitschieters op papier. Was ze maar samen met Ilona. Dan hadden ze vast iets verzonnen. God, ze was echt niet aardig tegen Ilona. Maar waarom knipt ze haar haar dan ook zo debiel? Dat doe je toch niet?
Yoerie komt bij haar zitten.
'Wat schrijf je?'
'Laat me met rust. Zo krijg ik nooit wat op papier.'
'Zullen we op het wad gaan spelen?'
'Nee.'
'Met Rootje.'
'Weet je wat, ik heb een goed idee.' Ze scheurt een nieuw vel uit haar blok. 'Ik ga wat regels voor je opstellen.'
'Regels?'
'Ja. Zo hoort dat. Regel één: je mag je zus niet storen als ze aan het schrijven is.'
'Maar ze is helemaal niet aan het schrijven, haar vel is nog steeds leeg!' lacht Yoerie.
'Regel twee: als ze met pen en papier zit, moet Yoerie zijn kop altijd dichthouden.'
Ze scheurt het vel uit haar schrift en propt het in zijn zwemvest.
'En regel drie: oprotten, ga naar het wad.'
'Ik ben al weg, met jou is toch geen lol te beleven.'
Tara gaat weer terug naar haar eerste pagina. Ze kan het wel vergeten met die club. Na het weekend is ze gewoon weer een mafkees, een verknipte idioot van de zee.
Ze kijkt hoe Yoerie over het wad rent, achter de zussen Ter Haar aan. Alleen Marieke is het wad niet op gegaan, zij komt naast Tara zitten.
'Mag ik je bij je zitten?' vraagt ze.
Tara knikt.
Marieke leunt net als zij tegen de giek. Deze keer heeft ze niet het rode jasje aan, maar eentje met allemaal verschillende kleuren leer.

Die heeft ze in Ziltezijl nog nooit gezien. Het staat mooi boven haar strakke spijkerbroek met de knalrode gympen eronder.
'Wat ben je aan het schrijven? Weer een slecht opstel?'
'Nee, nu moet ik juist een Heel Goed Opstel schrijven.'
'Oei, de lat ligt hoog, hoor ik. Dan is het lastig. Waar moet het over gaan?'
'Over Australië. Ik doe het voor mijn beste vriendin.'
'Hoe heet ze?'
'Lena.'
'Kan ze zelf niet schrijven?'
'Haar vader, eh, stiefvader bedoel ik, slaat haar.'
'Dat is erg.'
'Het lukt haar niet om zelf te schrijven, snap je.'
'Dan moet ze dus goed uit de verf komen in dat verhaal. Wat wil ze echt graag zijn?'
'Piraat!' Het is het eerste wat in haar opkomt, maar ze heeft er meteen spijt van.
'Misschien kun je iets schrijven over de ontdekking van Australië. Dat ze daar met schepen aankwamen. Dat zij het land verovert.'
'Is het niet kinderachtig?'
'Niet kinderachtiger dan de verhalen die ik schrijf, hoor,' zegt Marieke.
Marieke sluit haar ogen en zegt: 'Aan de horizon ziet ze de kust van Australië opdoemen. Rode kliffen, hoge golven. Het water is helderblauw.'
Tara pakt meteen haar pen op, dit moet ze opschrijven.
'En dan?' vraagt ze.
'Piraat Lena is de eerste die de kust ziet. Het is een land dat nog helemaal niet op de kaart staat.'
'Ze springt meteen overboord,' voegt Tara toe.
'Waarom?' vraagt Marieke.
'Omdat zij dan als eerste voet aan wal kan zetten.'

'O ja, natuurlijk. Iedereen denkt dat ze verdrinkt, ze gaat helemaal kopje-onder. Maar dan komt ze weer boven. Ze zwemt door de golven naar de kust. Ze kan zwemmen als de beste,' zegt Marieke.
'Lena was de eerste mens die voet aan wal zette op dit grote, onbekende land. Daarom noemden ze het land Australena!' roept Tara uit.
'Wat een geweldige ingeving,' zegt Marieke.
Snel schrijft Tara alles op, op haar ondertussen stuk gewaaide papier. Ze moet het straks overschrijven, haar handschrift is zo slordig.
'Ik ben trouwens een boek aan het maken over ons zeehonden-en-heksenverhaal.'
'Echt waar?' zegt Tara. 'Komt het in de winkel?'
'Wie weet. Ik zoek nog naar een uitgever. In de zomervakantie laat ik het je weten, dan gaan we namelijk weer mee.'

*

Na de eerste twee uur rekenen, komt de Australiëkaart weer op het bord.
'Lena, heb jij je opstel klaar?' vraagt juf.
Tara durft niet om te kijken. Ze wil niet opvallen.
'Nee, ik heb het nog niet af,' zegt Lena.
Ze heeft het nog niet af? Tara heeft het opstel toch net aan Lena gegeven? Ze had het allang kunnen overschrijven.
'Je moest het vandaag af hebben,' zegt juf.
'Ik heb problemen thuis, juf. Kijkt u maar naar mijn oog.'
Lena's oog is dik. En paars.
'Dat snap ik, Lena.'
'Ik zou echt wel anders willen, hoor, maar ...'

Is ze nu aan het huilen? In de klas?
Tara draait zich toch voorzichtig om. Ja hoor, Lena zit met haar hoofd in haar handen te snikken. Maar waarom doet ze dat? Tara had toch een verhaal voor haar geschreven? Het was weliswaar nog wel geschreven op dat vieze papier van het schip, het was gewoon niet gelukt om het netjes over te schrijven, maar het verhaal was toch goed? Tijdens de tocht naar huis had ze er nog wat zinnen tussen kunnen frummelen, had ze woorden verbeterd, had ze goed gekeken of ze de regels van 't fokschip had gevolgd. Maar netjes schrijven lukte gewoon niet aan boord. Toch was ze trots op het verhaal. Lena had genoeg tijd gehad in de les om het over te schrijven. Waarom levert Lena dat stuk niet gewoon in?
'Ik wilde gisteren dat verhaal schrijven, maar toen ... hij ... ach, ik kan het niet vertellen, ik wil wel ...' Tranen stromen over haar wangen.
'Och, meisje, wat akelig. Als je straks na de les even wilt praten, dan kan dat, hoor. En op dat opstel verzinnen we wel iets.' Juf legt een hand op Lena's schouder.
Tara heeft opeens zin om Lena zelf een blauw oog te slaan. Wat zit ze daar te janken? Waarom leest ze haar verhaal niet voor?
Ze is zelfs zo pissig dat ze in de pauze recht op Lena af loopt.
'Wat is dit nou!?' zegt ze. 'Ik heb het hele weekend aan boord aan dat opstel geschreven.'
'O, doe hest dat aan boord schreven? Het zag der ja nait oet.'
Lena haalt Tara's opstel uit haar tas en zwaait ermee in de lucht.
'Wat is dit veur 'n smerig papiertje?'
'Nou, dat schip beweegt, er was wind, maar het verhaal is toch goed? Ik heb het met Marieke bedacht.'
'Marieke is gek. En doe ook. Wat 'n onzinneg gelul, Tara. Denkst toch nait dat IK doar in stink, hè. Kinst Anna wel mooi te kiek zetten in de klas, mor mie nait, dame. Zukse onzin goa ik toch nait inleveren.'

'Onzin?'
'Wilst toch nait zeggen dat dit serieus bedoeld is. Wilst mie veur gek zetten, as piroat?'
'Nee, echt niet. Ik wilde ...'
Lena stampt op haar laarsjes naar het dijkje op het plein. Ze gaat op de houten koe staan.
'Ik heb nijs!' roept ze over het plein.
Meteen komen Natasja en Greta aan haar voeten staan. Ook Mark en Jelle komen op hun klompen aangerend. Anna komt erachteraan gesjokt. Tara blijft tegen de muur aan staan.
Lena roept een verkiezing uit.
'Wel vindt Tara 'n trut?'
Ilona, die aan de rand van het plein staat, steekt als eerste haar hand op. 'Ik!' roept ze. De rest van de klas volgt.
'Ze het expres 'n slecht stuk veur Anna schreven. En dat wol ze ook bie mie doun!'
Lena leest het stuk over Australena voor. 'Belachelijk.' 'Debiel.' 'Onzinneg.'
'Ik heb mien bruier Rinus 't verteld,' schreeuwt Anna nu. 'Dei zal heur wel kriegen!'
'Mooi,' roept Lena.
Het was jouw idee. Het was de club! Ze wil het roepen, aan iedereen vertellen. Maar er komt geen woord uit haar mond.

Datum en tijd: zaterdag 28 oktober 18.00 uur
Positie in de kaart: vlak bij La Palma
Koers: zuid
Snelheid: 8 knopen
Weer: heet, we varen de wind dood

Ik sta op het voordek. Ver weg van de bemanning. Ik wil niemand zien. En al helemaal Lena niet. Hoe durft ze? En Jitse zou ik wel willen kielhalen. Onder het schip door halen. Langzaam. Schurend.
Gewoon hier op dit schip. Onder mijn neus. Alweer. Ik ben ook gek. Hartstikke gek. Dat ik ze vertrouwde. Ik wist toch allang beter?
De laatste twee dagen hebben we non-stop gemotord. Het past goed bij de staat in mijn hoofd. Een continue brom hoor ik. Ik kan bijna niet meer denken. Het lijkt wel alsof die motor in mijn kop zit. Een krukas draait door mijn hersenen. Alles trilt. Frederik staat continu in het stuurhuis. Zijn handen geklemd om het stuur. Witte knokkels. Zijn blik recht op de horizon, alsof hij die wil doorboren met zijn blik. De zeilen zijn geborgen en die komen voorlopig ook niet meer omhoog. Ook al staat er nu best een lekker briesje van achteren. Maar we varen de wind nu helemaal dood. Frederik heeft haast. De gasten staan al twee dagen te wachten op het eiland. Nog even en ze vertrekken weer en annuleren de hele reis.
Misschien annuleer ik ook wel mijn reis. Stap ik gewoon op Gran Canaria van boord. Bekijk het maar. Ik ga niet een beetje toe zitten kijken hoe Jitse en Lena elkaar aflebberen. Ben me daar gek.
Godverdomme.
Simon is ook in alle staten. Hij heeft al gepakt. Hij stapt ook

van boord. Zal ik met hem meegaan? Ga ik er gewoon met haar vriendje vandoor. Eigen schuld, dikke bult.
Gran Canaria ligt recht voor onze neus. Hoge, kale bergen. Blauwe lucht. Hoe dichterbij we komen, hoe meer ik kan onderscheiden. Hoekige appartementencomplexen, hoge kranen in de haven, witte stranden onder steile kliffen. Cactussen en her en der een scheve palmboom. Ik weet dat ik normaal zou staan te springen. Dit wilde ik. Hier wilde ik heen. Maar ik kan het niet waarderen. Ik zie alleen maar een rode gloed voor mijn ogen. Jezus, wat ben ik boos. Het eiland lijkt verdomd veel op de kust die ik met Marieke beschreef in het Australiëopstel voor Lena. In dat kut-opstel. Dat had ik natuurlijk nooit voor haar moeten doen, die trut moet haar eigen sores oplossen.
Net op het moment dat Lena en ik het zo goed hadden. Dat Jitse en ik gewoon met elkaar konden omgaan. Zou ze na ons gesprek al bij hem in bed gedoken zijn? Of zou hij naar haar toe gekomen zijn? Zoals hij ook af en toe bij mij doet? Het moet die nacht waarschijnlijk al gebeurd zijn tussen hem en haar. Ik heb het niet gemerkt, maar het zou me niets verbazen.
Mijn maag scheurde open toen ik het vanochtend wel zag. Mijn nachtwacht was bijna ten einde en ik wilde hem wakker maken voor de zijne, met een kopje koffie, precies zoals hij het graag drinkt. Met wat opgeklopte melk en een lepeltje suiker. Het was moeilijk om de koffie in de mok te houden en daarom zag ik het ook niet meteen toen ik de deur opende. Ik was nog te veel met die koffie bezig, dat het schuim niet over de rand ging, dat de cacao bleef liggen. Toen ik opkeek van mijn kop, keek ik in twee paar ogen. In het ene paar zag ik geilheid, ik herkende het meteen, in het andere schrik. Ik stond even stil met die koffie in mijn hand. Alles

versteende. Haar borstjes met de parmantige tepels staken uit boven de lakens, zijn hand lag op haar buik. Ik weet hoe het voelt om zijn hand daar te hebben. Geruststellend en toch uitdagend. Ik zag haar buik op en neer gaan onder zijn hand. Hij lag schuin over haar heen gebogen, klaar om haar te kussen. Als ik niet binnen was gekomen.
Ik liet de koffie vallen, mijn handen deden het gewoon niet meer. De hete koffie liep over mijn handen, mijn kisten, op het blauwe tapijt op de grond. Het zal nog een klus worden om dat schoon te maken. Maar dat mag Lena doen, mooi dat ik niet meer help in de schoonmaak.
Zwijgend draaide ik me om.
Lena riep me na. ‘Tara, Tara.’
Ik luisterde niet. Ging de gang op. Ze rende me naakt achterna en pakte mijn schouder vast. Ik duwde haar terug, het liefst was ik met mijn kisten op haar gaan staan. Om die twee geile borstjes van haar als slagroomtaartjes plat te stampen.
Ik liep door naar buiten, naar het stuurhuis. Simon stond aan het roer.
‘Je vriendin neukt met Jitse,’ zei ik. Mijn stem klonk als een oude marifoon. Blikkerig.
Hij keek me met bliksemschichten in zijn ogen aan. ‘Hoe weet jij dat?’ snauwde hij.
‘Ik heb ze net betrapt.’
Zonder op of om te kijken, liet hij het roer los en denderde de trap af.
Frederik kwam boven in het stuurhuis.
‘Hoe ver zijn we?’ vroeg hij.
‘Nog achtenveertig mijl tot de kust,’ zei ik.
Hij keek op de gps, we gingen acht knopen. Ik zag hem snel rekenen. Naar de klok kijken. Nog tien uur. We zouden die

avond aankomen. Hij drukte de gashendel tot het uiterste, nu gingen we negen knopen.
'Voor zonsondergang wil ik er zijn,' stelde hij.
Hij nam het stuurwiel in handen alsof hij in een racewagen zat.
Ik ging op het bankje op het achterdek zitten, bij Vikram. Die daar zat als een rots in de branding. Onbeweeglijk, met zijn ogen continu gericht op de horizon achter ons. Ik wilde hem omver duwen. Vond het plotseling heel irritant, die rust, dat kan niet op zee. Alles beweegt hier. Hij zou ook moeten bewegen. Het is onnatuurlijk om zo rustig op een achterdek te zitten, alsof de rest van de mensen er niet is, alsof de zee niet beweegt, alsof mijn wereld niet net is vergaan.
Ik duwde tegen zijn schouders. 'Beweeg eens,' zei ik.
Hij grinnikte en keek me aan. 'Ga eens zitten,' zei hij.
'Ik wil niet zitten. Ik wil liever rennen. Iets stukmaken.'
'Waarom?'
'Omdat ze mij ook stukmaken.'
'Wie is ze?'
'Jitse en Lena.'
'Hoezo maken ze je stuk?'
'Ik heb ze net betrapt.'
En toen kon ik mijn tranen niet meer ophouden. Ze vielen als een waterval naar beneden over mijn oververhitte wangen.
'Het is klote,' zei ik tussen mijn uithalen. 'Waarom overkomt mij dit? Waarom moet ik altijd degene zijn die buiten de boot valt?'
'Is je dat vaker overkomen?'
'Lena bedriegt me keer op keer. Jitse trouwens ook.'
'Waarom wilde je dan zo graag vriendinnen met haar zijn? En waarom wilde je hem als vriendje?'

‘Weet ik veel. Omdat zij wisten hoe het moest of zo.’
‘Hoe wat moest?’
‘Landkind zijn. Maat zijn.’
‘Wat was jij dan?’
‘Een zeekind, een mafkees. Iemand die deed alsof. Ik was steeds bang om door de mand te vallen. Maar als zij ja tegen mij zeiden, dan was ik echt.’
‘En dat was belangrijk?’
‘Wat was belangrijk?’
‘Dat je in hun ogen echt was?’
‘Natuurlijk!’
‘Weet je hoe dit schip heet?’
‘Wat een vraag. Natuurlijk, de Maya.’
‘Dat betekent illusie. Het is tijd dat jij de illusie doorbreekt.’
‘Ik leef niet in een illusie. Ik zie dingen haarscherp. Lena en Jitse bedriegen me keer op keer. Ik moet sterk zijn.’
‘Ook zonder hen ben je echt en volledig. En leuk. Zie je dat zelf?’
‘Wat?’
‘Hoe leuk en compleet je bent, ook zonder anderen.’
Ik werd even stil. ‘Dat weet ik eigenlijk niet.’
‘En nu ben je boos.’
‘Laaiend! Dit kunnen ze toch niet maken! Die zielige Simon. Dit gaat de hele sfeer verpesten aan boord. Dat weet ik nu al.’
‘Waarschijnlijk wel, ja.’
‘Weet je, het lijkt hier wel een lagereschoolklas. Iedereen gedraagt zich alsof hij nog maar twaalf is. Zelfs de kapitein. Zijn mensen niet verschrikkelijk kinderachtig?’
‘Ja. Maar daar hoef je niet aan mee te doen.’
‘Nee, daarom ga ik van boord.’
‘En dan?’

'Dat weet ik ook niet. Ik blijf hier in ieder geval niet zolang een van hen nog aan boord is.'
'Voel jij je dan beter?'
'Vast wel. Ik wil ze niet meer zien.'
'Nu doe jij hetzelfde als je altijd hebt gedaan.'
'En dat is?'
'Je geluk afhankelijk maken van anderen.'
'Man, houd toch op. We zitten hier toch samen op een schip. Zoals je samen in een klas zat. Dan ben je toch afhankelijk van elkaar?! Mensen moeten zich gewoon normaal gedragen. Punt uit.'
'Maar jij kunt ook gelukkig zijn als anderen dat niet zijn. En je kunt ook gelukkig zijn als anderen iets doen wat jij niet wilt. Of als ze niet doen wat jij wilt.'
'Je lijkt mijn vader wel.'
'Ik weet niet of dat een compliment is.'
'Die weet het ook altijd zo goed.'
'Jij weet het zelf ook heel goed. Jij weet precies wat je nodig hebt. En dat is niet Lena. En dat is ook niet Jitse. Laat ze lekker doen wat zij willen.'
Ik sloeg mijn armen over elkaar heen. Wat een onzin.
'Tara, verhalen herhalen zichzelf, totdat jij het patroon doorbreekt.'
'Patroon?! Wat bedoel je?'
'Je zit vast in een slachtofferrol.'
'Ja, nu wordt ie helemaal mooi. Het is toch niet mijn schuld?'
'Je kunt overwegen om anders te reageren. Om jezelf los te zien van wat anderen doen. Om je niet zo afhankelijk op te stellen.'
'Dat doe ik ook niet. Ik stel me onafhankelijk op. Ik ben sterk.'
Ik stamp nog eens met de kisten op de grond.

'Waarom raakt het je dan zo?'
'Omdat het niet eerlijk is.'
Ik sprong op, had weer zin om Vikram van zijn bankje te duwen.
Vikram lachte alleen maar. 'Als je nu wegrent, blijft alles steeds hetzelfde. Het is aan jou om dingen te veranderen. Het gaat erom hoe jij ermee omgaat.'
Toen was ik weggelopen. Hij kan me nog meer wijsmaken. Hoe ik ermee omga! Het is nogal duidelijk dat zij mij een klotestreek leveren. Waarom zou ik dan iets moeten doen om het op te lossen? Bovendien ben ik al lang genoeg stil geweest. En ik laat niet weer over me heen lopen. Daarvoor heb ik die kisten gekregen en ik zal ze gebruiken ook.
These boots are made for walking, and that's just what they'll do. One of these days these boots are gonna walk all over you.
Ik ging weer terug naar het stuurhuis, Frederik stond nog steeds aan het roer en het leek alsof hij niet had gemerkt dat ik weg was geweest.
'Waar zijn de mannen?' vroeg hij.
'Die liggen Lena te naaien,' zei ik.
'Doe normaal.'
'Zij moet normaal doen,' riep ik. 'Zij verpest hier alles aan boord.'
'Ik dacht dat jullie zulke goede vriendinnen waren,' zegt Frederik. 'Jullie zijn niet bij elkaar weg te slaan.'
'Ze spoort niet, als zij meegaat op de oceaan wordt het een puinhoop.'
'Ze runt die keuken anders prima, daar kan je niets van zeggen.'
Ik sprong op en ging naast Frederik staan.
'Zij windt hier alle mannen om haar vinger. Ze lag met Jitse in bed!'

Frederik keek voor het eerst even op van de horizon. Kort.
'Tja, dat gebeurt op schepen.'
'Simon zal dat niet accepteren.'
'Hij is een volwassen man, hij zet zich er wel overheen.'
'Jij bent de kapitein, je moet hier wat aan doen. Lena moet van boord!'
'Dat kan niet, ze moet koken voor onze gasten.'
'Het is zij of ik!'
'Jullie blijven gewoon allebei, want ik ga weg,' zei Frederik. 'Ik moet thuis wat zaken opknappen, dat kan niet vanaf hier.'

En nu zit ik de hele dag al hier. Op dit voordek. Ik heb geen oog dichtgedaan, niets gegeten, niemand meer gezien. Alleen Simon even. Die staat beneden aan de boeg. Met zijn koffer naast hem. Voor de rest kijk ik alleen maar naar voren. Ik zie het bergachtige landschap steeds dichterbij komen, de zon gaat langzaam onder, de kliffen lichten oranje op, alles hult zich een warme gloed. Lekker romantisch. Jitse en Lena kunnen hun lol op.
Als dat kreng aan boord blijft, ben ik weg. Het is klaar.
Ik voel me nu net zo als na het voorlezen van dat stomme opstel. Het lijkt wel alsof alles zich weer herhaalt. Ik had beter naar Ilona moeten luisteren. Verdomme. Die weet dat ik niet met haar in zee moet gaan.

*

Ze staat op het voordek, ver weg van de gasten. De familie Ter Haar is weer mee. Ze heeft geen zin om met ze te praten. Haar woorden zijn op. Marieke vroeg meteen of ze nog leuke verhalen had geschreven. Maar ze heeft geen woord meer geschreven sinds het mislukte opstel. Het lijkt haar duidelijk dat schrijven niet voor haar weggelegd is. Marieke kan nog meer zeggen over veel fantasie en talent. Ze weet nu dat dat niet waar is.

Het water spat over de voorboeg op de trossen. De onderkant van de fok staat te strak, maar ze doet er niets aan. Dat doet de maat wel. Zij doet even helemaal niets meer. Zegt niets meer. En schrijft zeker niets meer. Haar hand heeft ze op haar borst. Dat helpt. Haar hete, kloppende borst wordt koeler. Ze zou er wel mee op het natte dek willen gaan liggen. Ze gloeit als een gek. Elke ochtend loopt ze op haar borst te schrobben, met een schuursponsje dat ze uit de keuken heeft gehaald. Waarmee mama normaal de verkoolde resten uit de pan haalt. Daarmee boent ze de zwarte lijnen, die over de laatste resten van haar litteken lopen, weg. Rinus is zorgvuldig te werk gegaan. Hij wist welke stiften hij moest gebruiken voor zijn tatoeages.

Aan de horizon verschijnt de grijze vuurtoren van het eiland, die bijna opgaat in de laaghangende grijze wolken. Het is een grauwe dag. Je zou niet denken dat dit de eerste dag van de zomervakantie is. Een lange vakantie wordt het. En daarna zal ze naar de middelbare school gaan. Met Lena. Zal er eigenlijk ooit iets veranderen?

Bruno komt naar het voordek getrippeld, hij wordt oud. Ook zij heeft het gevoel het afgelopen jaar jaren ouder te zijn geworden. Volgens juf Jannie is dat normaal. 'In de zesde klas word je een beetje volwassen,' zei ze aan het begin van dit jaar. Ze is bijna dertien, maar sinds de club voelt ze zich wel vijftien.

*

Mama lacht hard om het verhaal van de vader van familie Ter Haar. Hij zit aan het hoofd van de tafel en vertelt geamuseerd over een voorval op zijn werk. Ondertussen eet hij verder van zijn grote bord mosselen. Tussen elke paar zinnen door doopt hij zijn gele mossel in de vette knoflooksaus. Al smakkend vertelt hij verder. Iedereen hangt aan zijn lippen, lacht, en af en toe verbeteren zijn dochters hem of voegt zijn vrouw wat toe. Maar Tara hoort niets van het hele verhaal. Ze zou niet weten waar het over gaat. Onderuitgezakt zit ze op de bank. En eigenlijk wil ze nog verder zakken, om met Bruno onder de tafel te kunnen eten. Maar papa gebaart de hele tijd dat ze rechtop moet zitten.
Ze heeft het nog steeds gloeiend heet. Marieke had net al in haar wangen geknepen en gezegd dat ze op een kabouter lijkt. Ze moet oprotten met haar kabouters, poppetjes, zeehonden, piraten, heksen en elfjes. Maar ze zei niets, ze draaide zich alleen om. Haar woorden zijn op. Het is eb. Springtijlaagwater. Alle verhalen en opstellen zijn weggewaaid met een stevige oostenwind. Het enige wat overgebleven is, zijn de blauwe dikke kwallen uit de Oostzee, van die kwallen die er eng uitzien maar niet eens kunnen prikken.
Met een lege mosselschelp trekt ze de gekookte mossel van de witte stengel uit de blauwe schelp. Ze kijkt in elke schelp of er een parel in zit.
Vroeger vond ze vaak parels. Die liggen thuis in een glazen kastje. Naast de stukken barnsteen die papa heeft gevonden. In een ervan zit een vliegje. Die komt uit de prehistorie. Toen hier op het wad nog bomen groeiden.
Maar nu zitten er geen parels in haar schelp, alleen wat resten prei en wortelen waar de mosselen in gekookt zijn. De binnenkant van de schelp glimt wel net zo als een parel. Glanzend wit met streepjes roze

en blauw. Een beetje zand in de hoeken. Het schuurt tussen haar tanden. Ze hebben niet lang genoeg staan spoelen in schoon water. Dat had ze al gezegd. Maar papa wilde ze per se vanavond eten. Terwijl ze vanmiddag net geplukt waren. Ze waren met z'n allen het wad op gelopen, ook al was het nog steeds zo miezerig. Op haar rode laarzen was ze achter de groep aan gelopen. Ze kon niet sneller, want met elke stap zogen haar laarzen vast in de slik. Ze moest moeite doen om niet weg te zakken in de zuigende donkerblauwe modder. Zodra ze haar laars met een piepend geluid optilde, vulde haar voetstap zich met zout water en modder en verdween haar voetspoor.
Yoerie ging helemaal uit zijn dak. Hij rende om de groep heen en had stukken zeewier op de schouders van zijn regenjas gelegd.
'Ik ben een grobbel, ik ga jullie pakken!' gromde hij, met zijn handen als klauwen in de lucht. En God, wat vond iedereen dat leuk.
'Oei, pas op, een grobbel,' zei Marieke tegen haar zus. En allebei renden ze gillend voor Yoerie weg.
Zij keek vooral naar de grond onder haar. Ze hoorde de scheermessen kraken onder haar voeten en zag in de geulen grijze garnalen alle kanten op schieten. Dertig kronkelende wadpierenhoopjes op weg naar de mosselbank telde ze. Daarna was ze afgeleid door Yoerie, die een klomp modder tegen haar jas aan had gegooid.
'Doe even normoal, man!' had ze geroepen en ze had de modder van haar mouw geveegd. Maar toen was het al te laat. Ze zat vast. Bijna viel ze voorover toen ze verder wilde.
'Dit is dien schuld!' riep ze naar Yoerie, die zich niets van haar woorden aantrok en meteen naar haar toe kwam om heel hard aan haar laars te trekken. Zo hard dat hij zelf achterover op zijn kont in de modder viel.
'Nu lijk je echt op een grobbel!' lachte Marieke terwijl Yoerie weer brullend achter haar aan rende. En daar stond zij dan; vast in de slik. En iedereen had alleen maar oog voor die stinkgrobbel.
Uiteindelijk had papa twee armen om haar middel geslagen en haar

in één ruk uit de modder getrokken. Haar laarzen waren blijven steken in de modder. Die trok Marieke eruit en schoof ze, terwijl zij nog in de armen van papa bungelde, aan haar sokkenvoeten. Daarna was ze meteen, langs de dertig pierenhoopjes, teruggegaan naar het schip.
Toen de groep terugkwam met de bossen mosselen, hadden ze de schelpen in putsen met water op het achterdek gezet. Zij was erbij blijven zitten. Om te kijken hoe er kleine bubbeltjes uit de schelpen kwamen. Hoe ze zich langzaam weer openden en hun baarden lieten zien. Dunne draden die zich tussen de twee schalen spanden, die als afwasborstels het water dat ze in- en uitademden zuiverden. Mossels lijken dom. Maar ze kunnen zichzelf mooi wel schoonmaken. Zij hadden geen schuursponsjes nodig zoals zij, om die gore tekeningen van haar borst af te schrobben. Af en toe kwam er een belletje uit een mossel omhoog, een dun sliertje zeewier dreef op het troebele water tegen de rand van de emmer. Een heel klein grijs garnaaltje zwom rondjes door de puts. Zou ze hem net als vroeger weer oppakken en in een ondiep bakje stoppen? Zo maakten Yoerie en zij een garnalencircus. Door hard op de staart te drukken, sprong de garnaal hoog de lucht in. De uitdaging was om hem over een luciferstokje te laten springen. Dat lukte een keertje. Maar die garnaal viel daarna dood neer. Voorzichtig schoof ze haar hand onder de spartelende garnaal en hield hem even in het kommetje van haar hand. De dunne, lange voelsprieten kriebelden in haar handpalm, de pootjes krabbelden. De zwarte ogen op de stokjes keken haar aan, een grijze, waterige garnalenblik. Toen gooide ze het beestje overboord, in de diepe plas met water bij het roer, die was ontstaan doordat papa hard achteruit had geslagen.
Zo bleef ze lang op dek zitten, totdat haar vingers blauw waren. Dat gebeurde ook altijd met Ilona's vingers als ze buiten speelden. 'Mijn doorbloeding is niet zo goed,' zei ze dan. Ilona. Wat had ze haar al lang niet gesproken.
Papa was boven gekomen om de mosselen mee te nemen. 'Maar ze zijn nog lang niet schoon!' zei ze. Maar hij trok zich niets van haar aan.

Hij was immers de schipper. En schippers vinden dat ze altijd alles weten. En nu eten ze dus mosselen met zand.
'De schelpen moeten jullie bewaren,' roept Yoerie. 'Dan kunnen we krabben vangen!'
Hij heeft zelf al een hele berg naast zijn bord liggen. Straks zal hij ze met een wasknijper aan een lijntje vastbinden en ze tussen de grote achthoekige stenen van de kade hangen. Zo hadden ze vroeger heel wat krabben omhooggetrokken. Ze maakten er de blits mee in de haven. De kinderen uit de jachthaven, met hun witte broekjes en roze polo's, begonnen keihard te gillen als ze zo'n dikke joekel met pokken op zijn rug zagen. Ze stoven alle kanten op als zij ze vrijlieten op de steiger en de krab met zijn scharen omhoog opzij wandelde, richting die jachtkinderen. Watjes. Hadden nog nooit een krab gezien. Stoer pakte ze dan de krab aan de achterkant op, zodat hij haar niet kon bijten, en gooide 'm weer in het water. Dan was ze een hele pief.

Papa's stem haalt haar uit haar krabbengedachten.
'Ik moet iets vertellen,' zegt hij. Alle aandacht verschuift van vader Ter Haar naar hem.
'Dit is onze laatste zomer op De Hoop,' zegt hij terwijl hij iedereen om de beurt even aankijkt.
Het wordt stil aan tafel, het gelach verstomt. Ze hoort alleen nog de zwaarden tegen de zijkant van het schip klepperen en wind om de mast gieren.
'Hoe bedoel je?' vraagt vader Ter Haar. 'Wat is er mis met De Hoop?'
'Het schip is te klein,' zegt papa. 'Ik wil een klipper waar meer gasten op kunnen. Van De Hoop komen we niet meer rond.'
Hij heeft al een nieuw schip op het oog. Hij laat de tekeningen zien. De klipper is bijna twee keer zo lang als De Hoop. Daarop passen achtentwintig in plaats van twaalf passagiers.
'Hier komen de douches en toiletten en hier de ruime keuken.' Hij

rolt de grote, bijna doorzichtige tekenvellen op de tafel tussen de etensresten uit. Daarboven slingert de petroleumlamp.
'Is dat niet wat overdreven? Een pomp-wc en een klein keukenhoekje zoals op De Hoop werken toch ook?' durft Marieke te vragen.
'Mensen verwachten luxe,' beweert papa. 'De tijd van De Hoop is gewoon voorbij.'
Tara kijkt om zich heen. Het donkere hout aan de wanden, het zwarte staal, het gammele keukentje, de ronde patrijspoorten. Hoezo voorbij? Iedereen kijkt papa wat ongelovig aan. Maar hij lijkt het niet te merken. Hij wijst glunderend naar het achterschip op de tekening. 'Kijk, onze roef wordt ook veel groter. Tara en Yoerie zullen hun eigen kamers hebben. En hier komt het stuurhuis,' zegt papa. Het is duidelijk dat dit het toefje slagroom op zijn nieuwe gebakje is. 'Dan hoef ik nooit meer in de regen buiten te staan.'
Ze laat zich zakken tot onder de tafel en kruipt tussen de benen door. 'Kom, Bruno,' fluistert ze. 'Wij gaan naar buiten.' Bruno begint meteen met zijn staart op de grond te slaan. Met Bruno op haar schouder klimt ze de de steile trap op en trekt het schuifluik in de luikenkap open.
'Tara, waar ga je heen?' vraagt mama.
'Als De Hoop weg moet, ga ik ook weg.'
'Tara,' zucht mama. 'Doe even rustig. We hebben hier heel lang over nagedacht. Voor ons is het ook niet makkelijk.'
'Dat zal wel. Maar als jullie zonder De Hoop kunnen, kunnen jullie ook wel zonder mij.' Ze stapt in het gangboord, trekt het luik achter zich dicht en stampt de dijk op.
Bruno wordt steeds langzamer. Hij is al zestien, zijn poten zijn moe. Nooit gaat hij meer alleen het wad op, nu blijft hij dichtbij als ze gaat wandelen. Hij gromt ook steeds vaker. Een oude, grijze zeur wordt het, zegt mama. Maar mama snapt niets van honden. Niets van mensen. En niets van schepen. Die verkoop je niet. Net zomin als je haar of Bruno verkoopt.

Expres gaat ze op het schuine gedeelte van de dijk lopen. Elke voet past precies binnen de achthoekige dijkstenen, af en toe glibbert ze naar beneden, een beetje meer richting de golven die zachtjes tegen de dijk klotsen. Het is een heldere nacht. De bijna volle maan staat hoog boven haar hoofd en daardoor lijkt de zee wel van zilver. In de verte ziet ze boeien groen en rood knipperen. Stevig zet ze de pas erin. Bruno kan haar maar net bijhouden.

Nadat Lena haar tirade over Tara had gehouden, was het schoolplein leeg geweest. Iedereen was naar huis. Ook Ilona.
In haar kamer had ze een tijdje naar zichzelf staan kijken in de spiegel. Ze zag een import-trut die verliefd is op Kevin, een nepclublid, met slechte opstellen. Barslechte opstellen.
Tijdens het eten zei ze niets. De stilte lag als een huik over haar heen. Na het eten was ze weer naar boven gegaan. Ze had nog een hele tijd stil achter haar bureau gezeten. Naar buiten starend door het dakraam. Naar de regendruppels die geel oplichtten door het licht van de lantaarnpalen. En opeens wist ze het. Wat ze moest doen. Ze scheurde een bladzijde uit haar dagboek en plakte vier roze hartenstickertjes in de hoeken. Ze schreef:

Lieve Lucia ☺

Dit is een fanmail.
Fok, jou are sexy!
Zullen we weer vriendinnen worden?
Ik heb een paar geweldige clubacties bedacht.

Groetjes, je beste vriendin, Tara.

Ze tekende er paarse bloemetjes onder. Nee, ze zou het er niet bij laten zitten. Dat mocht niet. Dit zou werken. Ze wist het zeker.

Doelbewust vouwde ze het briefje op en stopte het de volgende dag in het laatje van Lena's tafeltje. Terwijl iedereen nog buiten was, ging zij alvast in het lokaal zitten. De hele ochtend negeerde iedereen haar. Ook Ilona.
Rond een uur of elf kon ze niet langer op haar stoel blijven zitten en vroeg ze juf of ze naar de wc mocht, ook al moest ze helemaal niet. Op de pot perste ze er een paar druppels uit. Ze keek naar de deurklink vol vette vingerafdrukken. En toen hoorde ze iemand het toiletblok binnenkomen. Hakjes. Bekende hakjes. Ze bleven stilstaan. Toen ze doorgetrokken had en de wc uit kwam, zag ze Lena staan. Ze leunde tegen de wasbak en stond met Tara's briefje in haar hand.
Met een scheef lachje zei ze: 'Fanmail.'
'Ja, fanmail.'
'Lucia.'
'Ja, Lucia.'
'De Lena die niet van hier is.' Ze kwam dichterbij. Aaide over haar haar. Bracht haar warme lippen vlak bij haar oor.
'Kom zaterdagmiddag naar de kroeg,' fluisterde ze. 'Dan gaan we biljarten.'
'Biljarten?'
'Dat is mijn nieuwe hobby. Dat heeft Jelle me geleerd. Ik ben al heel goed. Ik wil het jou ook leren.'
'Maar ik mag niet naar de kroeg, dat is alleen voor volwassenen.'
'Mijn moeder werkt er. Dan mag het vast wel. Om vier uur zie ik je daar.'
Ze bleven even zo staan. Heel dicht bij elkaar. Lena rook naar sigarettenrook. Eigenlijk best lekker. 'Fok, wat ben jij een lekker ding, zeg.' Lena blies de woorden uit alsof ze rook uitblies.

Ze blijft stilstaan. De Hoop, die op de kop van de kade ligt, licht af en toe op in het glijdende licht van de vuurtoren.

'Aan alles komt een einde,' dat zei papa.
'Bruno, jij vindt het toch ook niet leuk dat De Hoop weggaat?'
Ze kijkt om zich heen. Waar is ie?
'Bruno!?'
Niets. Niet aan haar voeten, niet voor haar. Is hij zo ver achtergebleven?
'Bruuntje!'
Dan hoort ze een piep. Ver weg, achter haar. Bruno! Ze rent snel terug. In het maanlicht ziet ze hem liggen. Op de stenen.
'Bruno, wat is er!?'
Op haar knieën valt ze bij hem neer. Met zijn poten onder zich ligt hij op de dijk. Hij tilt zijn kop op en kijkt haar met zijn donkerbruine ogen aan.
'Wat is er dan, hondje? Waarom kom je niet mee?'
Ze aait hem over zijn kop. Tussen zijn ogen een zwarte vlek. Dan voelt ze aan zijn poten. Hij gromt. Daar mag ze niet aan zitten. Ze probeert nog eens. Hij laat zijn tanden zien. 'Doen je poten pijn?'
Ze probeert hem overeind te duwen. Hij hapt naar haar handen.
'Kom, we gaan terug.' Ze loopt achteruit richting haven en lokt hem. 'Kom dan, hondje, kom dan.'
Hij kreunt. Het is duidelijk dat hij niet meer overeind kan komen. Dan draait ze zich om en rent heel snel naar het schip.
'Ik ben zo terug, hondje, ik ben zo terug!'

Zwaar ademend ligt Bruno in zijn mand. Zijn kop hangt over de rand. Af en toe opent hij zijn ogen. Ze zit naast hem en aait hem over de zwarte vlekken op zijn rug, die overgaan in de witte vacht. Ze is nu de enige die hij bij zich duldt. Zelfs naar papa gromt hij. Keihard rende ze terug naar het schip om papa te halen. Met elke sprong kon ze een heel cementblok van de strekdam overbruggen. Eén keertje was ze gevallen, omdat ze uitgleed over een stuk zee-

wier. Papa was op zijn sloffen mee terug gerend, hij had niet eens de tijd genomen om een jas aan te doen. Hij had Bruno de hele weg op zijn schouders naar het schip gedragen, met de andere hand hield hij haar hand vast. Hij kneep 'm bijna aan gort.
'We moeten hem alleen laten, Bruno moet dit verder zelf doen,' zegt papa.
Ze laat zich nog even op haar knieën zakken naast de mand en legt haar hand op zijn lijf. Hij is koud. Ze zou hem willen knuffelen en wiegen. Onder een dekentje stoppen. Maar papa pakt haar al bij de schouders. 'Kom, Tara.'
'Dag lieve Bruuntje,' fluistert ze dicht bij zijn oor. 'Dag mijn lieve vriendje.'
Ze legt haar hoofd op zijn rug. Nauwelijks voelt ze zijn ademhaling, zo licht is die. Hij is er al bijna niet meer, voorbij de vloedlijn, vertrokken.
'Ik wil mee, Bruuntje, neem me mee,' huilt ze.
Papa pakt haar nu stevig bij haar bovenarm vast en duwt haar naar het achteronder. Op de drempel kijkt ze nog een keer om. Heel even opent Bruno zijn bruine, troebele ogen en tilt zijn kop een klein beetje op. Daarna laat hij zijn oogleden en kop weer vallen.

De volgende morgen is de mand van Bruno leeg. Een uur nadat zij naar bed was gegaan, had hij zijn laatste adem uitgeblazen, vertelde papa. Met een lage, binnensmondse blaf. Een geluid dat hij ook weleens maakte als hij lag te dromen, waarbij zijn poten schokten en zijn ogen draaiden. Een woe zonder f. Het leven is eruit. Zonder het f-briesje is het windstil.
Papa heeft hem in een zeildoek gewikkeld, zoals ze dat vroeger ook bij zeelieden deden die op zee stierven. Hij heeft hem begraven bij de laatste prik van het geultje naar de haven.
'Nu maakt hij samen met de heksen geluid onder het wad,' zegt Marieke. 'Luister maar, hoor je het niet? Pruttel, blaf, blaf, iek, hihihi, woef woef.'

Als ze voorbij Bruno's graf varen, laat papa de fok even zakken. Met z'n allen op een rij salueren ze een laatste groet naar de liefste waddenhond ter wereld.

'Ik heb goed nieuws,' zegt Marieke. Ze zitten nog een keer met z'n allen om de tafel. Alle tassen van de familie Ter Haar staan al ingepakt op het dek.

'Nu we afscheid hebben moeten nemen van Bruno en De Hoop, wil ik ook nog iets leuks vertellen.' Ze neemt een slokje koffie.

'Mijn boek De witte zeehond wordt uitgegeven!'

Ze gaat rechtop zitten. De witte zeehond? Het verhaal dat zij verzonnen hebben op het wad?

'Ik heb er prachtige tekeningen bij gemaakt,' vertelt Marieke. 'Van De Hoop, van Bruno, van de zeehonden en natuurlijk van Yoerie en Tara, want zij spelen de hoofdrol.'

Een boek over haar? Over het schip en over Bruno?

'Gaat het over de schrijvende zeehond?' vraagt ze. Ze weet niet zeker of ze blij moet zijn. Marieke verzint rare verhalen, dat weet ze nu. Maar een boek, dat is toch wel tof.

'En vallen de heksen echt met hun bezemstelen in het wad?' vraagt Yoerie.

'Ja, precies zoals wij hebben verzonnen. De uitgever heeft nu eindelijk getekend.'

Het is alsof er in de verte, over de drooggevallen platen, heel langzaam weer wat water opkomt.

Datum en tijd: zondag 29 oktober, ergens in de nacht
Positie in de kaart: La Palma
Koers: stil
Snelheid: nul
Weer: benauwd

De muren van de hotelkamer komen op me af. Wat is het hier klein en donker. Het stinkt naar muffe, natte was. Mijn heupen branden nog, van Simons vurige handen.
Het bed is hard en de lakens vuil. Het is het goedkoopste hotel dat we konden vinden. Of eigenlijk dat Simon kon vinden. Ik was gewoon achter hem aan gelopen, het leek alsof hij precies wist waar hij heen wilde. Later bleek dat ook zo te zijn, tijdens zijn vorige reizen was hij hier al vaker geweest en daarom liep hij rechtstreeks naar dit hotelletje in de smalle steeg achter het marktplein.
De kamer heeft alleen een tl-lamp en het kleine raam kijkt uit op de muur aan de andere kant van de steeg. Voor het raam zitten tralies, waarvan de verf afbladdert. Er zit geen douche en toilet in de kamer. Die zitten op de gang en stinken naar urine. Het lijkt alsof het hele hotel vol zit met mannen. Terwijl ik de drie smalle trappen omhoog liep, zag ik alleen maar snorren en donkere, bruine ogen.
Ik voel me vies, mijn huid jeukt. Ik weet niet of dat komt door het bed of door de vrijpartij van net met Simon. Het was eigenlijk helemaal niet mijn bedoeling om dat te doen. Net zoals het nooit mijn bedoeling is geweest om van boord te stappen. Ik deed het gewoon. Ik liep achter Simon aan, met mijn blik naar de grond. Ik hoorde nog wel dat Frederik mij nariep, of ik echt niet wilde blijven, dat hij wel iets zou regelen … Maar mijn voeten liepen gewoon door. Lena kwam me achterna en greep me bij mijn arm.

'Ga niet met hem mee,' fluisterde ze. 'Het spijt me. Ik wist niet dat je het zo erg zou vinden.'
Ik duwde haar weg, ze kan me nog meer vertellen. Het hele land golfde om mij heen, ik werd misselijk. Landziek. Nog erger dan in Lissabon leek het alsof het land bewoog, na die deinende weken op zee. Ik had moeite om rechtdoor te lopen, mijn lichaam was gewend geraakt aan een bewegend schip, niet aan een vastliggend eiland. Zo gaat dat dus; als je lang genoeg op zee bent, worden golven recht, wordt het dek je bodem en kun je niet meer aarden op land. Land dat opeens golft als de zee. De palmbomen trilden, de stenen op de weg rammelden. Ik slikte diep, negeerde mijn maag, die omdraaide alsof ik zeeziek was, en liep weg van het schip.
Toen we eenmaal in de hotelkamer waren en de deur achter ons in het slot viel, zette Simon zijn tas op het bed. Hij pakte me stevig vast, alsof ik het roer was. Ik voelde zijn grote handen op mijn heupen. Hij bepaalde koers. Ik lag als koper in zijn handen. Hij drukte zijn onderlichaam tegen mij aan. Ik voelde zijn verharding. Hij zoende mij wild en zijn baardharen schuurden langs mijn kin. Zijn tong vloog door mijn mond, langs mijn hals. Hij keek me niet aan. Hij had een soort wilde blik in zijn ogen. Ik liet het gebeuren, voelde geen verlangen om hem te stoppen, vond het eigenlijk wel fijn om zo genomen te worden. Ik wilde gekwetst worden en ik wilde kwetsen. Ik wilde dat haar man mij binnentrad. Ik wilde zijn lid voelen om haar te laten voelen dat zij niet de enige is die begeerd wordt. Hij maakte van mij een vijand van formaat. Wat zij doet, kan ik ook. Het deed bijna pijn toen hij in me kwam, in één keer stootte hij van achteren naar binnen. Zijn handen stijf om mijn schouders, af en toe trok hij aan mijn haar, te hard, dan kneep hij weer in mijn bovenarmen, die nu blauw en beurs zijn.

Hoe vaak is dat al met Lena gebeurd? Heel even, in een fractie van een seconde, voelde ik compassie voor haar. Zag ik opeens al haar stiefvaders, al haar vriendjes, die haar op haar plek hielden. Die haar penetreerden, sloegen, klein hielden. Even zag ik dat. Voelde ik dat met elke stoot van Simon. Ik voelde dat het niet uitmaakte of ik nu Tara was of Lena. Hij nam mij zonder naam en zonder verhaal. Ik was de wond, hij de dolk. Ik liet het gebeuren, zij had het laten gebeuren, wij hadden het laten gebeuren. Ik voelde mijn eigen pijn en tegelijkertijd die van haar en zelfs die van haar moeder.

Ik was op dit eiland en tegelijkertijd in Ziltezijl. Ik zag een groepje jongens een stift zetten op mijn borst. Ik zag mezelf liggen op een biljarttafel. Even waren Ziltezijl en Gran Canaria één plek en was het net alsof alles tegelijk gebeurde. Alsof er geen tijd of afstand lag tussen dat dorp achter de dijk en dit tropische eiland in de zee.

Toen hij klaarkwam, met een laatste harde stoot, schoot ik weer terug in mijn lijf. Ik voelde het harde bed onder mij, het warme vocht tussen mijn benen. Ik zag zijn ogen die mij niet zagen. We hadden het licht niet aangedaan. Ik voelde voldoening. Zij was niet de enige die pijn kon veroorzaken of kon voelen, dat kon ik ook.

Simon trok zijn spijkerbroek weer omhoog en zei dat hij even iets ging regelen op straat.

Nu lig ik hier al een paar uur alleen op dit bed. Ik kijk naar spinnenwebben die aan de fan op het plafond hangen. Ik hoor mannen schreeuwen op straat en auto's toeteren in de verte. Zo anders dan een schip, dit. Niets beweegt. De muren staan recht en ik hoor geen zee en geen wind.

Ik lig nog steeds in zijn vocht. Het lukt me niet om op te staan. Buiten is het al donker. In de kamer naast de onze

staat de tv hard aan. Op een vreemde manier voel ik me volwassen.
Ik denk aan de biljarttafel, de tatoeages en de brandende pijn op mijn borst. Ik laat de herinnering toe, ik ben er klaar voor.

*

De ramen van de kroeg zijn donker, ze kan niet naar binnen kijken. Zo vaak had ze al geluiden naar buiten horen komen, geschreeuw, gelach. Maar nooit was ze daar naar binnen geweest. Voorzichtig zet ze een stap in de hal, de voordeur staat open. Het is precies vier uur, zoals ze met Lena heeft afgesproken. Tegen mama heeft ze gezegd dat ze haar bootje ging hozen, die hoeft hier niets van te weten.
Voor haar hangen zware roodfluwelen gordijnen, met stukken bruin leer aan de onderkant. Ze steekt haar hoofd door de twee gordijnen en haar ogen moeten even wennen aan de donkerte. Haar ogen prikken van de rook. Lena's moeder staat met een diep uitgesneden blouse met tijgerprint achter de bar. In de hoek een man met tatoeages achter een gokkast. Op de tafels liggen dikke tapijtentafelkleden en staan volle asbakken. Maar één tafeltje is bezet, met Bertus die diep in zijn glaasje jenever kijkt.
Nu pas ziet ze dat Lena aan het einde van de bar zit. Op een barkruk met haar benen over elkaar geslagen. Ze ziet eruit alsof ze zestien is, met haar strakke gebleekte spijkerbroek en korte jasje. Ze lacht, wenkt Tara naar de bar en klopt op de kruk naast haar. Lena's moeder schenkt hun een drankje in dat op limonade lijkt maar bitter en vies smaakt.
'Joen vrienden bin der al, dei zitten in 't biljartzoaltje achter,' zegt Lena's moeder.
Vrienden? Over welke vrienden gaat dit? Ze kijkt Lena aan, maar die bestudeert de bierviltjes die op de bar liggen.
'Mor eerst wil ik die aan aine veurstellen, Lena.'
Lena kijkt haar verbaasd en fel aan. 'Aan wel den?'
Haar moeder roept de gast met tatoeages achter de gokkast. Hij slaat een stevige arm om de dunne schouders van Lena's moeder. Opeens ziet Tara hoe klein Lena's moeder eigenlijk is. Haar huid is zo bleek

dat je er bijna doorheen kan kijken en haar haren zijn zo slap als een vlag zonder wind. Maar haar groene ogen, dezelfde als die van Lena, stralen. 'Dit is Jacco.'
Jacco steekt een hand naar Lena uit. 'Dus doe bist Lena,' zegt hij.
Lena heeft zich met haar rug naar de bar gedraaid en kijkt met over elkaar geslagen armen naar buiten.
'Lena!' Haar moeders stem klinkt schel. 'Keer die es even om, Jacco is nait zomor aine. Hai is dien nije staifpabbe!'
'Ik heb al genog staifpabbes,' sneert Lena zonder zich om te draaien.
'Wel haar ooit docht dat ik 'n dochter derbie kriegen zol! En ik heb der niks veur doan!' Jacco lacht diep.
Tara kijkt recht in zijn donkerbehaarde oksel. Hij draagt een zwartleren vest zonder mouwen, de tatoeages op zijn arm doen haar denken aan de vrouwen die de broer van Anna tekent.
Opeens springt Lena van de barkruk, pakt Tara's hand vast en trekt haar mee naar een deur achter in de kroeg.
'Wel veurzichtig doun mit 't biljartklaid, he,' schreeuwt Lena's moeder hen achterna.
Haar buik keert om. Wat is er achter die deur? Welke vrienden zitten daar? Maar ze krijgt geen tijd om dingen te vragen. Lena trekt haar zonder pardon mee de ruimte in. Hier is het nog donkerder. Het duurt even voordat ze de ruimte in zich op kan nemen. Zwakke gele gloeilampen aan het plafond. Een verduisterd raam achterin. De geur van verschraald bier, zoals hun ruim ruikt als er een groep Duitse mannen mee is gevaren. In het midden van de ruimte staat een biljarttafel, daartegenaan twee keus, de ballen over de tafel verspreid. Iemand is blijkbaar midden in een spel gestopt. Op de rand van de tafel ziet ze de contouren van een man. Rokend. Een meisje naast hem. Ze komen haar vaag bekend voor.
Lena schuift achter hen een stoel voor de deur. Wat is dit?
De man staat op en komt naar haar toe. Haar maag draait om, haar

schoenen voelen als blokken cement aan haar voeten.
'Dus doe holst van tatoeages?' zegt hij. Ze heeft die stem eerder gehoord, bij Anna. Rinus.
Uit een donkere hoek komt Anna tevoorschijn, ze stoot zich aan de punt van de biljarttafel en vloekt zachtjes. Rinus pakt Tara bij de schouders en duwt haar op de biljarttafel, alsof zij een vis is die hij gaat fileren. Ze wil iets doen; schoppen, gillen, losbreken. Maar haar armen en benen zijn slap, levenloos. En hij is sterk. Anna trekt Tara's shirt omhoog, Rinus glijdt met zijn ruwe vingers over haar borst. Hij ruikt, zelfs in zijn nette geruite blouse, naar gerookte schollen. Ruwe vingers gaan over haar zachte buik, haar ribben, de laatste restjes van haar litteken en dan draaiend om haar tepels. Hij knijpt er even in.
'Ze het nog hailemaal gain borsten,' hoort ze Anna giebelen.
'Doar zal ik wel es even veur zorgen,' zegt Rinus.
Lena hoort of ziet ze niet. Waar is die gebleven? Ze probeert zich los te worstelen. 'Lena!?' Geen antwoord.
Anna geeft Rinus een stift aan. Hij trekt de dop eraf. Ze schopt en probeert zich los te worstelen. Hardhandig drukt Rinus haar hoofd tegen de tafel. Ze voelt haar slaap bonzen.
'Stilliggen blieven – haarst mor nait zo'n mooi stokje schrieven motten.'
Ze kan geen kant meer op en knijpt haar ogen dicht. Ze voelt enkel de koele stift op haar hete borst. Hij drukt hard, alsof hij de inkt in haar borst wil duwen. De stift schuurt door haar huid heen. Eerst doet het pijn, maar na een tijdje voelt ze niets meer. Haar borst is weg. Haar hele lijf lost op. Ze hoort alleen nog maar het tikken van de klok boven de deur. Ze telt het aantal tikken. Elke seconde. Tik tik tik. Tweehonderdachtennegentig. Dan laat hij haar los en loopt zonder iets te zeggen het zaaltje uit. Zij ligt als een verlaten biljartbal op de tafel. Opeens verschijnt Lena weer. Ze kijkt hoe Tara daar ligt, met haar shirt omhooggetrokken.
'Sorry,' fluistert ze. 'Ik kon ze niet tegenhouden.'

Snel loopt ze achter Rinus de zaal uit.
Het duurt nog honderdzevenenzestig tikken voordat ze haar lijf weer kan voelen. Tintelingen in haar slapende benen, pijnlijke schouders waar Rinus haar vast heeft gehouden en een brandend gevoel op haar borst. Als ze in de verte de stemmen van een aantal mannen hoort, trekt ze op de automatische piloot haar shirt naar beneden en gaat rechtop zitten. Aan de wand hangt een dartbord met een pijl net naast het midden. Op de grond ligt de stift van Rinus. Jacco en zijn vrienden komen binnen met biljartkeus in hun handen. Ze glijdt van de tafel en loopt verdoofd en verblind tussen hen door. In de kroeg zitten Lena, Rinus en Anna aan de bar. Ze kletsen en lachen alsof er niets gebeurd is.
'Wilst wat drinken, Taar?' vraagt Lena. Ze houdt haar glas omhoog. Tara kan zich niet focussen, Lena is een vage vlek, met uitgelopen lijnen. Ze moet hier weg. Als een zombie loopt ze door de gordijnen, de straat op.

Thuis kijkt ze in de spiegel. Rondom haar tepels, over de laatste witte strepen op haar borst, heeft Rinus twee cirkels getekend. Het is net alsof ze twee enorme borsten heeft. Het bloedt, hij heeft hard gedrukt.
Meteen rent ze naar beneden om het schuursponsje van mama te pakken.

Datum en tijd: zondag 29 oktober, vroege ochtend
Positie in de kaart: La Palma
Koers: geen
Snelheid: nul
Weer: benauwd

Het harde bed wordt steeds harder, zijn vocht steeds droger. Ik plak. Het lukt me niet om op te staan, het bed houdt me op mijn plek. Simon is nog steeds niet terug. Buiten is het donker, de straten zijn nu stil, het zal wel midden in de nacht zijn of ergens vroeg in de ochtend. De kamer voelt met de minuut kleiner, ik ben hier ingesloten. Het is akelig warm, de lucht drukt zwaar op me.

In de muren zitten ogen, ze kleden me uit. Bekijken alles wat er in me zit, ze zien alle scherpe randen en spiegelscherven. De momenten dat Jitse vreemdging. Het moment dat Lena op het schoolplein vroeg wie mij een trut vond. Al die momenten waarop ik klein was, in stukken lag, bedrogen was. Scherf voor scherf valt het om me heen. Kleine stukjes Tara. Niet compleet, gebroken, scherp. De momenten gaan in elkaar over. De leeftijden, de plekken. Tara van vier die voor het eerst de kleuterklas binnenloopt, versmelt met de Tara die lid wordt van de club. De Tara die opstellen voor anderen schrijft, is dezelfde Tara die op een schip stapt in de armen van Lena. De Tara die nu bedrogen is door Lena en Jitse is de Tara met de littekens en tatoeages op haar borst. Kleine stukjes Tara, ik ben een stukgevallen spiegel.

'Het is belangrijk dat je de pijn toestaat, voordat je het kunt loslaten.' Dat zei Vikram.

De pijn toestaan. Alles? Ook Ilona?

Ilona, het spijt me, ik had je nooit mee moeten nemen op dat bootje. Nee, niet aan haar denken, niet doen. Ik ga mee

kopje-onder. Het bruine waddenwater omsluit me. Waarom herhaalt alles zich? Als golven die over elkaar heen vallen. Ik hoor Vikrams zangerige stem weer. 'Je hebt een keuze. Doe niet wat je altijd al hebt gedaan.'
Ze komt op me af. Met haar dunne ledematen, wilde haren en de lichtjes in haar ogen. Ze zwaait naar me, zoals ze dat altijd deed. Is het Ilona? Ik wil naar haar toe rennen maar het lukt me niet. Ik ben verankerd in mezelf, in het zuigende slik van het wad, mijn voeten zitten vast. Mijn borst brandt, schuren moet ik, poetsen. Die pennenstrepen zijn na zeven jaar nog steeds niet weg. Ik kan boenen wat ik wil, het heeft me getekend. Net als al het zout van Ziltezijl, doordrenkt ben ik ermee.
Opeens begin ik te schreeuwen. Mijn eigen stem overvalt me, zo schril, zo scherp en niet meer te stoppen. Ik schreeuw zonder woorden. Mijn kaken wijd uiteen, mijn ogen opengesperd. Van onder uit mijn buik komt het geluid, het weerkaatst op de muren. Met mijn schreeuw komen de tranen mee naar buiten, ze springen uit mijn ogen. Ik schreeuw en stamp op het bed, ik tril ervan. Ik bal mijn vuisten. Ergens in de verte klinken kerkklokken, meeuwen in de stad schreeuwen.
Mijn stem krijgt een echo die steeds luider wordt. De bergen weerkaatsen mijn stem, steeds luider en voller klinkt mijn schreeuw. Door de schemer, over de stranden, over de oceaan. Mijn borst trilt mee. De laatste resten van mijn litteken barsten open. Kokend hete soep borrelt naar buiten. Damp stijgt op. Die twee o's die Rinus op mijn borsten had getekend, breken op de grond. Ik hoor het kraken, scheuren. Rinkelende scherven. Brekende zwarte tatoeages.
Ilona! Het spijt me!
Het is alsof de grond onder me openbreekt. Mijn schreeuw verstomt. Het is op.

*

'Met Ilona.'
'Iloon, met mij.'
'Zo, ben je er weer.'
'Ik was aan het zeilen. Ik kon je niet bellen. Mijn ouders gaan De Hoop verkopen.'
'Wat moet ik daarmee?'
'Bruno is dood.'
'O.'
'En er is nog iets gebeurd. Dat wil ik je vertellen. Zullen we afspreken?'
'Ik weet het niet, Tara. Je doet de laatste tijd zo raar.'
'Dat is nu over. Echt. Ik wil niets meer met Lena te maken hebben.'
'Vooruit dan. Kom maar naar mijn huis.'

Ilona staat haar op te wachten bij de weg. Tara knippert met haar ogen, dit is een andere Ilona dan ze kent. Ze wist dat Ilona deze zomer met haar ouders meeging naar Canada, maar ze had niet verwacht dat Ilona zo anders terug zou komen. Ze heeft een wijde broek aan met een laag kruis, dat tot haar knieën hangt, daaronder blauwe All Stars. En een gestreept hemdje erboven, waarvan een bandje van haar schouder hangt. Ze heeft borsten gekregen. Stoer en toch vrouwelijk. Niet meer dat meisje dat je zo makkelijk wegblaast. Tara struikelt bijna over haar voeten als ze van de fiets stapt. Ze rent naar Ilona toe en omarmt haar. Ze voelt dat Ilona verstijft en haar handen naast haar lichaam laat hangen. Tara trekt haar armen weer terug. Waar is haar vriendin? Ze kijkt naar Ilona, die met koele bruine ogen naar haar kijkt.
'Kom, laten we naar de tuin gaan,' zegt ze. 'Mijn moeder is er niet, dus we hebben het hele huis voor onszelf.' Ilona draait zich om en loopt naar de tuin.

'Hoe was je zomer?' vraagt Tara, als ze naast Ilona op het gras gaat zitten.
'Te gek,' zegt Ilona. 'Ik wou dat ik daar mocht blijven, ze zijn daar een stuk minder achterlijk dan hier.'
Voordat Tara wat kan zeggen, staat Ilona weer op, loopt naar binnen en komt met twee glazen groene limonade terug.
'Minty lemonade, dat drinkt iedereen in de States,' zegt ze. Heeft ze nu opeens een Engels accent?
'Er is iets gebeurd,' zegt Tara. 'Iets verschrikkelijks.'
'Dat van die tatoeages zeker?' vraagt Ilona, terwijl ze haar glas gulzig leegdrinkt, maar blijft staan.
'Hoe weet jij dat?' Tara verslikt zich bijna in haar eerste slok.
'Tara, iedereen weet dat soort dingen. Jij bent de enige in dit dorp die denkt dat alles geheim is. Iedereen kent die stomme club van Lena met haar debiele regels.'
'Maar jij was toch geen lid van die club?' Tara denkt aan het schriftje. De paar handtekeningen die erin stonden. Ze springt op.
'Wat ben je toch blind! En nu ze jou verminken, zoals ze al tig keer met mij hebben gedaan, wil je opeens weer vriendinnen worden.'
Ilona laat zich achterovervallen op een ligstoel en sluit haar ogen.
Tara wil haar het liefste van het bed af trekken en door elkaar schudden.
'Wat bedoel je, Ilona? Verminken?'
Ilona gooit haar armen in de lucht. 'Jij denkt dat dit alleen maar over jou gaat. Dat je de enige bent die gepest wordt. Zielige Tara. Alsof jij de enige bent op wie Lena het gemunt had. Alsof jij het enige lid was van die stomme club van haar.'
'Hoe weet jij nou over de club?'
'Iedereen heeft met die stomme regels van Lena te maken gehad. Het gaat heus niet alleen om jou, hoor.'
'Dat weet ik echt wel.' Tara ijsbeert langs de overwoekerde heg, die eerder rond dan recht is. Wat doet Ilona stom.

'Nou, waar was je dan op het moment dat ik in elkaar werd geslagen door die trutten? Waar was je toen ze mijn haar hadden afgeknipt, daar op de begraafplaats? Jij zat zeker op die kamer van Lena. Fanmail te schrijven of zo. Omdat je zo nodig clublid wilde worden.'
Van verbazing kan Tara bijna niet op haar benen blijven staan.
'Je haar geknipt? Ik dacht dat jij dat zelf had gedaan.'
'Jij dacht ook dat je het enige clublid was.'
'Waarom heb je dat niet gezegd?' vraagt ze terwijl ze voorzichtig op het randje van de andere ligstoel gaat zitten. Er zitten schimmelvlekken in het katoen.
'Jij vertelt mij toch ook niets over die stomme tatoeages. Anna heeft het al aan iedereen verteld.'
'Dat meen je niet?'
'Tuurlijk wel. Iedereen kletst de hele tijd, maar jij bent alleen maar met jezelf bezig. En je zag niet eens dat ze mij ook steeds te pakken namen.'
'Ik wist dat niet, Ilona,' fluistert ze. 'Vertel me alles.'
'De dag nadat ze jou voor de club vroeg, vroeg ze mij ook. Op het moment dat je mijn uitnodiging van Natasja stond te verbranden.'
'Hè, wist je daarvan?'
'Ja, dat vertelde Lena mij.'
'Wat?'
'Ze kwam op straat op me af. Ze zei: 'Die zogenaamde vriendin van jou heeft net een uitnodiging uit je tafeltje gejat. Ze staat daar.' En ze wees naar jouw achterkant, terwijl je tussen de school en de bosjes stond.'
'Ilona, ik wilde dat helemaal niet doen. Ze dwongen me.'
'Dat weet ik. En bovendien was ik er echt niet naartoe gegaan. Ik had die uitnodiging allang gezien en ik wist meteen dat het een val was. Natasja nodigt me toch niet zomaar uit?'
'Het feestje was ook niets aan. Ik was liever met jou meegegaan. Zonnegolven.'

'Je had nooit lid moeten worden van die club, Tara, waarom heb je dat gedaan?'
'Weet ik veel. Het klonk zo leuk. En ik vind Lena ook wel zielig, ze is echt niet zo gemeen, hoor. Ze is een vriendin. Wist je dat haar vader niet eens weet dat ze bestaat? Hij woont in Spanje. En haar moeder heeft haar als baby gewoon achtergelaten in Ziltezijl.'
'Wat een onzin, haar vader woont een dorp verderop.'
'Dat kan niet.'
'Hij werkt daar in de pizzeria. Misschien is hij wel echt een Spanjaard, dat weet ik niet.'
Tara staart naar de schimmelvlek in de ligstoel. Hij ruikt hetzelfde als hun oude fok, als die te lang nat in het vooronder heeft gelegen. Wat een leugens! Ze voelt zich stom. Wat heeft ze zichzelf te kijk gezet. Iedereen wist gewoon alles. Ze was niets bijzonders. Gewoon een van de speeltjes van Lena. Ze schopt in het gras. 'Verdomme!'
'En ze heeft jou dus ook voor de club gevraagd?' vraagt ze, ze kan het bijna niet geloven.
'Ze ging al een tijdje rond met dat schriftje van haar. Langs Anna en Jolanda en iedere gek die maar tekenen wilde. Ze had er geloof ik wel lol in, om lekker haar eigen regeltjes te verzinnen. Maar ja, ik heb natuurlijk nooit getekend. Wat een onzin.'
'Waarom heb je me dat niet verteld?'
'Om die regel één. Niemand mag iets zeggen over de club. En als je dat wel doet, dan geven ze je een mooi kapsel. En de persoon aan wie je het hebt doorverteld ook.'
'Oh shit, Ilona.'
'Op een middag kwam ze naar me toe en zei: 'Vanmiddag ga ik die vriendin van jou eens te grazen nemen.''
'Wat wilde Lena doen dan?'
'Ik weet niet of ze echt wat van plan was. Ze wist waarschijnlijk dat ik jou achterna zou komen om je te waarschuwen. En dat deed ik, met mijn stomme hoofd. Ik had beter moeten weten, maar ik voelde

me schuldig dat ik je niet had verteld over die nepclub. Ik kwam achter jou aan toen je over de begraafplaats liep. Maar voordat ik iets kon zeggen, legde iemand een hand op mijn mond en werd ik de bosjes in getrokken. Het waren Greta en Natasja. Ze duwden me tegen de achterkant van een graf. Ik schrok me rot toen ze die schaar uit hun tas haalden. Ze zeiden dat ze me als een haring gingen fileren.'
Tara herinnert zich weer hoe Lena uit haar dakraam keek. Had ze het gewoon zien gebeuren vanaf daar? En zij maar denken dat ze vriendinnen waren. Daarom stak ze natuurlijk die duim op. Shit, wat was ze naïef.
'Waarom heb je me dit niet eerder verteld, Ilona? Ik was meteen met die club gestopt.'
'Omdat ze zeiden dat ze, als ik mijn mond open zou doen, jou ook zouden fileren.'
Tara zwijgt. Ilona heeft om haar te beschermen niets gezegd.
'Jemig, wat ben ik een trut.'
'Je wilde er gewoon graag bij horen. Dat snap ik ook wel. Het is niet leuk om een mafkees te zijn.'
Ilona draait zich naar Tara toe. Haar ogen zijn weer wat zachter.
Tara kan haar tranen niet meer ophouden.
'Het spijt me.'
'Laat je op de middelbare school niet weer door haar inpalmen, hè.'
'Ik wou dat ik naar dezelfde school als jij ging.'
'Je vindt vast wel nieuwe vriendinnen.'
'Nooit meer zo'n goeie als jij.'
'Zo'n goeie vriendin was ik ook weer niet. Ik heb op het schoolplein wel mijn hand omhoog gestoken, toen Lena vroeg wie jou een trut vindt.'
'Dat snap ik ook wel. Anders had ze jou gepakt.'
Ilona knikt.
'Joh, we lijken wel een stel trollen, zoals we ons gedragen.'
Ilona lacht en steekt haar armen de lucht in alsof ze een trol is.

'Kom mor bie mien club, mien wicht, ik heb nog wel wat schiere regels!'
Tara springt op en rent weg. 'Nee!'
Ilona komt lachend achter haar aan gerend.

Datum en tijd: zondag 29 oktober, ergens op de dag
Positie in de kaart: La Palma
Koers: mijn eigen
Snelheid: stapvoets
Weer: helder, subtropisch, licht briesje

Ik weet niet hoelang ik hier al lig, buiten is het al licht, maar ik weet niet of het ochtend is of middag. Met moeite kom ik overeind en loop naar de douche op de gang. Een vies hokje met tegels die ooit wit waren en waar nu bruine strepen overheen lopen. In het doucheputje ligt een klosje zwarte haren met een wit slijmlaagje eroverheen. Het water proest uit de douchekop. Eerst roestig bruin, koud water. Langzaam wordt het helderder en warmer. De warme douchestralen masseren zachtjes mijn schouders, lopen langs mijn ruggengraat naar beneden. Ik spoel hem weg. Ik spoel mezelf weg. Ik spoel alle leugens weg. Met mijn handen was ik mezelf met het stuk groene zeep dat op het zeepbakje aan de muur ligt. Ouderwetse schoonmaakgeur. Ik draai de kraan wat warmer. Ik brand me bijna aan het te hete water. Ik boen steeds harder. Schoon wil ik zijn.
In de kleine dampende douchecel bind ik een handdoek om mijn haren en ik loop naar mijn kamer. Ik doe mijn kleren aan en pak mijn legerzak op, die ik snel heb ingepakt in Ziltezijl. Er is iets veranderd, al weet ik niet precies wat. Er is een soort doelgerichtheid in me opgestaan. Heel bewust trek ik mijn kisten aan en trek de veters strak aan. Ik zal ermee het eiland op lopen en mijn eigen koers gaan. Ik bel mijn ouders en vraag of ze wat geld overmaken, ik zoek een fijn plekje hier en ga lekker schrijven. Mooi dat ik niet meer terugga naar dat schip. Het is tijd voor mijn eigen verhaal. Mijn eigen koers.

Ik schuif Simons tas aan de kant en open de deur van de hotelkamer. Het is donker in de gang. Het kleine peertje aan het plafond doet nauwelijks iets. Ik loop stevig door en hoor mijn kisten klinken op het gammele hout op de vloer. Ik voel me vrij, ik kan overal heen gaan, ik ben van niemand afhankelijk.
Ik loop op de tast door het donker, ik weet nog dat er aan het einde van de gang een trap naar beneden is. Hoor ik nou de vloer piepen? Komt iemand me tegemoet? Toch minder ik geen vaart, ik dender met mijn kisten op het einde van de gang af. En dan knal ik tegen een breed mannenlijf. Ik voel het aan de stevigheid van de borstkas, waartegen mijn hoofd nu leunt. Ik beweeg niet. Ik ruik een bekende geur. Staal. Nederlands staal, vermengd met zout en klei. Blauwe klei.
'Sorry,' mompel ik.
Maar ik beweeg niet. Ik blijf staan. De man ook. Hij legt een brede hand op mijn rug. Ik kan de eeltknobbels door mijn kleren heen voelen. Is hij het echt?
'Tara,' fluistert hij. 'We komen je halen.'
Hij is het echt. Ze zijn teruggekomen. Nu niet zwak worden, gewoon rechtop blijven staan. Niet huilen.
Hij pakt me bij mijn schouders beet, stevig, en duwt me een beetje naar achteren. Ik zie langzaam de contouren van zijn gezicht, de stoppelbaard, en daarboven op zijn arm een tatoeage. Frank.
Nu zie ik dat er achter hem nog meer mensen staan. Ik zie Inge. Het blonde haar van Simon, die een beetje op de achtergrond staat.
'Jullie zijn er weer,' fluister ik.
'Frederik heeft ons gebeld,' zegt Inge, die nu naast Frank komt staan. 'Hij gaat van boord en heeft gesmeekt of we zijn positie over willen nemen.'

'Het moet niet gekker worden.'
'Eerst twijfelden we,' zegt Inge. 'Maar door die mooie brief van jou zijn we overgehaald. Dit kunnen we niet missen.'
'En Jitse en Lena?'
'Zij blijven. Anders hebben we niet genoeg bemanning,' zegt Frank.
'Je hebt het moeilijk, hè?' zegt Inge. 'Met hen.'
Ik kijk naar hun donkere contouren in de gang. Ik voel zo'n diepe dankbaarheid dat ze hier zijn.
'Ik wil hier blijven, op het eiland.'
'Dat zou ik jammer vinden,' zegt Frank.
'We hebben er juist naar uitgekeken om met jou te varen,' zegt Inge.
Inge kijkt me lang en serieus aan. Bijna voel ik me smelten, maar dat mag niet. Ik moet sterk blijven. Anders red ik het niet. Maar ik wil zo graag met Frank en Inge varen. Ze zijn helemaal hierheen gekomen. Met hen aan boord zal alles anders zijn. Met hen zal ik ook aan boord vrij kunnen zijn. Toch?
'Hoe hebben jullie mij gevonden?' vraag ik.
Frank wijst naar Simon, die naar voren stapt.
Hij legt een hand op mijn schouder en buigt zich naar voren. Ik wil hem wegduwen, maar het lukt niet.
'Sorry,' fluistert hij. 'Maar ik vond het niet wijs als je met mij meeging. Ik ben terug naar het schip gegaan en heb gezegd dat ze jou moeten halen.'
'Ik kan heus wel voor mezelf zorgen, hoor,' zeg ik.
'Ik wil overmorgen vertrekken,' zegt Frank terwijl hij op zijn horloge kijkt. 'We moeten gaan. Er is nog genoeg te doen. Kom je?'
Hij wacht mijn antwoord niet af maar haakt zijn arm in de mijne en neemt me mee over de trap naar beneden. Mijn voeten volgen hem.

*

Ze wil het wel, maar het lukt niet. Ze wil wel wat zeggen over de tatoeages, de leugens, de aanvallen op Ilona. Dat had ze zich voorgenomen na haar gesprek met Ilona. Nooit meer zou ze vriendinnen worden met Lena. Maar als ze eenmaal in de bus zit naar haar nieuwe school en Lena een halte verder instapt en naast haar gaat zitten, komt er geen woord meer uit haar mond. Ze wil opstaan en ergens anders gaan zitten. Maar waar? Ze kent bijna niemand in de bus, niemand gaat naar dezelfde school als zij. Lena kletst vrolijk tegen haar over de zomer. Doet net of er nooit wat gebeurd is.
'Spannend hè, zo'n nieuwe school. Ik heb echt zin!'
Ze haakt haar arm in die van Tara, samen lopen ze het schoolplein op. Alle andere brugpiepers herkennen Lena meteen als de leider en haar als de mafkees. Dat ziet ze gebeuren. Ze is een aanhangsel van Lena en ze kan er niets aan doen.

De weken erna loopt Lena parmantig rond in haar strakke spijkerbroek en heeft een sfeer van onaanraakbaarheid om haar heen. Tara loopt krommer dan ooit, om haar aangetaste borst maar niet te hoeven laten zien. De tatoeages zijn nog steeds niet helemaal weg. Er komen alleen maar meer korsten bij van al het schrobben. Niemand vraagt naar haar naam. Lena heeft twee nieuwe vriendinnen. Een nieuwe Natasja en Greta. Hier heten ze Lilian en Mandy. Twee meiden uit een 'kakkersdorp' – tenminste, zo noemen de Ziltezijlers dat. Een dorp waar het niet naar vis ruikt en waar men elkaar niet om het minste geringste op de bek slaat. Lilian en Mandy hebben allebei een kuif, die ze zorgvuldig met haarlak omhoog hebben gespoten. Ondertussen heeft Lena dat ook.

Ze zitten bij de scheikundeles, met z'n vieren op hoge krukken om

een smalle tafel. Lena, Lilian en Mandy kletsen. Tara zit er stil bij. Op een of andere manier zorgt Lena altijd dat zij in de buurt blijft. Ze is Lena's onmisbare schaduw. Net zomin als een schaduw keuze heeft, heeft zij een keuze. Een schaduw bestaat alleen omdat er iets anders bestaat, iets anders dat licht opvangt of tegenhoudt. Zij bestaat omdat Lena bestaat.
Dus zit ze daar aan die scheikundetafel, met die drie nieuwe vriendinnen. Ze probeert zich te concentreren op de formules, die ze eigenlijk niet begrijpt, maar wordt afgeleid door het gegiebel van Lilian, Mandy en Lena. Ze geven briefjes aan elkaar door. Lena laat per ongeluk expres een briefje op haar boek belanden. Ze pakt het propje op en vouwt het open, terwijl de andere meiden zogenaamd helemaal niet kijken. Op het papiertje staat haar naam, maar daaromheen staan tekens die ze nog minder snapt dan de scheikundeformule. Ze voelt de chemische lucht in haar maag omdraaien. De dames hebben een geheimtaal ontwikkeld. En ze schrijven over haar. Zogenaamd totaal onaangedaan, propt ze het briefje weer samen en gaat verder met haar werk. De meiden stoten elkaar aan en giebelen verder. Vanbinnen valt er bij haar een scheikundige waarheid op zijn plek.
Ik zal altijd buiten de groep vallen = waar.
Ze kijkt op. Lena vangt haar blik en knipoogt. Ze wil haar van haar kruk duwen. Maar ze glimlacht terug, zoals het een goede schaduw betaamt.

Datum en tijd: dinsdag 7 november,
dag 7 van de oceaanoversteek
Positie in de kaart: 21.3 N 28.5 W
Koers: 255 graden
Snelheid: 7 knopen
Weer: zonnig, noordoostenwind 5

Eindelijk. Zo had ik het me voorgesteld. Alleen maar water. Golven. Wolken. Geen gedoe. Het schip onder mij is heel klein. Het lijkt wel alsof elke keer als ik de mast in klim, de mast hoger en het schip kleiner wordt. In de mast zit ik in een andere wereld, eentje waarin ik heel ver kan kijken. Over de eindeloze deinende oceaan waarop af en toe koppen breken. Ik kan heel diep ademen, al mijn cellen vullen zich met schone lucht, ik word ververst vanbinnen. Alle oude lucht adem ik uit, en in al mijn poriën stroomt nieuwe lucht. Er is niet veel meer dan water en lucht hier. Er zijn zelfs geen vogels meer. Wel vliegende vissen, af en toe springen ze op dek. Soms belanden ze in een opgedoekt stagzeil en rotten daar langzaam weg, totdat de stank niet meer te harden is.
Ik zit ver boven de mensenwereld. Het doet me niets dat Lena en Jitse op dit moment op de voorplecht staan alsof ze in de Titanicfilm zitten. Zij met haar armen wijd gespreid, hij met zijn armen om haar middel. Haar wapperende haren. Toen ik een week geleden terugkwam aan boord, met Frank aan de ene kant en Inge aan de andere, had ik het gevoel dat niemand mij wat kon maken. Lena was op me afgekomen.
'Heeft hij je aangeraakt?' vroeg ze.
Ik wist dat ze het over Simon had.
'Maak jij je maar zorgen over je eigen man,' had ik scherp geantwoord. 'Ik zorg wel voor mezelf.'
Jitse had me niet aangekeken, die schaamt zich natuurlijk.

Terecht ook. Ik zie hem nauwelijks, want ik zit bij Frank in de wacht. We hebben het druk, zo zonder Frederik en Simon en met nieuwe gasten. Maar hard werken is fijn.
We hebben een Amerikaans echtpaar aan boord. Hij is dik en veeleisend, wil elke dag om vijf uur een andere cocktail, eist een driegangenmenu en wil dat zijn hut regelmatig van onder tot boven gepoetst wordt. Ik ben blij dat ik niet meer in de catering hoef te helpen, maar dat Lena en Inge dat nu doen. Zijn vrouw is klein, dun, kwetsbaar. Ze zegt niet veel. Dan hebben we nog een Nederlands gezin aan boord. Vader, moeder en twee jongens van twaalf en vijftien. Zij genieten volop. De jongens zijn leuk actief en een handige hulp bij het zeilen. Daarnaast zijn er nog twee Duitse mannen mee. Klein, gezet, met grijze baarden en supereigenwijs, het liefst willen ze de hele dag sturen en ons op navigatiefouten betrappen. We ondergaan het gelaten. We hebben op de Canarische Eilanden een andere maat opgepikt, Robin, een jongen die al jaren van jacht tot jacht reist, een hand voor een kooi. Hij is denk ik een paar jaar ouder dan ik. Hij heeft een gebruinde huid en blonde krullen en is tanig maar gespierd. Hij had de broer van Ilona kunnen zijn, hij komt zelfs uit Canada. Hij zegt niet veel. Het is duidelijk dat hij heeft geleerd om in allerlei verschillende bemanningen op te gaan zonder op te vallen. Hij vroeg me laatst hoe het komt dat ik zoveel ervaring heb. 'Gaat je niets aan,' zei ik. Ik heb besloten dat ik niets meer van mezelf laat zien. Voordat je het weet, maakt iemand er misbruik van. Hij kan maar beter zo min mogelijk van me weten. Dan kan hij me ook niet kwetsen. Hij draait wacht samen met Jitse, dus ik spreek hem bijna nooit. Des te beter. Lena en Inge staan eigenlijk continu in de keuken. Ik geloof dat ze lol hebben. Dat steekt af en toe. Maar dan haal ik mijn schouders weer op.

'Ik ben niet afhankelijk van anderen,' fluister ik in mezelf. En ik vlucht de mast in en kijk over die hoofden heen naar de horizon. Vrij.
Tijdens de wacht zwijgen Frank en ik meestal. We kijken naar de zeilen, de kaart, de koers, de radar. De oceaan oversteken is veel makkelijker dan ik dacht. We hebben de noordoostpassaat vrij snel gevonden. Sindsdien staan de zeilen op ruime wind en gaan we een gestage zes à zeven knopen. De golven op de kont. Het schip ligt prima op koers, we hoeven bijna niet bij te sturen. Geen lagedrukgebieden om ons heen. Heel af en toe een schip, een tanker die als een grijze berg langs de horizon schuift.
Ik slaap niet veel. Maar dat maakt niet uit. Ik rust uit tijdens de wachten. Het staren naar de horizon geeft me rust. Het vraagt een soort blik die zowel ontspannen als geconcentreerd is. Het is bijna een soort slapen, maar dan met open ogen. Ik zit op de hoge kruk naast het buitenstuurwiel, een voet op het koperen beslag. We hebben de zeilen zo goed getrimd dat je met een paar tenen kunt sturen. Ik doezel weg en tegelijkertijd weet ik precies wanneer ik moet afvallen of oploeven, ik voel elke trilling in mijn tenen. Ik zie het als er plots een hoge golf van opzij inkomt en kan daarop inspelen.
's Nachts vaar ik op de sterren. Zo'n heldere sterrenhemel heb ik nog nooit gezien, de hele nachthemel glimt en gonst. Sterren zijn geen statische lichtjes, ze twinkelen echt, veranderen steeds van vorm en sterkte. Net zoals overdag de wolken en de golven steeds van vorm verwisselen, alles is hier in beweging. Wolken vervloeien van cumulus in cirrus, van veren in watten. De golven deinen, dansen. Alles beweegt en toch is er rust. Een diepe dynamische rust.
En terwijl ik daar zo volledig aanwezig ben, aan het roer, worden de geluiden, het suizen van de wind, het breken van

de golven, steeds helderder. Alsof er geen grens meer is tussen mij en het geluid. Ik ben die golven die breken. Ik ben de wind, hij waait door mijn huid heen. Soms voel ik me alsof ik een zeil ben, dat opbolt in de wind. En soms ben ik het schip dat door de golven snijdt. Heel af en toe, vooral 's nachts gebeurt dat, ben ik de hele oceaan en de nachtelijke lucht. Dan voel ik me zo groot worden als die onmetelijke wereld om me heen en ben ik alleen maar ruimte. Dan heb ik geen verhaal meer, geen naam. Laatst had ik dat, ik weet niet hoelang het duurde, misschien wel de hele wacht. En opeens werd ik weer wakker in mijn eigen huid, met mijn eigen ogen, en zag ik Lena. Ze stond naast me, ik weet niet hoe lang al, en keek me aan. Even wist ik niet wie ze was. Ik zag alleen een jonge vrouw staan met felle groene ogen. Mooi vond ik haar. Breekbaar ook. Bijna alsof zij ook van een andere wereld kwam. Een engel. We keken elkaar doordringend aan. Ze zei: 'Je bent mooi.'
Toen werden al mijn cellen weer wakker. Al mijn cynisme en al mijn woede. Denkt ze me weer te kunnen betoveren met die mooie woorden van haar? Wil ze me inpalmen? Ik ben niet van lotje getikt. Mooi, ik, ammehoela. Ze manipuleert, verdraait, liegt.
'Ga weg, val iemand anders lastig met die onzin van je,' zei ik.
Ze wilde nog iets zeggen, maar ik keerde haar mijn rug toe.
Ik zeilde verder. Maar het lucht- en zeegevoel was weg.
Ik heb over dat gevoel met Vikram gepraat. Hij keek me met twinkelogen aan.
'Wat is dat gevoel?' vroeg ik.
'Dan voel je dat je deel bent van dit universum,' zei hij. 'Alles is één.'
'Ja, zo voelt het op dat moment wel,' zei ik. 'Er is geen verschil tussen mij en de zee en de sterren.'
'En geen verschil tussen jou en Lena,' zei hij, terwijl ik hem

niets had verteld over mijn ontmoeting met Lena in de nacht.
'Echt wel!' riep ik.
'Ook zij is deel van het universum.'
'Nou, van een ander melkwegstelsel dan ik.'
Vikram lachte. 'Laat je verhaal toch gaan, meisje, het dient je niets.'
'Het is mijn verhaal. Dat bepaal ik zeker zelf wel. Iemand moet toch voor mij opkomen. Je hebt zelf gezegd dat ik niet steeds hetzelfde moet reageren. Dat doe ik nu. Ik ben geen slachtoffer meer. Ik ben sterk.'
Hij glimlachte zo'n irritante Indiase glimlach. Eentje van: o, meisje, wat ben je toch naïef. Toen ben ik de mast weer in geklommen. Nog een treetje hoger. Ik zit nu op de bovenbram, helemaal bovenin. Hier hoor ik te zijn, tussen de wolken, niet tussen de mensen. Ik laat me door niemand tegenhouden in mijn dromen. Dat heb ik geleerd. Ik laat me niet nog een keer door Lena verleiden om haar als een schaduw te volgen. Dat heb ik al een keer meegemaakt en dat liep helemaal fout af. Ik moet niet vergeten hoe ze is. Zij heeft Ilona vermoord.

*

Lena, Lilian en Mandy lopen gearmd voor Tara door de winkelstraat van de stad. Ze was liever niet meegegaan. Maar nee zeggen kon niet. Ze gingen er gewoon van uit dat ze meeging. Ze vroegen haar niet, en zij zei niets. Ze gaan blokhakken kopen. Blokhakken, van die schoenen met vierkante hakken. Die iedereen op school draagt. Ze vindt ze lelijk, maar zij heeft niets te vinden. Als ze nu eens stil blijft staan? Hier midden in de winkelstraat? Dat zullen de meiden toch niet merken. Of wel? Merken zij het meteen als ze hun schaduw kwijt zijn? Wordt zij pas opgemerkt als ze er niet is?

Maar ze doet het niet. Ze loopt door, gaat mee de winkel in, past die schoenen. De meiden hebben allemaal maat achtendertig. Lilian zelfs maatje zesendertig. Zij heeft veertig. De blokhakken lijken wel clownschoenen aan haar voeten. Lena lacht naar haar.

'Je ziet er te gek uit op die hakken, Tara, sexy.'

Is dat echt waar? Ze kijkt met een schuin oog in de spiegel. Daar staat een krom meisje op te moderne schoenen. Te grote moderne schoenen.

Ze lopen verder, nu klikkend op die stomme hakjes. Is ze achterlijk of zo? Waarom draagt ze die schoenen? Waarom loopt ze hier?

Opeens blijft Lena stilstaan, midden op de markt.

'Kijk eens wie we daar hebben,' zegt ze terwijl ze zich omdraait naar Tara.

Ze kijkt op, alsof ze net wakker wordt. Ze had nog niet eens door dat ze op de markt waren gekomen. Ze zag alleen haar schoenen en de tegels onder haar voeten.

Lena wijst naar een groepje meiden bij de etalage van een dumpshop, waar legergroene jasjes hangen aan een haakje. Tara voelt zich opeens lichter. Ilona! Ze heeft nog steeds diezelfde nieuwe, stoere stijl, ze draagt een grote, wijde broek. Haar vriendinnen zien er nog ex-

tremer uit, ze hebben dikke zwarte lijnen onder hun ogen en dragen lange jassen. De ene heeft pikzwart, steil haar en de ander heeft paarse lokken in haar krullen. Ze wil wel op Ilona af rennen, maar dat lukt niet. Ze zit vast in die blokhakken, op haar plek achter de meiden.
Lena loopt naar voren, Lilian en Mandy volgen haar, al snappen ze niet echt waarheen.
'Wat moet je bij die alto's?' vraagt Mandy.
'Even bijkletsen met een oude vriendin,' zegt Lena.
Lena's stem heeft een ondertoon die ze maar al te goed kent. Een stalen bodem.
Ilona kijkt op, ze heeft een paar kisten in haar handen, van die legerschoenen. De voorkant glimt, er komt staal uit tevoorschijn. Ze lijkt totaal niet geïnteresseerd in Lena en Tara.
Tara heeft haar nog een paar keer gebeld sinds ze op de middelbare school zit, maar Ilona belt nooit terug. Nu weet ze waarom, ze heeft nieuwe vriendinnen, stadse vriendinnen, ze zit niet meer te wachten op zo'n dorps zeemeisje als zij.
'Zo, jij hebt hippe schoenen te pakken,' zegt Lena. 'Is dat de mode onder jullie soort?'
Ilona's vriendinnen kijken Lena vuil aan. Lilian en Mandy lachen als twee kraaien op Lena's schouder. Tara staat er met hangende schouders achter.
'Ga je soms in het leger?' vraagt Lena.
'Dat lijkt me meer iets voor jou,' zegt Ilona. 'Dan kun je lekker anderen afbeulen. Daar ben je immers zo goed in. Ik zie dat je Tara ook alweer voor je gewonnen hebt.'
Ilona's ogen staan fel en scherp. Tara kijkt met open mond. Is dit mafkees Ilona? Het meegaande meisje? Wat is er met haar gebeurd hier in de stad? Ze wil wel iets zeggen. Iets van: ik ben van niemand. En zeker geen vriendin van Lena. Maar het lukt niet.
Lena, en dus ook Lilian en Mandy, stappen dreigend op Ilona af. De

paarse en zwarte vriendinnen van Ilona zetten een stapje achteruit, maar Ilona zelf niet. Die blijft staan waar ze staat.

'Ga je opeens stoer doen, Iloontje?' sist Lena. 'Je weet toch wat er dan gebeurt?' En ze maakt met haar wijs- en middelvinger een knippende beweging.

Ilona wijkt niet. Tara ziet geen spoortje van angst. Ilona kijkt Lena recht in de ogen.

'Je bent niets waard, Lena, je bent een loser.'

Ilona zegt de woorden alsof ze van vuur zijn, sissend komen ze uit haar mond.

'Jij bent anders lekker stoer,' zegt Lena. 'Je durft niet eens te varen.' Lena draait zich naar Lilian en Mandy. 'Doodsbang is ze voor water. Je zou haar eens moeten zien bibberen op een bootje!' Ze doet een klein bang vogeltje na.

Even ziet Tara Ilona wankelen. Er verdwijnt iets uit haar kracht. Ze zet de kisten weer terug op de uitstalplank van de dumpshop.

'Ik ben allang niet meer bang voor water.' Ze staat rechtop, kin omhoog, maar iets breekt in haar stem. Een golf onder de steiger.

'Dat wil ik dan weleens zien,' zegt Lena. Ze heeft haar gezicht nu heel dicht bij dat van Ilona. Die beweegt nog steeds niet, maar haar handen trillen.

'Ik ga morgen varen met Tara,' bluft Ilona. 'Dat doen we vaker, toch, Tara?'

Ilona's ogen zoeken die van Tara, over Lena's schouder. Dwingende ogen.

Lena draait zich om naar Tara, die langzaam knikt.

'Ja, af en toe varen we,' liegt ze. 'Ilona is niet meer bang voor water.'

'Zien jullie elkaar dan nog steeds?' vraagt Lena haar met een verrassend zachte stem. 'Dat heb je helemaal niet verteld.' Er gebeurt iets vreemds met Lena, ze weet niet wat het is. Ze ziet er opeens zo onzeker uit. Waarom?

Abrupt draait Lena zich om en richt zich weer tot Ilona.

'Nou, dat wil ik dan weleens met mijn eigen ogen zien,' zegt Lena, terwijl ze snel herstelt.
'Prima,' zegt Ilona. 'Morgen om vier uur gaan we varen.'

*

De volgende dag, in de bus naar huis, komt Lena naast haar zitten.
'Leuk dat we zo gaan varen met Ilona, hè?' zegt ze. 'Ik heb er echt zin in.'
Lilian en Mandy zijn al uitgestapt. Er zitten alleen nog maar Ziltezijlers in de bus.
'Is ze echt niet bang meer?' vraagt Lena.
Tara kijkt naar de weilanden, Lena's stem komt van heel ver.
'Laten we het haar niet al te makkelijk maken,' zegt Lena. 'Haar even goed testen.'
Ze ruikt de vislucht van Ziltezijl al. Rokerig. Zwaar. Ze stappen uit.
Lena houdt haar nu stevig aan haar arm vast en kijkt haar doordringend aan.
'We gaan dat kreng te pakken nemen, oké?'
'Ilona is mijn vriendin,' mompelt Tara.
'Ik ben toch je vriendin?' zegt Lena.
Tara vindt haar stem een beetje terug.
'Noem dat maar een vriendin.'
'Wat bedoel je?' Lena lijkt oprecht beledigd.
'Echte vriendinnen tatoeëren niet. Liegen niet.'
Ze vindt het doodeng om dat hardop te zeggen. Ze is bang om Lena kwijt te raken. Hoe raar is dat? Ze is haar toch allang kwijt? Ze wil haar toch helemaal niet?
Tot haar verbazing omarmt Lena haar en begint ze te huilen.

'Het spijt me,' snottert ze. 'Ik kon er niets aan doen. Rinus had me gedwongen om dat te doen. Hij was laaiend toen hij hoorde over dat opstel van jou over Anna.'
Tara wil zeggen dat dat opstel van Anna Lena's idee was geweest. Niet het hare. Dat Lena het er zelf naar had gemaakt. Maar ze ziet er zo kwetsbaar uit. Zo bleek. Zo dun. Zo verlaten. Opeens ziet Tara wat hen bindt. Dat ze allebei zo alleen zijn. Zo bang om alleen te zijn. Lena heeft haar nodig, ze ziet het. Ze wil voor haar zorgen.
'Je hebt beloofd altijd vriendinnen met me te zijn,' zegt Lena. 'Altijd.'
Ze lijkt op een schip op drift. Tara moet haar anker zijn. Tara haakt haar arm weer in die van Lena. En ze zegt: 'Ik ben er en ik ga nooit meer weg.'
Ze worden allebei rustig. Zo horen hun rollen te zijn. Ze zijn van elkaar afhankelijk en kunnen niet zonder elkaar.
Als ze bijna bij de haven zijn, laat Lena Tara's arm los.
'Maak jij met Ilona het bootje klaar?' vraagt ze. 'Ik ga even tegen mijn moeder zeggen dat ik ga varen.'
Ze wijst naar de kroeg op de hoek van de haven. Tara voelt haar borst branden. Eindelijk is het gelukt om alle tatoeages weg te boenen. Ze is schoon, maar vanbinnen zit ze nog vol inkt. Waarom moet Lena naar de kroeg? Zitten daar weer 'vrienden' van haar? Wat gaan ze deze keer doen?
Lena buigt voorover, zoent Tara op haar wang en zegt, alsof ze haar gedachten kan lezen: 'Dat zal ik nooit weer laten gebeuren, Tara. Je bent mijn beste vriendin.'

*

'Nou, waar ligt dat bootje? Dan gaan we eens effe een stevig stukkie varen.'

Ilona loopt voor haar uit over de steiger, Tara kan haar nauwelijks bijhouden. Het is een winderige, koude najaarsmiddag. De wolken zijn compact en donker. Het zou weleens kunnen gaan onweren.

Ilona loopt op haar nieuwe kisten, onder een broek met uitlopende pijpen, naar het roeibootje, dat aan zijn lijnen trekt.

'Zo, vertel me maar wat ik moet doen.' Ze klinkt stoerder dan ze eruitziet, ze heeft kippenvel en kijkt met een schuin oog naar de witte schuimende koppen die tegen meerpalen op klotsen. Van onder uit de steiger spat het water door de planken omhoog.

'Stap maar aan boord,' zegt Tara. Ze merkt dat haar stem in haar keel blijft hangen. Is dit nu wel zo'n goed idee?

Ilona zet voorzichtig haar kist op de voorplecht, waardoor het bootje begint te schommelen. Ze slaakt een korte kreet en wil de steiger weer op stappen, maar Tara biedt haar een hand en helpt haar verder.

Opgelucht gaat Ilona op het bankje zitten, met een bleek gezicht houdt ze zich vast aan de rand. 'Best te doen.'

'Ik ga eerst het bootje maar eens hozen, dan kunnen we gaan,' zegt Tara. Ze kijkt naar de dijk of ze iemand ziet. Gelukkig. Op een of andere manier wil ze niet dat iemand dit ziet. Zelfs het leugenbankje is leeg. Het zal wel door het weer komen. Het riet buigt in de westenwind.

'Het bootje gaan wat?' vraagt Ilona.

'Hozen. Leegscheppen.' Tara stapt aan boord en van onder het achterste bankje pakt ze het lege kapucijnersblik en schept het bruine laagje water dat onder in de boot heen en weer schommelt eruit. In de hoeken liggen een paar bladeren te rotten.

Terwijl ze met haar hoofd naar beneden het bootje leegschept, vraagt ze aan Ilona hoe het is om in de stad op school te zitten.
'Te gek. Op de vrije school hebben we zelfs theaterles, echt lachen.'
'Ik zag dat je nieuwe vriendinnen had.'
'Ja, in mijn klas zitten echt leuke meiden.'
'Geen trollen?'
'Nee, gelukkig niet. Hoe is het met jouw grote trollenvriendin?'
Op dat moment begint het bootje hard heen en weer te schommelen, het kleine restje water dat nog in de boot ligt, klotst tegen Ilona's benen omhoog, haar broekspijpen worden nat.
'Zijn jullie klaar voor het grote avontuur?' roept Lena, die net vanuit het niets aan is komen waaien en midden in het bootje is gesprongen. Ze pakt meteen het blik uit Tara's handen.
'Waarom laat je Ilona dat niet doen? Dat kan ze vast goed.'
Ze geeft het blik aan Ilona, die zonder iets te zeggen haar hoofd buigt en het laatste water van de bodem schept.
'Dat kan wel wat sneller,' zegt Lena terwijl ze samenzweerderig naar Tara knipoogt.
Ilona kijkt even fel op en gaat dan verder. 'Geen probleem, ik doe dit wel.' Ondertussen is haar gezicht nog bleker dan eerst.
Tara voelt zich misselijk worden, alsof ook zij net gehoosd is en er alleen nog wat donkere drab onder in haar maag ligt. Ze doet iets wat niet hoort, wat niet mag, wat niet kan. Ze weet het. Maar toch doet ze het.
Als het bootje bijna leeg is, roept Lena: 'Mooi! Wie goan.'
Ilona heeft blauwe lippen van de kou en gaat op het achterste bankje zitten. Alle stoerheid is uit haar verdwenen. Tara ziet dat ze eigenlijk weg wil. Maar dat kan nu niet meer. Lena gaat naast Ilona zitten en slaat een arm om haar heen.
'Misschien moet je die nieuwe schoenen van je uitdoen.' Ze spreekt poeslief en in perfect Nederlands. Eng is het. 'Stalen neuzen zijn niet zo slim op het water. Mocht je overboord vallen, dan zink je meteen.'

'Overboord vallen?' vraagt Ilona, terwijl er rode vlekken in haar nek komen. 'Kan dat dan gebeuren?'
'Je weet het nooit,' zegt Lena. 'Doe ze nu maar uit. Dat is verstandig, toch, Tara?'
Ze knikt. Niet met laarzen aan gaan varen, dat heeft haar vader haar al van jongs af aan verteld, die lopen vol met water en dan kun je niet meer zwemmen.
'Ik doe ze niet uit,' zegt Ilona en ze slaat haar armen over elkaar heen. Koppig. Tara snapt het wel, zonder die schoenen durft Ilona dit natuurlijk niet. Met die schoenen is zij een nieuwe Ilona, eentje die zich niet laat kisten.
'Dan moet je het zelf maar weten. Gooi de landvast los, Tara,' roept Lena.
Tara doet wat Lena zegt. Ze krijgt geen woord over haar lippen.
'Ik doe het eerste stukje wel,' zegt Lena. Ze steekt de roeispanen in de dollen en roeit de haven uit, onder de brug door en naar het open meer. De vlaggen op de dijk klapperen als een gek en de golven breken tegen de achterplecht. Ze hebben wind mee, anders waren ze niet vooruit gekomen.
'En nu Ilona, anders vriest ze nog dood,' zegt Lena.
Lena duwt Ilona naar voren. Zonder te morren, gaat Ilona midden in de boot zitten, zet haar schoenen stevig op de grond en kijkt wat verloren naar de roeispanen.
'Gewoon naar je toe trekken, rondjes maken,' zegt Tara om haar een beetje te helpen. 'Het is niet zo moeilijk.'
'Tara, ga jij voor de op de punt zitten, dan kun je kijken of Ilona nergens tegenaan roeit,' zegt Lena. Zelf gaat ze op het achterste bankje zitten en ze kijkt Ilona glimlachend aan.
'Goed zo, je doet het heel goed voor een landrot.'
Lena haalt een pakje sigaretten uit haar jaszak. 'Van mijn stiefvader gejat!' Met haar hand maakt ze een kommetje en ze schraapt aan haar aansteker. Als de sigaret aan is, blaast ze de rook recht omhoog.

Ilona roeit gestaag door, Tara ziet vanaf de punt alleen haar rug. Haar ruggengraat steekt door haar ribfluwelen jasje heen, ze kan de wervels bijna tellen.
'Schiet eens op, Ilona, we hebben niet de hele middag de tijd,' zegt Lena. Ze neemt nog een trekje en strekt haar benen uit.
Ilona begint nog harder roeien. Lena knipoogt naar Tara.
Ze gooit haar peuk overboord en kijkt speurend naar boven. Tara weet wat ze denkt. Dat ziet er niet goed uit. Donkere wolken hangen boven de horizon en komen in een rap tempo op hen af. Het is al laat, het wordt zo donker.
Zwijgend klappen ze op de golven. Baf, baf, zegt de plastic voorkant van het bootje. De zwaluwen vliegen laag over het water. De hemel wordt zo donker dat het wel nacht lijkt.
De hemel licht op, een donder in de verte. De wind waait hen steeds verder van het dorp.
'We moeten terug, Lena,' zegt Tara. 'Het komt dichterbij.'
Het is duidelijk dat Ilona moe wordt. Steeds langzamer gaan de roeispanen het water in. Ze kijkt even over haar schouder of ze nog vooruitgaat en haar ogen ontmoeten die van Tara. Tara ziet dat ze huilt. Wat is ze eigenlijk aan het doen? Dit is niet goed. Ze wil Ilona troosten. Maar Lena komt naast Tara zitten, op de punt. Ze slaat op Tara's schouder. 'Hé, piraat!'
Ze steekt een zogenaamd zwaard de lucht in. 'Jihoe!' gilt Lena in de wind.
De bliksem en donder komen steeds dichterbij. De regen valt met dikke druppels uit de hemel.
Lena schudt met haar haren in de regen. Ze zet een hand op Tara's schouder en klimt helemaal voor op de plecht. Op haar blokhakken staat ze te balanceren op het kleine puntje. Tara houdt haar benen vast.
'Doe voorzichtig,' roept ze door de wind en regen. Maar Lena gooit haar armen in de lucht en begint te dansen op de wind.

In een bliksemflits zien ze de contouren van het dorp. De zwarte kerktoren, de mast van De Hoop, de lange dijk. De donder komt een paar seconden daarna. 'Feestje!' gilt Lena. Ze schudt wild met haar heupen en tilt een voet op.
'We moeten terug, nu!' zegt Tara.
'Wat ben je toch saai,' roept Lena. 'We moeten dansen. Kom op, jij ook, Ilona.'
Lena trekt Ilona omhoog, die staat te glibberen op haar kisten. Ze kijkt Tara wat verloren aan. Tara weet ook niet wat ze moet doen.
'Kom, dansen, dames!' roept Lena. 'In de regen.'
Lena stapt van de punt af en duwt Ilona nog verder naar voren. 'Ga jij eens op de punt staan, dan kunnen we naar je kijken!'
Ilona laat zich naar voren duwen, ze struikelt bijna over haar eigen kisten. Ze staat op het voorste bankje.
'Beweeg die heupen,' roept Lena.
Plotseling stampt Ilona met haar kisten op dek en begint ze te schreeuwen.
'Doe godverdomme even normaal, Lena! We moeten hier weg.'
'Ben je soms bang?' roept Lena terug en ze komt dichter naar Ilona toe. 'Wil je naar huis?'
'Ja. Ik wil naar huis. Ik houd niet van varen. Ik ben bang voor water. Ben je nu tevreden? Je hebt gewonnen.'
'Eerst nog even dansen!' roept Lena boven het donderende onweer uit. Ze stapt naar voren en legt haar handen op de heupen van Ilona. 'Kom op, schud die billen eens.'
'Rot op, Lena!' Ilona duwt Lena met kracht naar achteren, net op het moment dat er een grote golf van opzij in slaat. Lena valt achterover in het bootje en Ilona wankelt. Tara wil Ilona pakken, maar het is te laat. Ilona's kist glijdt onder haar weg, ze maalt met haar armen door de lucht en valt achterover, het water in.
'Ilona!' roept Tara. Nergens ziet ze haar, alleen donkere, grijze golven. Lena kijkt ook om zich heen.

'Ilona!' roept Tara.
Ze kijken om zich heen. Golven. Witte koppen. Drijvende roeispanen. Donkere lucht. En dan komt Ilona happend naar lucht boven water, haar angstige gezicht achter in de nek, haar ogen glazig. Ze spartelt oncontroleerbaar met armen en benen. Meteen steekt Tara haar handen uit. Ze kan er net niet bij. Wel kan ze een roeispaan grijpen. Ilona gaat weer kopje-onder. Ze komt iets dichter bij het bootje weer boven water. Tara steekt de roeispaan naar haar uit.
'Pak deze!' roept ze door de wind heen.
Ilona grijpt vanuit de opspattende golven naar de spaan, en Tara trekt.
'Help me, Lena,' roept ze opzij.
Maar Lena doet niets. Haar ogen staan in kleine spleetjes. Zo heeft ze Lena nog niet eerder gezien, met haar kaken strak op elkaar. Ze lijkt op een dier klaar voor de aanval. Ze kijkt van de spartelende Ilona naar de trekkende Tara.
'Dit kun je niet menen, verdomme,' roept Tara. 'Je kunt haar toch niet laten verdrinken?'
Ilona gaat weer kopje-onder. Tara kan de spaan bijna niet houden, het gladde hout glipt uit haar handen. Dan komen Lena's handen erbij. Samen trekken ze in volle macht aan het hout. 'Een, twee!' roept Tara. Met z'n tweeën zijn ze sterk, ze trekken hard en vallen dan achterover. Met een lege spaan in hun handen staan ze op dek. Ilona heeft losgelaten. Nergens zien ze haar.
'Ilona!!' schreeuwen ze door de koude wind. 'Ilona!'
Dan neemt Tara een besluit. Ze gaat op het bankje zitten en trekt haar schoenen uit.
'Wat doe je, Tara?' vraagt Lena.
'Ik ga haar zoeken.' Ze duikt met haar kleren aan overboord in de golven.
Ze hoort Lena nog achter haar roepen. 'Dat is gevaarlijk, kom terug!' Maar ze luistert niet. Ze moet Ilona vinden. Ze duikt onder de korte golven. Ze kan niets zien, het water is te donker.

Ilona had nooit met kisten aan moeten gaan varen. Ze weet hoe gevaarlijk dat is. Met stalen neuzen in het water. Ze duikt onder en boven. Boven en onder. Ze krijgt een paar slokken water binnen en voelt hoe de kou van het water door haar kleren in haar huid trekt. Haar spijkerbroek voelt zwaar. Ilona! Waar ben je? Ze steekt haar hoofd weer boven water en roept Ilona's naam. Het schemert al, ze ziet bijna niets meer. Alleen in de verte ziet ze een lichtje verschijnen van een ander bootje. Ze zwaait met haar armen. Help!!
Het bootje komt steeds dichterbij. Dan ziet ze haar vader en Yoerie voor op de plecht staan. Ze zwaait nog een keer. Ze hadden natuurlijk gezien dat Rootje weg was. En dat het slecht weer werd.
Ze varen recht op haar af. Papa steekt meteen zijn handen naar haar uit. En trekt haar in een ruk naar boven.
'Je weet toch dat je met dit weer niet moet gaan varen! Ben je overboord geslagen? Het is maar goed dat wij ...'
'Ilona, pap, Ilona. Ze is weg. We kunnen haar niet vinden.'
'Is ze in het water?'
'Ja.' Ze hoest een slok zoet water op.
'Waar zag je haar voor het laatst?'
'Ik weet het niet precies. Daar ergens, naast Rootje.'
Ze wijst naar het rode bootje, dat schokkerig drijft op de golven. Lena zit bibberend midden in het bootje.
'We moeten haar vinden, pap, we moeten haar vinden.'
Hij trekt meteen zijn schoenen uit en geeft ons een zaklamp.
'Schijn bij, Tara, verlies me niet uit het oog. Yoerie, ga zo snel mogelijk terug naar de haven en haal hulp. Bel de politie.'
Tara schijnt, Lena wijst waar papa onder water gaat en waar hij weer bovenkomt. Ze roept Ilona's naam. Ze gilt haar naam. Papa duikt, zwemt, duikt, zwemt. Een boot met nog meer vissers komt. Vissers die weten hoe ze moeten vissen. Ook op mensen? Netten, lampen, motoren. Ze weet niet hoelang het allemaal duurt. Er trekt een mist in haar hoofd op.

Na een tijdje, ze weet niet hoelang, hoort ze iemand schreeuwen. In het licht van een zoeklamp ziet ze een lichaam, slap in iemands armen.
'Nee!' gilt ze.
Papa komt naar haar toe en slaat een hand voor haar ogen. Alles wordt donker.

Datum en tijd: maandag 13 november,
dag 13 van de oversteek
Positie in de kaart: 17.16 N 44.10W
Koers: 262 graden
Snelheid: 6,5 knopen
Weer: zonnig, noordoostenwind 5

'Het is jouw schuld, Lena.'
Ik loop recht op haar af. Geen omwegen meer. Ze staat in de keuken. Ik duw haar in de hoek van het aanrecht. Druk mijn buik tegen haar rug, zet mijn handen stevig tegen haar schouders. Ik zet haar klem.
'Wat is mijn schuld?' vraagt ze, terwijl ze geschrokken de aardappel die ze net aan het schillen was uit haar handen laat vallen.
'Het was jouw plan.'
'Wat was mijn plan?'
Ik wil haar op het aanrecht leggen en fileren. Zoals ze dat ook met Ilona hebben gedaan. En met mij. Ik trek het aardappelschilmesje uit haar handen en klem het vast. Ik wil haar als een haring schoonvegen van de graat. Ik voel de spanning in haar lijf.
'Jij wilde Ilona zo nodig meenemen op een bootje.'
'Hoe kom je daarbij? Jullie waren aan het varen, samen, zoals jullie altijd alles samen deden. Ik was jaloers. Ik wilde ook mee.' Lena steunt met haar handen op het aanrecht. Haar stem trilt. Dat doet me goed. Ik ga harder praten.
'Waarop zou jij jaloers zijn?'
'Op jullie vriendschap.'
'Maak me niet aan het lachen. Jij wilde haar een lesje leren!'
Ik haal het mesje door haar haar. Zal ik het eraf snijden?

Zoals ze dat met Ilona heeft gedaan? Ik voel me machtig. Zo heeft Lena zich dus altijd gevoeld.
'Je gaat nu toch niet zeggen dat ik haar overboord gegooid heb?' Lena praat weer wat harder.
'Als jij niet met dat stomme plan was gekomen.'
'Ik weet niet waar je het over hebt. Het was helemaal niet mijn idee. Ik ging gewoon mee.'
Ik word steeds bozer. Druk haar buik nog harder tegen het aanrecht. Pak een pluk haar in mijn handen, draai hem om mijn vingers, zet het mesje erin en begin langzaam te snijden.
'Jij was van de gemene acties. Ga het nou niet ontkennen,' sis ik in haar oor.
'Ik ontken helemaal niets. Jij hebt een verdraaid verhaal. Eentje waarin jij slachtoffer bent en ik dader. Ik heb daar genoeg van.'
Ze duwt haar kont keihard naar achteren, zodat ik wegschiet en het mesje laat vallen. Ze draait zich om en gaat recht tegenover me staan.
'Ze is dood, Tara. Dat is al erg genoeg.'
'Hoe erg vind jij het eigenlijk?'
'Ik vind dat net zo erg als jij.' Lena's stem breekt, alsof ze bijna kan gaan huilen. Ze laat zich tegen het aanrecht aan vallen.
'Jij had helemaal niets met Ilona. Je had niets met niemand. Jij ging over lijken.'
Ik druk haar weer tegen het aanrecht. Hard. Zoals Rinus mij tegen de kast duwde. Genoeg.
'Als het aan jou lag, had je haar laten verdrinken.'
Houd toch op! Lena duwt me weer naar achteren. Ze is verbazingwekkend sterk.
'Ik ben toevallig wel degene die in het water sprong om haar

te redden.' Lena herwint haar kracht en probeert me naar achteren te duwen.
Ik blijf staan. Ik laat me niet weer omverwerpen.
'Het moet niet gekker worden. Ik ben overboord gesprongen. Meteen!' roep ik. 'Jij zat daar maar in dat bootje. Volgens mij was je nog blij geweest ook als Ilona en ik allebei waren verdronken. Was je in één keer van die twee mafkezen af.'
'Waar zie je me voor aan!? Ik weet heus wel dat ik een trut was, maar zo erg was ik niet.' Ze stopt met duwen en begint te huilen. 'Ik wilde het allemaal wel anders doen, maar het lukte niet, Tara.'
Ik breng mijn gezicht dicht bij het hare.
'Hier trap ik niet meer in, Lena, in die tranen van jou. Je probeert me te chanteren, zoals je dat altijd deed. Oh, Lena is zo zielig met haar stiefvader, met haar drinkende moeder, met haar vader die haar niet kent. En dus denk je dat je dan zomaar alles mag?'
'Jij was ook niet de liefste, Tara, je werd maar al te graag lid van de club.' Met haar schort droogt ze haar tranen op.
'Ik had geen keuze. Als ik dat niet deed, zou je me pakken.'
'Natuurlijk had je wel een keuze. Ilona zei nee.'
'Laat Ilona erbuiten!' Ik trek het schort uit haar handen. 'En sta niet zo stom te grienen.'
'Ilona is niet heilig, Tara.' Ze duwt me terug.
'Ze was mijn enige echte vriendin.' Ik grijp naar haar haar.
'Ze roddelde de hele tijd over jou.'
'Dat deed ze helemaal niet.' Ik laat haar haar los. Wat zegt Lena?
'Ze bazuinde rond dat je een slaaf was van mij. Dat je lid werd van de club omdat je niet na kon denken.'
'Zoiets zou Ilona nooit zeggen.' Mijn armen hangen slap langs mijn lichaam.

'O, jawel. Ze verzon het ene verhaal na het andere. Ilona had veel fantasie. Weet je nog die keer dat ze met dat vreemde kapsel op school kwam?'
'Ja, dat hadden jullie gedaan, mevrouw!' Ik voel tranen opkomen, maar dat mag niet. Ik moet sterk zijn. Sterk blijven.
'Dat is dus niet waar. Haar moeder had er gewoon een puinhoop van gemaakt. Maar weet je wat zij vertelde op school? Dat jullie samen kappertje hadden gespeeld, en dat jij haar had verknipt!'
'Hou toch op, jij verdraait de boel. Jij wilt gewoon niet bekennen wat voor een kleretrut je bent.' Ik wil haar weer vastgrijpen, maar ze loopt weg.
'Met jou valt niet te praten. Jitse heeft gelijk.'
Lena duwt me aan de kant en loopt de keuken uit.
Ik pak een kopje op en gooi het achter haar aan. Het kopje spat in duizend stukjes uiteen als het de deurpost raakt.

*

Ze ligt al dagen op bed. Ze kan alleen nog maar naar dat rode plafond boven haar kijken. Huilen kan ze niet. Lamgeslagen. Alsof zij degene is die een uur rond heeft gedreven in dat ijskoude water. Verdronken. Alles bleek achteraf maar een uur te duren, maar het voelde als lange uren, eeuwen misschien wel. Het was een fataal uur. Aan de wal hebben ze haar nog geprobeerd te redden, er stond een ambulance klaar. Maar iedereen wist dat het geen zin meer had.
Niet iedereen drijft op water.
Ze ziet de stukjes stuc van de verf op het plafond. Voelt het zachte matras onder haar. Als ze haar ogen dichtdoet, hoort ze Ilona's lach. Zij wil ook daarheen, waar Ilona is. Zo stil liggen dat haar hart vanzelf stopt met kloppen, haar bloed met stromen. Ze besluit net zo lang in bed te blijven liggen, totdat zij ook verdrinkt. Misschien ontmoet ze onder water Ilona, dan kan ze het weer goedmaken. Op een plek waar Lena niet bij kan. Alleen zij twee. Ze wil in haar eigen bed verdrinken. Ze heeft het recht niet verder te leven als Ilona er niet meer is.
Ze eet niet en drinkt niet. En praat niet. Dat praten heeft alles verpest. Ze had gewoon altijd moeten blijven zwijgen. Alleen maar schrijven. In een dagboek. Geen fanmail. Geen brieven. Alleen, in haar eigen o. Dan was dit alles niet gebeurd.
Papa zit vaak naast haar. Hij maakt zich zorgen. Dat kan ze zien aan de rimpels in zijn voorhoofd. Toch is het wel fijn dat hij daar zit. Hij zit heel stil, probeert haar niet te verleiden om te spreken. Ze zitten daar zoals ze vroeger op het achterdek van De Hoop zaten. Naar de horizon te kijken, naar het kompas.
Met elk uur lijkt hij zachter te worden, ze heeft hem zelfs een keer zien huilen. Stilletjes. Zijn grote hand lag op haar dekbed. Hij

dacht dat zij sliep, hem niet zag. Hij mompelde: 'Sorry, meis, sorry. Sorry dat ik er niet was, dat ik je niet zag.'
Even wilde ze opstaan en als een klein meisje op zijn schoot kruipen. Maar dat kon niet. Ze was aan het verdrinken in de stilte.
Ze heeft het gevoel dat ze in een staat tussen waken en slapen verkeert. Buiten bewustzijn. Na een paar dagen houdt haar hoofd ermee op. Ze is te moe om te denken. Om haarzelf schuldig te praten, om allerlei versies in haar hoofd af te draaien van hoe het ook had kunnen gaan, wat ze ook had kunnen doen. Alle gedachten zijn moe van zichzelf. Ze hoort alleen nog maar haar hart kloppen. Zoals ze haar eigen hart kan horen kloppen als ze in bad met haar oren onder water ligt. Of zoals ze de zee hoort ruisen als ze onder in het ruim ligt. Ruisen, kloppen. Ilona is er de hele tijd. Als een zeewezen. Ze drijven samen op de zoute wateroppervlakte en kijken naar de grote hemel boven hen.

Na een week lukt het haar bijna. Daadwerkelijk te verdrinken in haar eigen bed. Het is stil onder water. Ze praat niet meer. Er is alleen nog bed, water, en heel veel Ilona. Dichtbij.
Een paar dagen terug was Ilona's moeder hier. Ze wilde het hele verhaal horen. Natuurlijk. Maar ze kon het niet vertellen. Er waren geen woorden voor die tocht te vinden. Al haar taal was in een fokschip naar de bodem gezonken. Ilona's moeder zag er verdrietig uit, met donkerblauwe wallen onder haar ogen. Haar eerst zo rood vlammende haar was nu van een uitgewassen oranje.
'Hoe is het gebeurd?' vroeg ze.
'Het was een ongeluk,' was het enige wat ze kon zeggen.
Dat was het toch? Of niet?
Lena had gebeld, zei mama. Maar ze wilde Lena niet meer zien. Nooit meer.
'Ze klonk heel verdrietig aan de telefoon,' zei mama. 'Jullie hebben elkaar toch nodig nu?'
'Ze komt er niet in.' Koppig.

Daarna dook ze weer onder. Diep onder de oppervlakte. Ver weg van al dat gepraat.

*

Ze wil niet naar de kist. Stil blijft ze op de achterste banken van de kerk zitten. Zonlicht valt door de glas-in-loodramen naar binnen. Kijk, Ilona, er vallen gekleurde letters uit de lucht en ze spellen woorden op de grond.
Mensen knikken naar haar, schudden haar de hand. Jelle, Anna, Natasja, Greta, Lilian, Mandy en de nieuwe vriendinnen van Ilona. Ilona's moeder huilt, haar vader zegt iets. Ze vangt alleen de woorden 'terug naar Canada' op. Iemand pakt Tara's hand vast. Een koude, kleine meisjeshand. Ze kijkt opzij, het is Lena, ze huilt. Snel trekt ze haar hand los en kijkt de andere kant op. Het is over, voorbij.

Datum en tijd: woensdag 15 november 12.00 uur,
dag 15 van de oversteek
Positie in de kaart: 16.09 N 49.48 W
Koers: west
Snelheid: 5,5 knopen
Weer: zonnig af en toe een bui, noordoostenwind 5/6

'Je moet met haar gaan praten.'
'Heb ik jou iets gevraagd? Ik kwam gewoon naar het achterdek om naar de hekgolven te kijken, om mijn hoofd leeg te maken, nu kom jij er weer tussen met je wijze raad.'
Vikram lacht en komt naast me zitten.
'Het is niet haar schuld.'
Ik sluit mijn ogen en laat mijn hoofd tegen de mast vallen.
'Laat me toch met rust. Dat is het enige wat ik wil. Rust. Oceaan. Lucht.'
'Het kan zijn dat de dingen anders zijn dan jij denkt.' Vikram staat op en loopt naar de reling. 'Zie je die wolken?' Hij wijst naar de lage rand cumulus net boven de horizon, die hier midden op de oceaan eerder rond dan recht lijkt.
'Wolken veranderen de hele tijd.'
'Heb je nog meer nieuws? Dat kan Erwin Kroll me ook vertellen.'
'Ons geheugen is een beetje als die wolken. Soms zien we er draken in, soms engelen. Maar wat is waar?'
'Geen van beide. Het zijn geen draken, geen engelen. Gewoon waterdamp. That's all.'
'Precies. Waterdamp. Opgestegen uit de oceaan. Jouw verhaal is waterdamp. Opgestegen uit je wrok.'
'Nou kan ie wel weer. Je weet niet eens wat er gebeurd is. Je zou niet zo makkelijk praten als je wist dat ...'
'... je beste vriendin is verdronken?'

‘Hoe weet je dat?’
Hij zwijgt.
Tara zucht. Het heeft geen zin erop door te vragen. Vikram ziet alles, weet alles. Hij komt weer naast haar zitten.
‘Wat houdt je tegen met Lena te praten?’
‘Ik weet het niet.’ Ik haal mijn schouders op. ‘Ik denk dat ik bang ben dat ze alles weer verdraait.’
‘Misschien ben jij wel degene die alles verdraait.’
‘Nou, dan ben ik daar misschien wel bang voor. Ik wil niet dat ze mijn waarheid afpakt. Straks heeft ze me weer in haar macht en ben ik mijn verhaal kwijt. En zonder verhaal kan ik net zo goed zwijgen.’
‘Wat zit er achter de wolken, Tara?’ Weer wijst hij naar de lucht.
‘Een kraakheldere blauwe hemel.’ Ik leg mijn hoofd in mijn nek, de blauwe lucht ligt als een bol over ons heen. De wolken zijn maar een paar vlekken op de enorme lucht hier.
‘Daar gaat het om. Om die lucht. Niet om de wolken. Dat zijn maar verhalen. Houd je daar niet langer aan vast. Je bent geen wolk. Je bent onderdeel van die hemel.’

*

Als mama niet was gekomen, dan was ze verdronken tussen de lakens. Als ze niet was gekomen met dat Boek. Als een reddingsboei gooide ze het in haar bed.
'Mariekes boek is uitgegeven,' zegt ze. 'Het gaat over jou.'
Ze beweegt niet, ook al voelt ze dat haar rimpelloze bed opeens golft.
'Ze heeft ons uitgenodigd in Amsterdam, om naar de presentatie van het boek te komen.'
Langzaam glijdt haar hand naar het Boek. Haar lichaam reikt uit naar de taal, de waddentaal die ze samen met Marieke heeft verzonnen en opgeschreven.
Zwijgend slaat ze het boek open en meteen hoort ze meeuwen schreeuwen en ruikt ze waddenslik. De bezemstelen van de heksen staan in het wad, ze ziet zichzelf met Yoerie in Rootje over het wad roeien, een witte zeehond steekt zijn kop boven het water.
'Jij leeft nog, hoor!' hoort ze opeens. Het is mama niet, die kijkt haar zwijgend aan. Het kwam ergens anders vandaan. Van onder de dekens? Uit het boek?
'Sta op, joh! Ik ben dood, jij niet.'
'Ilona!' roept ze. Meteen slaat ze haar hand voor haar mond. Ze had zich voorgenomen om nooit meer te praten.
Mama kijkt haar verbaasd aan.
'Hoor je haar?' vraagt Tara.
Mama schudt haar hoofd.
Ze legt haar vinger op haar mond en luistert scherp. Maar ze is weg. Ilona heeft gezegd wat ze wilde zeggen. STA OP.

Ze had gedacht dat het hier helemaal van steen zou zijn. Zo had ze zich deze hoofdstad voorgesteld, als een stad vol weg, huis, cement. Maar nu ziet ze overal grachten, bruggen, sluizen. En er liggen sche-

pen midden in de stad. Schepen precies zoals De Hoop. Tjalken, klippers, botters. Ze liggen zij aan zij. De kade helemaal vol. Je kan van schip naar schip lopen. Het lijkt op thuis, maar toch is het anders. Deze schepen hebben geen zeilen. De masten staan kaal op het dek, sommige hebben wel lijnen ingeschoren, ze kletteren tegen het hout. Dit zijn woonschepen. Iets lichts springt in haar op. Dat kan dus. Op een schip aan wal wonen. Aan wal op een schip wonen. En nog wel in Amsterdam.

Ze snuift de lucht diep in. Ze ruikt geen garnalen, geen zout, geen modder. Maar wel diesel, touwen en houtvuur. En frituurvet en uitlaatgassen. De ijzige wind waait door haar haar. Het is alsof ze op het wad is. Wad in de stad.

Een van de tjalken is mintgroen, op het achterdek staat een oude badkuip met daarin plastic tulpen in alle kleuren. Op het schip ernaast, een aak, staat een man op het voordek. Hij bezemt zijn voordek schoon. Hij heeft lang haar, net zoals papa.

'Waarom zijn we hier niet gaan wonen, mam? Waarom moesten wij in Ziltezijl gaan liggen?'

Opeens gaat die mogelijkheid door haar heen. Als ze nou nooit in Ziltezijl waren gaan wonen, maar in Amsterdam, dan was alles anders geweest. Hier was ze vast geen mafkees geweest, hier stikt het van de varende hippies. Hier spreekt niemand trols, hier is geen Lena, hier was Ilona nooit verdronken.

'Waarom moesten jullie per se naar dat achterlijke dorp?'

'Maar waar hadden we hier moeten varen? De gasten willen de zee op.'

'We hadden ook geen gasten mee kunnen nemen. Je had op een kantoor kunnen gaan werken. Dan hadden we gewoon aan boord kunnen wonen, net als vroeger.'

'Ik wou dat het zo simpel was, echt waar,' zucht mama.

Ze voelt zich boos worden. Hadden ze niet een beetje aan haar kunnen denken? Hadden ze dit niet kunnen weten? Dat zij in zo'n dorp buiten de boot zou vallen? Waarom moesten zij zo nodig romantisch dicht bij de zee blijven? En waarom zijn de ouders van Ilona uit Canada naar Ziltezijl verhuisd? Wat een belachelijke actie! Het is de schuld van hun ouders. Zij hadden met hun hippiehoofden toch wel kunnen bedenken dat je een kind niet laat opgroeien in Ziltezijl? Later, als ze school af heeft, en misschien ook wel eerder, gaat zij in Amsterdam wonen. Haar kinderen zou ze dat nooit aandoen.

Het huis waarin Marieke woont, is een herenhuis. Ze bellen op een van de tien bellen die op een rijtje zitten. Wonen hier zoveel mensen in een huis? Ze hoort iemand roepen. Het komt van boven. Uit het zolderraam hangt Marieke met haar twee vlechten uit het raam.
'Klim maar via mijn vlechten omhoog!' Ze slingert met haar haren heen en weer. Yoerie springt zo hoog mogelijk en reikt met zijn handen naar boven.
'Ik kan er niet bij,' lacht hij.
'Oké, dan geef ik jullie wel een sleutel! Goed vangen!'
Vanuit het dakraam gooit ze de sleutel naar beneden. Hij rinkelt voor haar voeten op de stoeptegels.
'Helemaal doorlopen naar boven!'
Ze steekt de sleutel in het slot en duwt de deur open. Ze klimmen de steile houten trappen op. Het is donker in het trappenhuis. Op de overlopen staat het vol met spullen. Op de eerste verdieping staat een fiets, op de tweede staan dozen vol oud papier. Ze wurmt zich erlangs. Totdat ze helemaal boven zijn. Daar staat Marieke al in de deuropening. Ze trekt hen in haar armen. 'Wat goed dat jullie echt zijn! Ik ken jullie alleen nog maar van papier!'
Snel trekt ze hen haar warme zolderkamer in. In haar atelier, een achterkamer van Mariekes lichte zolderappartement, hangen overal aquareltekeningen van zeehonden. De zolderkamer is wit geschilderd en heeft grote ramen waardoor je uitkijkt over een zee van

daken. Marieke wijst naar een tekening aan de muur met daarop een zeehond met twee vlechten.
'Dat ben ik,' zegt ze lachend, en vervolgens wijst ze naar een zeehond die wit is en op een zandbank flessenpost schrijft. 'En dat ben jij.'
Op haar tekentafel ligt een tekening van De Hoop die droog ligt op het wad. Dan pakt ze haar schetsboek en laat een tekening van Yoerie zien die in ons rode roeibootje langs de prikken roeit.
'Wauw,' mompelt ze. Met haar vinger strijkt ze over de pennenstrepen. Alles wat er in het echt niet meer is, staat in ieder geval in dit boek.
Als ze uitgekeken zijn, ploffen ze neer op de grote paarse kussens op de grond in Mariekes knusse woonkamer. Er staat geen bank, ook geen eettafel, alleen een laag tafeltje te midden van de kussens.
'Ik houd niet van stoelen,' zegt Marieke, terwijl ze in kleermakerszit aan het tafeltje gaat zitten. Mama is naar buiten om wat te eten te halen. Tara gaat op haar buik in de laatste zonnestralen liggen en speelt met de grote knoop in het midden van het kussen. Yoerie zit in de vensterbank en bladert nog een keer door ons boek.
'Marieke,' begint ze voorzichtig. 'Denk je dat ik ooit zelf een boek zou kunnen schrijven? Net zoals jij dat nu doet?'
'Tuurlijk, ' zegt ze. 'Je hebt zoveel fantasie.'
'Maar de laatste keer is het helemaal mislukt,' zegt ze. 'Toen ik schreef als een piraat.'
Yoerie, die half meegeluisterd heeft, grinnikt. 'Jij bent echt gek. Schrijven als een piraat, dat is raar.'
'Maar om te schrijven moet je ook een beetje raar zijn. Dan moet je van alles kunnen verzinnen,' zegt Marieke meteen.
Yoerie haalt zijn schouders op en kijkt door het raam naar buiten. Schrijven interesseert hem nog steeds niet. Hij kan het ook niet goed. Hij spelt alles verkeerd. Laatst is zijn juf boos op hem geworden, omdat hij frikadel als vrikandel schreef. Hij kwam huilend thuis. 'Het

is toch een vrikandel,' zei hij. 'Wat maakt die ene letter nou uit?'
Zij snapt dat niet. Ze maakt bijna nooit fouten, ze kent 't hele fokschip. Yoerie niet. En hij zit nog wel in de zesde klas. Soms snapt ze niet hoe hij haar broertje kan zijn.
'Willen jullie thee?' vraagt Marieke.
Ze gaan naar haar kleine keukenhoekje. Tara loopt achter haar aan. Hier kan Yoerie haar niet horen. Mariekes keuken is bijna net zo klein als in hun roef. Er staat een klein gasfornuisje op haar koelkast, en daarnaast een aanrecht waar maar net een theepot op past. Marieke schenkt de zwartgeblakerde fluitketel vol met water en zet het op het gas.
'Weet je nog dat opstel dat we voor Lena hadden geschreven?' vraagt ze voorzichtig.
Marieke draait zich om en knikt.
'Ze hebben het op het schoolplein voorgelezen en mij voor gek verklaard.'
Het is de eerste keer dat ze dit aan iemand anders dan aan Ilona vertelt. Maar Ilona is er niet meer. Ze heeft het ook niet aan haar ouders verteld. Ook niet over de tatoeages. Ze kijkt wel uit. Mama begint dan alleen maar te huilen en papa wordt vast laaiend. Het is haar geheim. Alleen Lena weet het – maar die is het eigenlijk al weer vergeten. En Ilona – maar die is verdronken en ze heeft al Tara's geheimen meegenomen.
'Dat is verschrikkelijk,' roept Marieke. Ze komt naar haar toe en legt haar handen op Tara's schouders. Langzaam zegt ze, alsof ze een toverspreuk uitspreekt: 'Vind dat wat je schrijft nooit gek, Tara. Het is van jou.'
Tara zwijgt en leunt tegen het beslagen raam van de keuken.
'Mijn vriendin is dood,' zegt ze.
Marieke komt naast haar staan. 'Mis je haar?'
Ze voelt hoe haar ogen vol tranen stromen, wat sinds de dood van Ilona nog niet gebeurd is.

'Zij wist alles van mij.'
'Dus nu is er ook een deel van jou verdronken?'
Tara knikt, Marieke snapt haar.
Het water kookt. Uit het scheef hangende kastje boven het aanrecht pakt Marieke drie grote donkerrode mokken.
'Kom, ik heb heerlijke koeken bij de thee. En daarna moeten we snel gaan, want dan begint de presentatie van het boek.'

Op de fiets rijden ze langs de grachten. De schemering heeft al ingezet. Lampjes branden in de schepen. Ze schommelt met haar voeten terwijl ze op de pakjesdrager van Mariekes zwarte opoefiets zit. Ze scheurt tussen alle andere fietsers door. Ze klampt zich aan Mariekes middel vast. Diep ademt ze de koude namiddaglucht in, het tintelt in haar neus en longen. Zij leeft nog.
Na tien minuten fietsen, komen ze bij een groot plein met kramen. Het is een beetje zoals hun pinkstermarkt, maar dan drie keer zo groot. Marieke zigzagt langs de kramen.
'Stop!' roept Tara.
'Wat is er?' vraagt Marieke.
'Ik moet naar die kraam,' zegt Tara, terwijl ze van de pakjesdrager af springt.
Ze had het in een flits voorbij zien komen, de kraam vol met legergroene mutsen, sjaals, broeken en net zulke schoenen als Ilona droeg. Kisten. Eén paar kisten is net wat anders dan de rest. Ze zijn zwart, halfhoog en hebben een kleine hak en paarse veters. Vrouwelijke kisten. Een soort combinatie van haar stevige platvoetstappers en blokhakken. Ze roepen haar.
'Vind je ze mooi?' vraagt Marieke.
'Zulke schoenen had Ilona. Ze is erdoor verdronken.'
'Poeh.'
'Toch wil ik ze hebben.'
'Waarom?'

'Ze was nog nooit zo sterk als op die schoenen. Nu zij dood is, wil ik bewijzen dat ik net zo sterk als zij kan zijn.'
'Hoe duur?' Marieke roept naar de verkoper, die koffie drinkt uit een plastic bekertje en tegelijkertijd een vreemd ruikend shagje rookt. Ze onderhandelen even over de prijs en dan geeft Marieke de schoenen aan Tara.
Ze trekt ze aan, haar tenen raken de voorkant nog maar net. Het kost moeite om haar voeten van de grond te tillen, zo zwaar zijn de kisten. Als ze er voorzichtig op loopt, voelt ze bij elke stap de spieren in haar kont zich aanspannen. Dit wordt spierpijn. Maar toch loopt ze door.

'Je lijkt wel een clown!' zegt Yoerie als ze hen even later weer inhalen met de fiets.
Marieke en zij fietsen rakelings langs hem heen en Tara trapt met haar kisten tegen zijn schenen.
'Tara! Dat doe je toch niet!' roept mama boos.
'Dan moet hij maar niet zulke stomme dingen zeggen.' Ze lacht alsof ze een echte Amsterdammer is.

Datum en tijd: donderdag 16 november, 00.30 uur, dag 16 van de oversteek
Positie in de kaart: 15.4 N 52.42 W
Koers: west
Snelheid: 5 knopen
Weer: helder, noordoostenwind 4/5

'Doe mij maar een Tia Maria,' zeg ik terwijl ik aan de bar ga zitten.
Lena schenkt me meteen in. Het hele ruim is leeg, alle gasten zijn naar bed. Het is halfeen 's nachts en ik kom net van mijn wacht. We zijn alleen.
'En neem er zelf ook een,' zeg ik. Lena schenkt nog een glas in en doet in beide twee klontjes ijs.
Zwijgend zitten we aan de bar. De gitaarmuziek van Morrissey klinkt zachtjes op de achtergrond, flessen rinkelen in de schappen. We liggen standaard over de bakboordboeg en alles is op die manier vastgezet, tussen de glazen zitten theedoeken.
'Nou, vertel maar,' zeg ik.
'Wat?'
'Hoe jij het ziet, die dag van de verdrinking.'
Lena slaat in één keer haar glas achterover.
'Ik liep over de dijk en zag jullie samen in het bootje zitten, Rootje heette dat, toch?'
'Ja, Rootje. Maar jij wist dat wij daar zaten.' Ik schuif naar het puntje van mijn kruk. Dit had ik niet moeten doen, Lena vragen om haar versie. Het slaat echt nergens op.
'Wil je nu mijn verhaal horen of blijf je gewoon lekker je eigen versie afdraaien?' Lena kijkt me indringend aan.
'Oké, ik zal het proberen. Jij liep dus over de dijk en toen zag je ons.'

'Nou ja, ik weet ook niet meer precies hoe dat ging. In ieder geval kwam ik net uit de kroeg van mijn moeder, dat weet ik nog wel. En had ik ook niet net in jouw armen staan grienen? Dat was toch die dag? Omdat mijn moeder weer zo nodig met een ander samen moest gaan wonen. Eentje van wie ik meteen al op mijn vingers na kon tellen dat hij er een puinhoop van zou maken.'
'Ja, je had staan huilen die dag. Omdat ik eindelijk iets durfde te zeggen over die tatoeages op mijn borst. Je huilde omdat je mij niet kwijt wilde. Maar meende je dat? Stond je niet gewoon te janken om mij te manipuleren?'
'Manipuleren?'
'Ja, elke keer als ik jou de waarheid zei, begon jij te huilen. Zodat ik er eigenlijk niets meer van kon zeggen, dan kon ik je alleen nog maar zielig vinden. Ook al had je me getatoeeerd.'
'Daar kon ik niets aan doen, dat heb ik ook al gezegd.'
'Je stond er toch verdomme naast!' Ik schuif het lege glas van me af, dat meteen naar de bakboordkant van de bar glijdt.
'Als ik iets had gedaan, dan was ik zelf op die biljarttafel beland en dan had Rinus iets ergers met mij gedaan dan een paar pennenstrepen op mijn borst zetten.'
'Zie je, dat bedoel ik nou. Bij jou is het altijd erger, dus stelt het bij mij niets voor. Ik moet niet zeiken over die pennen, want anders was jij verkracht, vermoord of wat dan ook. Maar dat interesseert me gewoon even niet, weet je. Ik wil gewoon dat je weet wat je mij hebt aangedaan! Waarom stookte je iedereen tegen mij op? Waarom las je het opstel dat ik toen voor jou had geschreven niet voor?'
'Omdat de juf door begon te krijgen dat er iets niet klopte! Als ik jouw stuk voor had gelezen dan was jij de lul.'
'Echt?'

'Ik had juf met de directeur van de school horen praten, ze zei dat ze de opstellen van de laatste tijd zo verwonderlijk vond en dat ze maar twee mensen kon bedenken die zulke opstellen zouden schrijven.'
'Ilona en ik.'
'Juist. Dus besloot ik inderdaad om mijn tranen tactisch in te zetten. Dat werkt.'
'Als dat waar is, dan is dat tof van je. Maar waarom riep je dan die verkiezing uit op het schoolplein?'
'Ik had een naam hoog te houden. Ik wilde geen huilebalk zijn.'
'Dus ging je weer boven op mij staan om iemand te kunnen zijn.'
Lena springt op van haar barkruk en schenkt eerst zichzelf en daarna mij nog een keer flink in, dit keer zonder ijs. We nemen allebei een slok en luisteren naar het geluid van het water dat zich mengt met de gitaren.
'Ik kende geen andere manier, Tara. Zo hield ik mensen bij mij. Met clubregels. Met intriges. Ik wist niet hoe ik dat anders moest doen. Ik had niet zulke lieve hippie-ouders die mij leerden hoe je een vriendschap opbouwt. Snap dat dan!'
'Maar je ging wel heel ver. Jij daagde Ilona uit om te gaan varen. Je hebt haar in de val gelokt.'
'Bedoel je nu dat moment op het marktplein in de stad?'
'Juist.'
'Ilona zei toch dat jullie vaak samen gingen varen. Hoezo was het dan mijn plan? Ik voelde me buitengesloten, dat weet ik nog. Achter mijn rug om sprak jij af met Ilona.'
'Dat was niet waar. Ik zag Ilona niet meer toen ik eenmaal op de middelbare school zat.'
'Zo zag het er anders niet uit toen ik jullie vanaf de dijk zag zitten in het bootje. Ik voelde een steek van jaloezie. Ik had

net in jouw armen staan huilen en daarna ging jij met Ilona varen, alsof ik niet bestond. Ik wilde bij jullie horen. Ik ben toen naar de haven gerend en ben zonder nadenken bij jullie in het bootje gesprongen.'
'Dat was geen spontane actie, dat was een uitgedachte wraakactie.'
'Jezus, jij kunt dat niet loslaten, hè? We waren nog maar net veertien, Tara. We zeiden van alles. We zochten uit wie we waren. We hebben stomme dingen gedaan, debiele dingen gezegd die we niet moesten zeggen. Ik weet niet meer precies hoe dat is gegaan daar op het plein. Doet dat ertoe?'
'Ilona is dood.'
'Denk je dat ik me nooit schuldig heb gevoeld? Natuurlijk heb ik ook zitten denken wat ik anders had kunnen doen. Heb ik me schuldig gevoeld over al mijn pestacties. Heb ik me afgevraagd of het ooit gebeurd was als ik wat aardiger had gedaan.'
'Mooi zo.'
'Maar jij deed ook niets. Jij hebt volgens mij niets gezegd in de stad. En aan boord was je net zo passief en stil als dat je in de klas altijd was.'
'Omdat jij altijd het hoogste woord voerde!'
'Ja, lekker makkelijk. Je hebt zelf ook een verantwoordelijkheid, hoor. Waarom sprong jij bijvoorbeeld niet van boord?'
'Ik deed dat wel, jij bleef zitten.'
'Oké, ik zal je mijn versie vertellen, daar vraag je immers om. We roeiden, we lachten, we pestten elkaar. We waren inderdaad niet zo aardig voor Ilona. Vooral ik niet. Want ik was jaloers op dat kreng. Ik wilde niet dat ze jou van mij afpakte, snap je. Ze had die onzin al verteld over dat haren knippen, wat wij dus mooi niet gedaan hebben. Ze had een pesthekel aan mij en ze gebruikte elke mogelijkheid om

mij zwart te maken. Ze zou jou van mij afpakken en jij was de enige die als een echte vriendin voelde. Lilian, Mandy, Natasja, Greta – allemaal meelopers, zij waren alleen maar mijn vriendinnen omdat ik populair was. Bij jou kon ik echt mezelf zijn, ging het niet om mijn populariteit.
Het begon te regenen en te onweren. We waren natuurlijk veel te lang op het water gebleven, dat weten we allebei. We dansten in de regen, we maakten er het beste van. Ik wilde Ilona erbij betrekken, haar ook laten dansen. Maar ze werd boos op mij. Ze duwde me weg en zij viel overboord. Ze gleed uit. Vrij snel heb ik mijn schoenen uitgetrokken en ben overboord gesprongen. We hadden haar nog gewaarschuwd. Ze had die kisten uit moeten trekken! Nu kon ze natuurlijk helemaal niet zwemmen en van nature was ze ook al geen waterrat.
Jij zat als verlamd op dat bootje, Tara, vraag het maar aan je vader. Die trof jou daar aan terwijl ik in het water op zoek was naar Ilona.'
Mijn maag draait om als ik aan die nacht denk. De laatste tijd speelt alles zich weer af in mijn hoofd. Het zoeken, zinken, zwemmen, schreeuwen. En haar lichaam. Haar blauwe lippen. Hoe ik de weken erna in een bubbel verkeerde. Alles was waterig. Waarom ga ik er eigenlijk van uit dat mijn herinnering aan die dag zo scherp is? Terwijl de rest uitgelopen is als een aquareltekening uit Mariekes boek. Ik weet ook niet meer precies wie wat zei en waarom. Opeens zie ik mezelf daar zitten op dat bankje, terwijl Lena als een waterrat door het water zwom, op zoek naar Ilona. Tja, het zou best kunnen. Ik moet het mijn vader eens vragen.
'Ik heb dat beeld van haar nooit meer van mijn netvlies kunnen krijgen,' vervolgt Lena terwijl ze ons nu wat sterkers inschenkt. 'Jij hebt haar lichaam niet in dat bootje zien liggen.

Jij had een vader die jouw ogen afdekte. Ik had dat niet. Heb dat niet. Heb dat nooit gehad. Weet je eigenlijk wel hoe blij je daarmee mag zijn? Dat iemand jouw ogen sluit, zodat je dat verschrikkelijke beeld niet hoeft te zien? Ik zal het nooit vergeten, die ogen, wijd open. Ik kotste. Overboord. Maar er was niemand die dat zag. Een van de vissers heeft me later naar huis gebracht. Ik rilde van de kou. Iemand had een deken om me heen geslagen, ik weet niet meer wie. Mijn stiefvader heeft nooit gevraagd hoe het met me was. Mijn moeder wel. Maar ze huilde zelf zo hard, dat er voor mijn verdriet geen plek meer was. Daarna heeft ze er met geen woord over gerept. En jij wilde niet meer met me praten. Ik was verdoemd. Toen jij eenmaal die stomme kisten aanhad, werd je iemand anders.'
'Ik had die schoenen nodig om voor mezelf op te komen.'
'Maar daarbij was je mij vergeten. Ik was ook een vriendin kwijt.'
Lena laat haar handen zakken in het koude spoelwater, dat schuin in de bak staat. Ze spettert met het water. 'Toen je die kisten aandeed, werd je keihard.'

*

Langzaam loopt ze het schoolplein op. Iedereen bevriest. Lilian, Mandy en Lena stoppen met kletsen. Hun monden vallen open. Zelfs de meeuwen houden op met schreeuwen en blijven beweging-loos in de lucht hangen. Stap voor stap loopt ze over de tegels, haar stevige zolen en stalen neuzen maken een metaalachtig geluid dat tegen de muren van de school weerkaatst. In slow motion loopt ze over het plein. Hak van de grond, afrollen, door de knieën, voet weer op de grond. Ze beweegt haar tenen vrij in de net te grote schoenen. Een paar mieren kruipen weg als ze de enorme schaduw van haar kist zien aankomen. Het is alsof alles en iedereen naar haar kijkt. De kinderen op het plein, de meeuwen. Toch loopt ze door. Er is geen weg meer terug.

Onderuitgezakt gaat ze in het klaslokaal achter een tafeltje zit-ten. Met haar benen gestrekt, zodat zijzelf en de rest haar kisten blijven zien.

Lena en co komen de klas in en gaan achter haar zitten.

'Heb je Ilona's schoenen aan?' vraagt Lena.

'Zijn dat niet van die alto-schoenen?' zegt Mandy.

'Kun je niet op je eigen benen staan?' vraagt Lilian.

Voordat ze het zelf doorheeft, draait ze zich om en zegt recht in hun gezicht: 'Wisten jullie niet dat blokhakken allang uit de mode zijn? Iedereen in Amsterdam draagt kisten. Er is daar echt nie-mand die nog op zulke blokhakken als jullie loopt.'

Meteen draait ze zich weer om. Haar hart klopt als een gek. Bloed stijgt naar haar hoofd, haar wangen worden rood en ze krijgt het snikheet.

Het blijft opvallend stil achter haar. Ze hoort wat geschuif met schoenen, geritsel van papier, maar niemand zegt iets terug. Ook Lena niet. Vanuit haar ooghoek ziet ze hoe een paar andere meiden

in de klas hun lach onderdrukken. Ze heeft die meiden eigenlijk nog niet eerder gezien. Ze zien er best aardig uit.
Elk moment verwacht ze een felle opmerking in haar oor. Maar de hele klas is stilgevallen. Ze gaat rechtop zetten en zet haar schoenen op de grond. Een anker. Geen storm meer die haar van haar plek krijgt.

Thuis loopt ze op haar kisten naar De Hoop. Het schip is nu echt verkocht. Over een week wordt het opgehaald. Dan is haar schip niet langer haar schip.
Haar kisten klinken luid op het staal van het dek. Langzaam loopt ze een rondje over het schip. Ze legt haar hand zachtjes op de luiken van het ruim. Dag schip. Ze legt haar handen op de nagelbank, dag lijnen en blokken. Loopt langs het voordek, dag kluiverboom, bolders en trossen. Dag ankerlier, kettingen. Via de gangboorden, de zwaarden, klampen, bakstagen naar het achterdek, dag roef, roer en koekoek. Naar Rootje, die met een lijn vastligt aan de bolder. De nieuwe eigenaren nemen ook haar bootje over. Ze legt even haar hand op het touw. Dag Ilona.
Via de loopplank loopt ze van boord, op de kade draait ze zich nog een keer om. De witte romp, de roeststrepen bij de kluisgaten, het bruine dekzeil, de ronde tjalkenkop. Een mooi schip, maar nee, niet langer haar schip. Ze kan verder.
Ze loopt naar de volgende steiger, naar het nieuwe schip dat papa ondertussen heeft gekocht. Hij heeft hard gewerkt. Er staat al een stuurhuis op en in de nieuwe opbouw zitten ramen. Er staan nog geen masten op en er hangen geen zwaarden aan, maar het is ook geen casco meer. Het is een heus schip. Bij de loopplank blijft ze staan. Dit is de eerste keer dat ze aan boord gaat. Deze plank loopt veel steiler, omdat de boeg hoger is. Ze zet haar kisten achter de spotjes en klimt omhoog. Ze houdt zich vast aan de reling en zet haar kisten op het donkerrode, pas gestraalde staal. Wat is het hier

groot. Vanaf het dek kan ze over de hele haven kijken. De Hoop lijkt wel een bijbootje, zo klein.
De gangboorden zijn breed, het ruim en de reling hoog. Het schip is nog hol en leeg, dat hoort ze door de echo van haar stalen neuzen op het dek. Kloink, kloink.
Ze klimt het stuurhuis in. Het is nog helemaal kaal. Alleen het stuurwiel is al gemonteerd. De klipper heeft geen helmhout zoals De Hoop, maar een hydraulisch stuur. Nog zoiets waar papa niet over uitgepraat raakt. 'Met één vinger kun je dat wiel draaien, Tara, je kunt fluitend overstag.'
Ze legt haar handen op het stuurwiel en kijkt uit over de dertig meter voor haar. Wat een lengte. Stel je voor dat daar straks zeilen op zitten. Twee masten. Een fok. En een kluiver. Geen bruine, maar witte kunststoffen zeilen. 'Dat slijt een stuk minder snel,' zegt papa. Ze draait aan het wiel. Ja, dat gaat inderdaad makkelijk. Ze zet haar kisten breed, alsof het schip scheef gaat en ze al haar kracht moet gebruiken om op haar plek te blijven staan. Ze draait aan het roer. Een windje steekt op, de zeilen vallen vol, ze gaan schuin. Beetje loeven, beetje vallen. Ze voelt het schip trillen. Golven breken bij de kop. Wat een snelle klipper is dit.
Ja, ze gaat de wereld rond zeilen. Dat is ze verplicht aan Ilona. Ze gaat leven.

Datum en tijd: donderdag 16 november, 05.00 uur, dag 16 van de oversteek
Positie in de kaart: 15.4 N 52.42 W
Koers: west
Snelheid: 2,3 knopen
Weer: noordoostenwind 2/3

Het schemert en hier op de oceaan krijgt dan alles de kleur van dat blauwe schemeruur. De zee, de koppen van de golven, de wolken, het witte dek, de zeilen, zelfs de bijna zwarte dreigende wolken aan de verre horizon; alles is van dat ongrijpbare blauw. Niet licht, niet donker, niet dag, niet nacht. Ook bij mij vanbinnen. Tot laat heb ik met Lena zitten praten. Totdat we er niet meer uit kwamen. Wat nu waar was, of niet. En nu sta ik in de schemer van mijn geheugen, zonder houvast.
Er staat een licht briesje, er zit weinig druk in de zeilen. Het voelt als een stilte voor de storm. Ik buig over de boeg en kijk in het water. Kon ik de bodem van de oceaan maar eens zien, zoals ik de bodem van het wad kon zien. Ik zou eroverheen willen lopen. Mijn voeten in de modder willen zetten. Willen zien wat er leeft. Het is een vreemd idee dat we vierduizend meter onder ons hebben, en dat niemand weet wat daar leeft. Een diep, zwart gat.
Het water is helder, maar ik kan niet verder kijken dan een paar meter. Het schip beweegt traag op de deining, een deining die je bijna niet kunt zien omdat we meebewegen, al meer dan twee weken. Ik ben deel van dit schip geworden, ik kan de zee niet meer zien voor wat ze is. Net zoals ik mijn eigen leven niet meer kan zien voor wat het is. Mezelf niet meer kan zien voor wat ik ben. Lena zegt dat ik een vertekend beeld heb. Ze zegt dat Ilona liegt. Is dat waar? Zou

Ilona echt over mij hebben geroddeld? Stel je voor dat Ilona achter mijn rug om over mij kletste. Maar waarom zou ze niet over mij gaan praten? Ik had haar in de steek gelaten. Ik lijk wel een klein kind. Dat ik me daar nog steeds druk over maak. Waarom kan ik niet gewoon volwassen zijn? En me geen zorgen maken over wat anderen over mij zeggen? Ze is dood, DOOD! En ik denk alleen maar aan de roddels die ze eventueel verspreidde.
'Zie je dat zelf ook?' vroeg Vikram een paar weken terug. 'Dat je leuk bent?'
Nee, ik zie het zelf niet. Ik zie mezelf door de ogen van anderen. Door de ogen van Lena, Ilona, Jitse. Als zij me maar leuk vinden, als zij maar voor me kiezen, dan pas ben ik echt iemand. Hemel, ik geef mezelf weg.
Ik klamp me vast aan de boeg en buig voorover. Ik kijk in de diepe blauwe oceaan. Ik knijp mijn ogen samen en schrik me rot – er komt een enorme zwarte schaduw vanachter aangeschoven. De schaduw is wel twintig meter lang en ze glijdt door het water. Ze wordt steeds donkerder en komt naar het wateroppervlak. Ik zie een glimmende grijze huid, witte pokken, zijvinnen, een staart. Een walvis! Ik klem mijn handen om de reling en staar vol ongeloof naar dat enorme oerwezen dat vanuit de diepte omhoog is gekomen.
Hij komt steeds hoger, totdat zijn enorme oog boven het water uitsteekt. Dit heb ik nooit gezien. Het oog van de walvis is grijs, waterig, slijmerig. Oog in oog sta ik met de walvis, terwijl hij langzaam met het schip meezeilt en de tijd neemt om het schip, de lucht en mij te bekijken. Steeds dieper word ik het oog in getrokken. Dit leeft er dus diep in de oceaan. Een enorm oog. Een donker oog. Zonder pupil, zonder oogwit. Een soort glanzende, grijze spiegel. Met vochtige ogen kijk ik in dat grote oog. Alles om me heen lijkt te verdwij-

nen, in dit vreemde blauwe uur. Alleen ik en het oog blijven over. Plotseling – in een flits – zie ik een pan met kokende rode soep. Langzaam hang ik een beetje verder voorover, ik kijk gevaarlijk diep in de pan. Bijna verlies ik mijn evenwicht maar ik hervind snel mijn balans, ik steek mijn kisten achter de reling en houd me stevig vast. Hoe dieper ik in het oog kijk, hoe meer ik zie. Ik zie het wad. De Hoop. Bruno scharrelt eromheen. Heksenbezems op een rijtje.
En nu hoor ik het. Eindelijk. Wat is het lang geleden. Mijn o. De letter trilt door mijn borst, ik open mijn mond en laat de o naar buiten komen.
Ik blijf de walvis aankijken. Hoor ik hem nou ook een diepe o uitzenden? De toon van de walvis is donker en laag, niet zo hoog en piepend als die van de dolfijnen. Ja, ik hoor de walvis. Zijn o en mijn o worden één. Roept deze walvis me al sinds ik een klein kind ben?
Langzaam zakt de walvis weer onder water. Hij gaat weg, terug naar de diepte. Zoute walvistranen stromen over mijn wangen. Het zijn geen hete tranen zoals op La Palma, maar koele tranen. Tranen die stromen in plaats van spuiten. Het stroomt vrijwillig. Ik haal diep adem. Ik leef. Ik hoef Ilona niet langer te verdedigen of haar leven over te nemen. Ik ben vrij.

Dan hoor ik iemand mijn naam roepen. Frank komt uit het stuurhuis gerend, naar het achterdek.
'Er komt een tropische storm aan, Tara. We moeten ons stormklaar maken!'

Datum en tijd: donderdag 16 november, 08.00 uur, dag 16 van de oversteek
Positie in de kaart: 15.4 N 52.42 W
Koers: west
Snelheid: 8,2 knopen
Weer: dreigend, zuidzuidwestenwind 8

Alles en iedereen is in rep en roer. Frank en Robin staan te overleggen in het stuurhuis, ze bewegen zich van weerbericht naar radar, kaart en barometer. Het lijkt wel een zenuwcentrum. De sfeer is gespannen, Frank kijkt me nauwelijks aan. Robin wel, hij legt een hand op mijn schouder.
'Goed dat je er bent,' zegt hij met zijn zangerige Franse accent. Hij komt uit Franstalig Canada en heeft dit waarschijnlijk al veel vaker meegemaakt, want hij loopt zelfverzekerd door het stuurhuis.
'We moeten alle luiken sluiten en de zeilen bergen,' zegt hij tegen Frank. 'En van koers veranderen, dan kunnen we het ergste deel van de storm ontwijken.'
Inge en Lena zijn druk bezig om alles in de keuken zeevast te zetten en zorgen voor de gasten, die er bleek uitzien.
'Is it really not dangerous?' vraagt het Amerikaanse vrouwtje.
'This is your responsibility,' roept haar man. 'I will sue you if anything happens to us.'
Hij loopt zenuwachtig heen en weer over het dek.
'Please go inside,' zegt Inge. 'That's more safe.'
'I will stay here, no one tells me what to do!'
De andere gasten zijn minder eigenwijs, zelfs de twee Duitsers met hun bijdehante opmerkingen zwijgen. Ze zitten met z'n allen in het dagverblijf. Inge legt zwemvesten klaar en Lena bedient ze alsof er niets aan de hand is.

'Nog een drankje, mevrouw? Ein Brötchen, Herren?'
Het werkt. De mensen ontspannen als zij komt. Ze voelen zich verzorgd, gezien.
Moet zij niet even naar Vikram lopen om te zeggen dat hij zich bij de andere gasten moet voegen? Hij doet dat nooit. Hij is altijd maar op zichzelf. Soms vraagt ze zich af of hij wel eet, want zelfs bij de maaltijden sluit hij niet aan. Maar net als ze naar achteren wil lopen, komt Frank naar haar toe.
'Ga jij de mast in om de bovenmars te bergen?'
Ik kijk omhoog naar de heen en weer zwiepende masttoppen. Mijn hoofd tolt ervan.
'Dat durf ik niet, Frank.' Het is eruit voordat ik het weet. Ik kijk naar het zoute hout op het dek. Zal hij me nu een sukkel vinden? Een nepmaat? Ik kijk voorzichtig naar hem op.
Hij kijkt me met verbaasde ogen aan, wil iets vragen, maar bedenkt zich en zegt: 'Help dan Jitse op het voordek, met het bergen en stellen van de zeilen.'
Jitse rent over het dek heen en weer. Hij zet zeilen, haalt ze naar beneden, bindt ze goed in. Ik wil niet met die klootzak werken. Zal ik toch de mast ingaan? Maar dan kijk ik naar de lucht. In de verte pakken donkere wolken zich samen, de wind trekt aan, de golven die zonet nog rustig deinden, rechten hun rug en heffen hun stuivende koppen, als een leger breken ze op ons af. Voor het eerst zie ik de zee als een vijand, niet als iets dat ons draagt en deint, maar als iets dat ons tegenwerkt, wil vernietigen, verpletteren. Dreigende, schuimbekkende golven. Er verschijnt een beeld voor me van de windkaart die vroeger op De Hoop onder de marifoon hing, waarop foto's stonden van de zeestaten bij elke windkracht. Bij windkracht nul was de zee vlak, bij vijf kregen de golven duidelijke schuimkoppen, maar bij tien was de hele lucht donker en de golven waren woest. Zware

storm, stond eronder. Langzaam ondergaat de oceaan om mij heen de transformatie van plaatje één naar plaatje tien. Ik voel mijn kindervinger over de verschillende foto's gaan. En daarmee stijgt de urgentie. Er is nu geen tijd voor twijfel of wrok. Er is een storm op komst. Dit is een Niet Aarzelen Punt.
Ik trek mijn overlevingspak aan, grijp mijn life-line uit het stuurhuis en ren naar Jitse. Mijn lichaam handelt alsof het dit al veel vaker mee heeft gemaakt. Alsof er in die kleine kindervinger, die alle foto's bestudeerde en elke windkracht uit haar hoofd kende, een wijsheid zit die nu weer omhoogkomt.
Jitse kijkt op als ik kom. 'Ga jij in het net?' roept hij. 'De voorste kluivers liggen nog los.'
Ik knik en haak mezelf vast aan de stalen draad langs de kluiverboom. Heel even twijfel ik, de zee onder het kluivernet ziet er dreigend uit, de golven happen naar mijn voeten. Ik houd me stevig vast aan de staaldraad en zie mijn witte knokkels. Dit zijn mijn handen, handelende handen, Huizingahanden, pioniershanden. Mijn vader. Opeens moet ik aan hem denken. Hoe zijn brede schippershanden vroeger op mijn kleine meisjeshanden op het roer lagen. Bakboord, stuurboord, vallen, loeven. Ik denk aan alles wat hij me leerde. Hoe ik een grootzeil hijs, eerst de klauw strak, dan pas de gaffel bijtrekken. Hoe ik een rif zet, goed oppassen dat je de rifknuttels uit dezelfde lijn pakt, anders scheurt het zeil. Hij leerde me over smeerrepen, steekbouten. Hoe ik een haven in kan varen met zijstroom en ook hoe ik kluivers inbind. Dat moet netjes, strak, zodat de wind ze niet losslaat. Ik vond hem overdreven streng, ja, een marine-officier, een perfectionistische generaal. Maar nu zie ik de waarde van zijn adviezen. Zonder mijn vader was ik niet geweest wie

ik nu ben. En ik wou dat ik hem dat kon zeggen. Dat hij hier was. Dan zet ik mijn kisten vastberaden in het net. Niet denken, doen, Huizinga. Zo snel heb ik het weer nog nooit zien veranderen. De wind suist om mijn hoofd, de golven spatten, het schip stampt op de zee. Met één arm houd ik me vast aan de boom, met de andere aan de boegstag. Als ik bij de voorstag van de binnenkluiver ben, gooi ik mezelf op het wapperende zeil en sla de lijnen die aan de boegstag vastzitten, om het zeil. Het schip gaat steeds wilder tekeer. Het stampt en in elk dal beweegt het net gevaarlijk dicht naar de golven toe. Mijn kisten komen bijna in het water onder me. Op een top stijgt de kop en laat ik bijna los van het net. Ik houd me stevig vast en tegelijkertijd zet ik het zeil vast.
Jitse staat nu bij de fok. Met Robin samen legt hij een rif in het zeil. Ze rollen het onderlijk op, binden het samen met de rifknuttels en maken zo het zeil kleiner. Het fokzeil zal als stormzeil blijven staan.
Robin kijkt over zijn schouder naar mij en vraagt door zijn wenkbrauwen op te trekken en even te knikken of het goed gaat. Ik knik terug.
Vreemd, even voel ik me gelukkig. Ik voel me deel van dit team. Samen zullen we door deze storm komen. Als we precies doen wat we moeten doen, als we scherp op koers blijven, als we handelen als één lichaam, één geest met zes paar handen, dan komt het goed. En ik hoor bij dat team. Zonder mijn handen gaat het niet. Ik hoor erbij. Ik hoor erbij! Mijn buik maakt een extra sprong, precies zoals mijn maag voelt als de boeg van het schip van de top van een golf in een dal valt. Ik hoef er niets voor te doen, ik hoor er al bij! Ik word weer op het net gesmeten. Mijn hand komt klem te zitten tussen het zeil en de stag. Au, verdomme, mijn pink knikt raar. De pijn schiet door mijn vingers, hand en arm. Ik moet

opletten, doorwerken. De pijn negeren. Er is nu geen tijd voor pijn of voor euforie. Werken. Ik kan mijn pink niet meer bewegen, maar met negen vingers lukt het ook. Ik buig over de boom met mijn middel en kan net bij het zeil. De golven worden steeds hoger, de lucht donkerder, het net valt steeds dieper in het water, mijn kisten klotsen in de golven, het water staat in mijn schoenen. Ik voel de kou niet en werk door. Snel, want ik moet ook nog de buitenkluiver doen, helemaal aan het puntje van de lange boegspriet. Helemaal vooraan op het schip, waar de boom het meest op en neer beweegt.
Niet twijfelen nu, met wilskracht kom je er. Ik loop naar voren en zie dat het zeil om de stag wappert. De neerhaler zit niet goed vast, het zeil hijst zichzelf. Als het zo doorgaat, gaat het zeil stuk. Ik draai me om, wil Robin roepen, maar die is al weer naar achteren. Ik roep Jitse.
'De neerhaler moet aan!' roep ik.
Meteen rent hij naar de val om die wat te laten vieren en dan naar voren om de neerhaler aan te trekken. Samen hangen we met ons hele gewicht in de lijn.
'Eén, twee! Eén, twee!' roepen we om een gezamenlijk ritme te vinden. Zonder dat ik het wil, schieten mijn gedachten naar onze eerste vrijpartij. Naar het scherpe, sterke ritme waarmee hij mij beminde. Zijn handen om mijn heupen zoals hij ze nu om de lijn klemt. Samen gooiden we ons in dat ritme, in elkaar, zoals we ons nu in de lijn gooien. Ik ben ontmaagd door een orkaan. Niet aan denken, doorwerken.
Jitse zet de lijn vast, ik klim verder naar voren. Ik ben eigenlijk nooit bang in het kluivernet, ik houd ervan om dicht bij de zee te zijn, maar nu voel ik hoe mijn kaken zich op elkaar klemmen. Dit is gevaarlijk. Ik zie het. De punt van de boegspriet duikt in de golven en vliegt daarna weer omhoog.

Daar moet ik heen. Ik check nog een keer of ik goed vastzit en ga dan op mijn buik op de boom liggen en klem me vast als een koala om een palm, met handen en benen om de kluiverboom schuif ik naar voren. Wilskracht, wilskracht. Als het schip zich in de golven stort, zie ik de zee op nog geen halve meter van me af, als we omhooggaan, zie ik geen zee, maar alleen lucht. Nu ben ik voor. Hoe krijg ik die lijnen vast? Ik moet een hand loslaten. Ik klem mijn kisten in de mazen van het net, die hier voorin klein zijn. Mijn kin leg ik op de kluiverboom en mijn armen gooi ik om het zeil. De lijnen zet ik vast met een platte knoop. Even denk ik weer aan de storm in Biskaje. Aan Lena die kwam helpen. Toen ze nog niet iets met Jitse had. Shit, het zeil klappert zo hard dat ik het bijna niet kan houden.
'Ik kom je helpen!' Ik voel het kluivernet bewegen. Een lichaam in een oranje overlevingspak gaat liggen op het zeil. Jitse.
We duiken samen naar beneden, nog dichter naar de zee. Ik zet snel de lijnen vast, we moeten hier niet te lang blijven. We moeten naar het dek.
Als we weer in de lucht schieten en ik de volgende knoop wil zetten, roept Jitse: 'Zullen we dansen?'
Ik zeg niets. Dit is niet het moment om te grappen en spelen. We moeten hier eerst levend vandaan zien te komen.
Ik glijd iets naar achteren, dichter naar hem toe, om de volgende lijn vast te zetten. Ik raak hem bijna aan. Zeilpak tegen zeilpak. Deze zeilpakken hebben al heel wat stormen samen doorstaan. Heel wat regenbuien. Niet aan denken, doorwerken.
'De salsa? De bolero?'
Niets zeggen, doorwerken. Volgende lijn. Maar met elke lijn moet ik dichter naar hem toe bewegen. Het net is hier smal.

Hij ligt op de boegstag, ik zit tussen de stag en de boom in. Ik ruik zijn chocoladelucht. Samen storten we in de afgrond, de boom steekt nu zo diep in het water dat onze gezichten in de zoute zee komen. Het water klotst om de zeilen heen, door de mazen van het net. Het schip stampt op en neer door de golven die zich in noodtempo opbouwen. Proestend komen we weer omhoog.
'Je had het beloofd,' roept Jitse als we omhoogvliegen. 'Dat we in het Caribische gebied zouden dansen!'
'Hou toch op!' roep ik, terwijl we weer naar beneden storten. Ik verlies mijn grip op de boom en glijd naar achteren, tegen hem aan. Hij slaat zijn armen om me heen en houdt me vast. Snel zet ik de laatste lijn vast, terwijl we weer onder water worden gedompeld. Deze keer verdwijnt zelfs de boom onder water. Het water kolkt om ons heen. Ik grijp me vast aan Jitse. Ik voel de zee rukken aan mijn benen.
'We moeten terug,' zeg ik, naar lucht happend, als we weer bovenkomen.
'Je ruikt lekker,' fluistert Jitse in mijn oor. Ik voel hoe het water mijn T-shirt in stroomt.
Het liefst zou ik me uit zijn armen willen rukken, willen wegrennen, maar ik kan nergens heen. 'Het is over,' schreeuw ik terug. 'Kies voor Lena.'
'Dat doe ik ook. Maar een dansje kan toch wel?'
We duiken weer onder water. Ik krijg een slok zout water binnen. Ik moet niets zeggen, we moeten hier weg. Jitse laat me echter niet los. Hij klemt zich om mij heen en legt zijn hand in de mijne, zoals je dat doet als je iemand ten dans vraagt.
'Ik wil met je dansen op het ritme van de storm!'
Weer duiken we onder water. Ik voel een waterstroom mijn pak binnengaan. Mijn kisten zijn zwaar en vol water. Als ik

nu overboord val, zink ik, net zoals Ilona. Ik wil leven, verdomme. Leven.
Als we boven water zijn, kust hij me. Zonder vraag, zonder twijfel. Zijn stevige zoute lippen drukken op de mijne. Zijn tong glijdt wild naar binnen. Hij drukt zijn lijf nog dichter tegen mij aan. Ik kan niet anders dan terug zoenen. Deze mond, die ik zo goed ken. Ik voel alle puberjaren door mijn buik kolken, terwijl we zoenend de lucht in vliegen. Zout, lippen, schuren, kolken, duiken. Het is als de eerste zoen in zijn vooronder. Even ben ik weer veertien. Als we weer onderduiken, deze keer nog dieper, zoenen we gewoon door, ook al krijgen we enorm veel zout water binnen. Als we weer bovenkomen, moeten we beiden hard lachen.
'Wat een dans!' roept hij.
'De laatste!' roep ik.
'De laatste,' bevestigt hij. Hij buigt naar me als een heer.
Ik moet lachen en voel alle woede en pijn van me af glijden. Wat een vent is dit toch. Niet te stuiten. Maar ik ben vrij. Ik heb hem niet nodig, ik ben niet meer te versieren. Als we opnieuw bovenkomen, ben ik daadkrachtig en druk ik hem naar achteren, naar het schip. We rennen, zo ver mogelijk, door het beweeglijke net naar achteren. Jitse voor, ik erachteraan. Ik wil zo snel mogelijk naar de boeg, voordat we weer in het water duiken. Maar mijn kist blijft hangen in een lijn en ik kom niet meer vooruit. Ik val met mijn hoofd voorover in het net, juist op het moment dat we onderduiken. Ik probeer me aan het net vast te houden, maar de zee is sterk, ik word gepakt door de golven. Even ben ik bang dat ik wegspoel, maar iets houdt mij vast. Als ik weer omhoogkom en op de boom land met mijn borst, zie ik dat het niet mijn life-line is, de haak is losgeschoten. Jitse houdt me stevig vast met zijn armen en trekt mij naar zich toe. 'Nu snel,' roept hij.

Ik wil mijn schoen lostrekken, maar met mijn kromme pink, die steeds meer pijn doet, lukt het niet, ik zit nog steeds vast. Jitse komt naar me toe.
'Niet doen,' roep ik. 'Ga terug naar het dek!'
'Trek die schoen uit!' roept hij.
Ik buig me naar voren, maar de hele wereld tolt om me heen. Mijn pak zit stevig om die schoen. Hoe krijg ik die nu los? Jitse schuift door het net naar me toe en begint aan mijn kist te rukken. Dan duiken we weer de zee in. Het water bruist door het net. Ik raak even helemaal vrij. Er is niets meer dat mij vasthoudt, mijn kist schiet van mijn voet, ik zweef door het water. Ik heb geen idee waar het schip is. Wat is onder? Wat is boven? Waar is Jitse? Ik sla met mijn armen om me heen. Het wordt steeds donkerder in mijn hoofd. Dit is mijn einde. Ik ben het schip kwijt. De grond kwijt. Ik tol door het landloze, het scheeploze. Water bruist om me heen.
Dan voel ik twee krachtige handen om mijn armen. Ze trekken aan mij. We komen weer omhoog, ik voel de opwaartse kracht. Als ik weer bovenkom, voel ik hoe mijn bovenlichaam wordt weggeworpen. Ik zie de boeg van het schip op me afkomen. De blauwe verf. In een flits zie ik Lena die aan mij trekt en dan sla ik met mijn hoofd op het staal. Alles is zwart.

Lieve Tara,

Ik kan bijna niet schrijven hier, daarom ziet mijn handschrift er niet uit.
Dit zouden weleens mijn laatste woorden kunnen zijn. Elk moment verwacht ik dat de trillende wanden uiteenvallen. Baffff.
Einde Lena. Einde Tara.
Ik zit hier al uren. Ik zou niet weten of het buiten dag of nacht is. Wat kan ik anders doen dan naar je schrijven? Ik wil je zoveel zeggen. Dingen die ik vast niet over mijn lippen krijg als jij je ogen opendoet. Als jij weer Tara bent en ik Lena. En als we weer doen zoals we altijd doen.
Je ligt er bewusteloos bij en ik durf je niet alleen te laten. We hebben je vastgebonden, anders rolt je slappe lichaam zo uit bed. Ik moet hier blijven, dan kan ik je meenemen naar boven, als we in vlotten moeten vluchten van dit zinkende schip.
En als we zinken, verdrinken, dan gaan we samen.
Ik wil niet alleen maar voor mezelf vechten. Dat heb ik steeds gedaan. Dat weet ik nu – want ik heb net jouw boek gelezen. Godsamme, zeg.

Wacht even. Ik moet weer ko   tsen.

Zo. Jezus. Ik kots alleen nog maar gal. Zo zeeziek ben ik nooit geweest. Maar het schip gaat ook als een dolle tekeer. Toch ga ik niet naar het dek. Ik blijf maar lezen, kotsen, lezen. Ik hoor het slaan van de blokken, het stampen van het schip op de golven, af en toe hoor ik Jitse, Robin en Frank schreeuwen. Inge kwam net even langs. Ze legde een hand op jouw voorhoofd. Je zuchtte diep. Merkte je dat?

S R
O R Y

Ik weet niet of ik het nog tegen je kan zeggen, daarom schrijf ik het op. Sorry.

Toen ik Jitse op het voordek hoorde schreeuwen, wist ik meteen dat het mis was. Ik rende naar voren en toen ik jou aan de rand van het kluivernet zag, dook ik in een impuls overboord om je armen te grijpen. Er ontglipt me niet nog een vriendin! Gelukkig pakten Jitse en Robin mijn benen weer, anders waren we allebei verdronken.

Toen je op het voordek lag, leek je zo verdomd veel op Ilona. Dat bleke gezicht, die blauwe lippen. Opeens vroeg ik me af of er ooit wel een Ilona heeft bestaan. Of jij en zij een en hetzelfde meisje zijn. Tara en Ilona. Het is een rare gedachte, Tara, ik weet het, maar even dacht ik dat echt. Dat Ilona gewoon een gezicht van jou is.
Gelukkig was de Grote Irritante Amerikaanse man aan dek. Hij blijkt dokter te zijn. Hij hielp me mee om jou naar beneden te dragen. Maar hij bleef zeiken.
'Onverantwoord dit, onverantwoord dat.'
Hij zei dat jij bewusteloos bent, maar dat je elk moment bij kunt komen. Ik moet je in de gaten houden.
S O

R R Y

Ik weet nu dat dat nodig is, dat woord, ook al is het niet genoeg, voor wat ik heb gedaan. Ik heb de stapels papier naast jouw bed opgepakt. Je bent je verhaal aan het opschrijven, dat is duidelijk. Je hebt veel over mij geschreven. Die club. Debiel eigenlijk. Ik las door, ook al werd ik kotsmisselijk hier in de buik van het schip. Of kwam het door het verhaal?
Ilona, Tara, Lena, Ilona, Tara, Lena.
Ik wist niet dat ik zo belangrijk voor je was.
Dat je om mij ging praten.

Hoe moest ik dat weten? Als je nooit iets zei?
Af en toe word ik ook boos. Een paar pagina's heb ik verscheurd. Dat laat ik me niet zeggen! Er staan dingen in die voor geen meter kloppen. Ik kan me dan wel niet veel herinneren, maar ik weet echt wel dat wij Ilona niet gekapt hebben. En dat IK overboord ben gesprongen om Ilona te redden. Niet JIJ. Je bent wel een drama-queen, je maakt alles veel erger dan het was.
Of niet? Of heb ik gewoon alle pijnlijke herinneringen gewist?

Ik moet weer. Naar de w...c
Gedverdemme.

Als je nu nooit bijkomt? Of als we nu vergaan? Ik heb nog steeds een zwemvest om. Jij hebt je overlevingspak nog aan. En één kist. De andere is overboord geslagen. Half Ilona. Half Tara. Half Lena? Ik moet huilen. Opeens. Want weet je, je moet wel van mij houden. Anders schrijf je toch niet zoveel over me? Wie zou er nou zoveel over mij schrijven?
Zelfs mijn eigen moeder weet niet meer zoveel over mij. Die heeft nooit fotoboeken gemaakt, verhalen verteld. Maar jij weet alles nog. En je hebt het nog opschreven ook.

Ik ga weer naar de wc. Ik houd het bijna niet vol hier, onder in het schip. Hoelang duurt dit nog?

Liefs, Lena.

Datum en tijd:
Positie in de kaart:
Koers:
Snelheid:
Weer:

Ik hoor haar praten, in de verte. Mijn hoofd tolt. Waar ben ik? Niets is vast. Alles lijkt doorzichtig. Alsof ik nog steeds onder water ben.
Langzaam focus ik. Ik zweet, ik lig nog steeds in mijn pak. Maar wel in bed? Of toch in het water? Was Ilona niet hier? Ja, ze was hier.
Ik droomde over haar. Hoelang heb ik geslapen? We zwommen samen onder water. Ze is niet ouder geworden, ze is nog steeds veertien. Raar, af en toe had ze mijn gezicht. En daarna duikelde ze rond en toen ze opkwam, had ze Lena's gezicht. Ik wilde haar aanraken. Maar ze was heel ver weg. Hoe hard ik ook zwom, ik kwam niet bij haar.
Het was zoals het was toen ze net dood was. Toen ik zwijgend in bed lag te verdrinken. Toen was ze ook zo dichtbij. Ik voelde haar, ik kon haar zelfs bijna ruiken. Aardegeur, paardenmest, chocolademelk, hooi. En zoet water. Zoet regentonnenwater.
Lena pakt mijn hand. Ja, het is Lena. Of toch Ilona?
'Je moet iets eten,' zegt ze. 'Ga maar rechtop zitten.'
Of is het mijn moeder? Die wil dat ik uit bed kom. Ik mis mama. Wanneer zie ik haar weer? En papa. Ik zie hem weer zitten, naast mijn bed, net nadat Ilona verdronken was. Zo lief, zo zacht. Papa, ik mis je.
Ik ril, ik heb het koud en warm tegelijk. Mijn hoofd bonkt. Lena zet haar armen onder mijn armen. Met nog iemand. Wie is dat? Is dat een dokter? Is hij de dokter met de bril, die mijn o komt afpakken?

Ze zetten mij rechtop. De dokter voelt mijn pols, mijn voorhoofd.
'Can you see me?' vraagt hij.
Ik zie hem vaag. Dikke kop. Zweetgeur. Bieradem.
Mijn neus is wakkerder dan mijn ogen.
Lena komt op de rand van mijn bed zitten. Haar parfum, patchoeli, en groentesoep. Zout, vettig. Die geur maakt me wakker. Ze zet een lepel aan mijn lippen. Ik slurp het op. Warme golf in mijn buik. Ah. Zout. Ik proef elke zoutkorrel.
'We hebben het overleefd,' zegt Lena. 'De storm is voorbij. De fok is gescheurd. Al het servies is uit de kasten gevlogen, een anker heeft losgelaten, de bovenste bram hangt schuin, Frank heeft zijn enkel verstuikt. En iedereen is doodmoe. Maar we zijn er nog, Tara. We zijn er nog. Jij bent meer dan een dag bewusteloos geweest. Ik heb bij je gezeten. En ik heb je een brief geschreven. Hij ligt naast je. Als je er klaar voor bent, mag je 'm lezen.'
'Ilona was er ook,' weet ik uit te brengen. Het kost moeite, praten.
Lena knijpt in mijn hand. 'Ik weet het. Ik voelde haar ook.'

Datum en tijd: zaterdag 18 november,
dag 18 van de oversteek
Positie in de kaart: 14.45 N 58.42W
Koers: west
Snelheid: 5,2 knopen
Weer: heet, af en toe onweer, oostenwind 4

'Ik moet met je praten.' Lena gaat op de rand van het bed zitten.
Ik voel me beter, de dingen zijn weer scherpomlijnd, niet zo doorzichtig, mijn hoofd bonkt minder. Ik ga rechtop in mijn bed zitten, met mijn rug tegen de scheepswand. Op de grond ligt een eenzame kist, de andere is in zee verdwenen. Als ik weer beter ben, zal ik de andere erachteraan gooien.
'Dat hoeft niet, Lena,' zucht ik. 'Ik heb je brief gelezen. Het is niet jouw schuld.'
'O.' Lena lijkt een beetje in de war van mijn woorden. Ze opent haar mond en doet 'm dan weer dicht. We zijn even stil.
Dan zegt ze: 'Maar ik wil sorry zeggen voor alle dingen die ik heb gedaan.'
'Waarom deed je het, Lena?'
Ze haalt haar schouders op. 'Wie zal het zeggen.'
'Waarom Jitse?'
'Ik was in paniek door dat gedoe met Simon. Ik zocht een uitweg en Jitse bood zich aan. De nacht nadat wij hadden zitten praten, kwam hij mijn hut in. Simon was boven. We vreeën de sterren van de hemel.'
'We hadden toen net de mannen afgezworen. En opnieuw onze vriendschap bezegeld.'
'Klopt. Maar jij zei dat jullie alleen maar vrienden waren. En ik wist niet wat ik moest doen. Ik wilde van Simon af.

Dus nam ik maar weer een andere man, zoals ik dat altijd heb gedaan.'
'Waarom doen wij, als mensen, steeds dingen die we eigenlijk niet willen?'
'Ik weet het niet. Het was sterker dan ik. Ik wilde jou niet kwetsen. Maar toch deed ik het.'
'En hoe is het nu tussen jullie?'
'Het klikt. We hebben lol. Hij is lief. Liever dan andere mannen die ik heb gehad.'
Ik wil er iets tegen inbrengen, dat hij niet te vertrouwen is, dat ze ermee moet stoppen, maar het voelt oud.
'Er is iets wat ik zeggen moet,' zegt Lena, terwijl ze haar ogen van me losmaakt en naar het grijze tapijt kijkt.
'Gaat het over Jitse?'
'Daar heeft het wel mee te maken.'
Ik voel opeens weer iets in mij verharden. Mijn schouders kruipen omhoog. Mijn hart klopt gespannen. Ik knijp mijn ogen samen. Wat gaat ze nu vertellen? Wat is er achter mijn rug om gebeurd waar ik geen weet van had? Word ik nu weer bedrogen? De stemmen die na mijn bewusteloosheid naar de achtergrond zijn verdwenen, worden plots weer wakker. Ze bedriegt je. Je kunt haar niet vertrouwen. Je moet op je hoede zijn.
Ik kijk haar onderzoekend aan.
Dan wordt er op de deur geklopt en voordat ik iets kan zeggen, zie ik Jitse staan. Ik heb het gevoel hem tijden niet meer gezien te hebben. Hij kijkt me met zijn schuine lachje aan.
'Zo, jij ziet er al weer wat beter uit,' zegt hij.
'Dat kan ik van jou niet zeggen,' flap ik eruit. Hij heeft donkere wallen onder zijn ogen.
'Tja, iemand moet jouw gat opvullen op dek,' zegt hij lachend.

Daar had ik tot nu toe nog geen seconde over nagedacht. Dat mijn afwezigheid gevolgen heeft voor het team. Het doet me goed. Ik ben nodig.
'Heb je het al verteld, liefje?' vraagt Jitse, terwijl hij zijn hand op Lena's schouder legt.
Ze schudt haar hoofd en kijkt me niet aan.
Het groepsgevoel verdwijnt meteen weer. O ja, er is iets wat ik niet weet. Iets wat verteld moet worden.
'Wij gaan op Martinique van boord,' piept Lena.
'En we gaan samen varen op mijn schip,' voegt Jitse trots toe.
'En misschien gaan we ook wel trouwen,' zegt Lena.
'Dat is toch zeker?' vraagt Jitse nu opeens onzeker. 'Je hebt ja gezegd.'
Lena knikt. 'Ja, ik wil dat.'
'Trouwen?' vraag ik. 'Samen varen?'
Lena knikt.
In een mum van een seconde voel ik me opeens heel klein worden. Ik ben niet meer negentien, ik ben negen, drie misschien wel. Zij heeft iets wat ik niet heb. Zij heeft Jitse. Zij gaat met hem trouwen, varen – daar heb ik mijn hele puberteit over gedroomd. Zij hebben iets waar ik nooit bij kan. Ik sta erbuiten. Ik hoor er niet bij. Ik hoor er niet bij. Ik hoor er niet bij. Ik ben een mafkees. Een vrouw die Jitse niet wil. Hij trouwt met haar. Niet met mij. Mij heeft hij nooit gevraagd. Natuurlijk niet. En zij. Zij kiest voor hem. Zij hoort nu bij hem. Zij hoort niet bij mij. Zij zijn een stel en zij gaan van boord. Ze laten me hier alleen. Ze laten me in de steek. Ik moet het weer zelf opknappen. Zoals altijd.
STOP!
STOP!
STOP!

Ik weet niet waar die stem opeens vandaan komt. Is het Ilona? Was het Ilona?
STOP MET DIE GEDACHTEN!
Is het Vikram? Roept hij me?
DIT IS MAAR EEN VERHAAL!
Of ben ik het zelf.
Ben ik het zelf?
Ik stop mezelf.
Stop. Ik adem diep. Ja, maar hij heeft me bedrogen. En zij eigenlijk ook. Zij zien mij niet. Ik ben …
STOP. Niets doen, niet reageren. Stop met denken. Haal adem. Diep. Hoor het klotsen van de zee. Hoor je eigen hart kloppen. Het bloed stromen, je slapen bonken. Wees hier, nu. Niet toen. Niet toen. Nu is alles anders.
Kan ik dit horen zonder in oude patronen te vervallen? Kan ik hen samen laten zijn, zonder mezelf klein te maken? Zonder mezelf erbuiten te plaatsen? Zonder het persoonlijk te nemen?
Ik begin te lachen. Ja, dat is grappig. Ik neem hun boodschap persoonlijk. Als een aanval op mij. Alsof dat iets over mij zegt. Alsof ik niet goed genoeg ben. Het heeft niets met mij te maken. Ik ben compleet. Ik ben volledig. Ik ben Tara. Niet Lena. Niet Jitse. Niet Ilona.
Ik open mijn ogen en zie Jitse en Lena verwachtingsvol naar me kijken. Jitse leunt tegen de deurpost, Lena zit op mijn bed. Ze ziet er lief uit. Ik trek mijn kin wat in en kijk van Lena naar Jitse en van Jitse naar Lena. Ja, ze zouden een mooi echtpaar kunnen zijn. Maar het zou ook zo fout kunnen gaan. Dat ook. Dat hij haar bedriegt. Dat zij weer van de een naar de ander loopt. Maar dat is niet mijn zaak. Zij hebben hun leven. Ik het mijne. Ik ben niet afhankelijk.
'Ben je blij?' vraag ik.

Ze knikt. 'Wij horen bij elkaar,' zegt Jitse.
'Mooi,' zeg ik met een trillende stem. 'Dat is mooi.'
'Ben je niet boos?'
'Misschien wel. Maar dat doet er niet toe.'
Jitse kijkt me wat langer aan. Die ogen. Die ogen. Die ogen. Hij raakt me. Ik wil dat niet voelen. Bijna verhard ik weer. Bouw ik een pantser op. Het doet me niets. Hij doet me niets. Dan haal ik diep adem en zucht. Ik mag hem aantrekkelijk vinden. Dat mag. Ik kan hem laten gaan, zonder me af te sluiten. Dat kan. Ik glimlach naar hem en knipoog.
'Mooi doan,' zeg ik.

Datum en tijd: zondag 19 november, 13.00 uur,
dag 19 van de oversteek
Positie in de kaart: tien mijl van Martinique
Koers: west
Snelheid: 5,8 knopen
Weer: zonnig, oostenwind 5

'Land in zicht!' roep ik vanaf de voorplecht. Als ik mijn ogen samenknijp, zie ik grijze bergen aan de horizon. Geloof ik. Het is een zonnige dag en helder. De zee is blauwer dan ooit, de golven zijn lang. Met z'n vieren hangen we over de voorboeg heen en turen naar voren met de handen boven onze ogen.
'Nee, joh, dat is gezichtsbegoocheling,' zegt Lena.
'In principe zou je het land nu moeten kunnen zien,' zegt Robin. 'We zitten minder dan vijftien mijl van de kust. Zo ver kun je kijken op een heldere dag.'
Na het bericht van Lena en Jitse was ik het dek weer op gelopen, naar mijn wacht. Robin had mijn plek ingenomen. Frank zijn ogen lichtten op toen ik het stuurhuis binnenkwam. 'Je bent er weer! We hebben je gemist hier.'
'Ja,' zei Robin. 'Ik heb al zoveel over je gehoord, ik ben blij als ik een wacht met je mag draaien.'
Ik ben onderdeel van deze groep. Ik hoor hier.
'Geef dat roer dan maar aan mij over,' zei ik.
Het was heerlijk om weer het trillen van het schip te voelen. Om een roer in handen te hebben. Mijn eigen roer.
'Ja, ik geloof toch echt dat ik de vulkaan Martinique zie,' zeg ik.
'Nu zie ik het ook, kijk daar, een berg!' roept Lena.
Meteen kijken we allemaal weer naar de horizon.
'Ja, ja, dat is land,' roept Jitse.

‘We zijn er bijna,’ zegt Robin en hij slaat een arm om mij en om Lena.
We hebben het gedaan, we zijn een hele oceaan overgestoken.
Ik loop naar het achterdek. Ik wil nog even naar achteren kijken, met Vikram samen. Ik wil mijn laatste kist overboord gooien. Vikram zit met zijn ogen dicht tegen de mast aan geleund, zijn benen in kleermakerszit.
‘Als je naar voren kijkt, zie je dat er land in zicht is,’ zeg ik, terwijl ik naast hem ga zitten.
‘Ik hoef niet langer vooruit of achteruit te kijken. Ik kijk naar binnen.’
‘Wat zie je daar?’
‘Licht. Oneindig veel licht.’
Ik zucht en sluit ook mijn ogen.
‘Kun je me dat licht laten zien?’ vraag ik.
‘Richt je op het punt tussen je wenkbrauwen.’
Meteen als ik mijn aandacht naar dat punt breng, zie ik een lichtpaars schijnsel. Het maakt me rustig. Ik adem diep.
‘Lena en Jitse gaan trouwen.’
‘Dat weet ik.’
‘Tuurlijk.’
‘Wat ga jij doen als je thuis bent?’ vraagt Vikram.
‘Ik weet niet,’ zeg ik. ‘Misschien blijf ik wel een tijdje op land. Ga ik journalistiek studeren.’
Vikram legt even zijn hand op mijn arm. ‘Goed idee. Je kunt goed schrijven.’
Dan sluit hij zijn ogen weer en schommelt zachtjes heen en weer. Ik loop naar de reling en gooi mijn kist overboord, de schoen met de stalen neus vult zich met water en verdwijnt onder de oppervlakte. Dag stalen wilskracht.
‘Nu kan het rouwen pas echt beginnen,’ zegt Vikram. ‘Nu je

je verhaal hebt losgelaten, kun je het verlies voelen.'
'Ik vind het eng,' beken ik. 'Om te voelen zonder verhaal, zonder harnas, zonder kisten. Mensen kunnen mij kwetsen, bedriegen, verlaten. Ik weet niet of ik daar weer aan wil beginnen.'
'Je hebt geen keuze. Dit is het leven. Het grote, riskante leven.'
Ik spring op. 'Ik heb zin in champagne!'
'Heel goed.'
'Wil je ook een glaasje?'
'Heerlijk.'
Ik ren naar beneden. De rest staat al aan de bar te proosten.
'Waar was je nou?' vraagt Inge.
'Ik was even bij Vikram.'
'Bij wie?'
Ik raak geïrriteerd. 'Onze Indische gast natuurlijk.'
Iedereen kijkt me wat bevreemd aan.
'Ik denk dat ze nog een behoorlijke hersenschudding heeft,' lacht Jitse. 'Indische gast! Waar haal je het vandaan? Hebben we soms ook nog een Afrikaanse verstekeling?'
Snel pak ik twee glazen champagne van de bar en loop naar het achterdek.
'Vikram, champagne!'
Maar hij is er niet meer. Weg. Ik voel een soort paniek opkomen. Ik loop rond over het achterdek.
'Vikram?!'
Hij zou toch niet ...? Ik kijk over de reling. Is hij daar? Ik zie alleen maar water klotsen. Even word ik misselijk. Ben ik gek aan het worden? Ik zou hem toch niet, hij zou toch niet, ben ik ...
'Sommige mensen zien niets, anderen zien alles.' Het is Robin.

Ik kijk hem aan. 'Weet jij wie Vikram is?' vraag ik.
Hij knikt. 'Ik heb je met hem zien praten.'
'Maar Inge en Jitse zeggen dat ze niet weten wie hij is.'
'Het is een beetje zoals een horizon,' zegt Robin terwijl hij over het water staart en een slokje van zijn champagne neemt. 'Sommigen zien de bergen sneller opduiken dan anderen. Maar omdat anderen het niet zien, wil het nog niet zeggen dat het er niet is. Zij moeten alleen iets langer wachten of iets dichterbij komen.'
'Ben jij ook zo iemand? Die dingen snel ziet?'
'Zo zou je het kunnen noemen,' lacht Robin.
Lichtjes pakt Robin mijn hand. 'Kom,' zegt hij. 'Ze vieren beneden een feestje, en zonder jou is dat feestje niet compleet.' En hij neemt me mee naar het hart van het schip.

Dankwoord

Schrijven doe je niet alleen. Dit boek is mede dankzij mijn meelezers tot stand gekomen.

Ik bedank mijn collega's en coaches Jeanet van Omme, Linda Crombach en Janneke Jonkman voor hun professionele leeswerk en hun rigoureuze en daardoor behulpzame feedback.
Ik bedank Yvonne Lauwers voor haar uitzonderlijke redactie- en correctiewerk. Wies Borgers voor de precieze correctie van het gebruikte dialect in dit boek. Jitske Kingma voor het geloof in mijn boek en het uitgeven ervan. Leny Huneman voor het geduldig en zorgvuldig lezen van alle versies. Jan Huneman voor het meewerken aan de vormgeving. Jaya voor het meedenken over de diepere laag van het boek. Ik bedank al mijn proeflezers voor hun betrokkenheid: Eric, Marijke, Yvonne, Yark, Barbara, Sarah, Freya, Isabel, Foske, Ivet, Ingrid, Jet, Bram, Janne, Annemarie en hen die ik nu per ongeluk vergeet. En ik bedank alle mensen die een rol hebben in mijn leven en in dit boek en die snappen hoe hun en mijn verhaal langzaam fictie werd.
Ik bedank de plekken waar ik heb geschreven. De diverse huisjes op mijn favoriete schrijfeiland Terschelling, vooral het tuinhuisje van mijn ouders. Het atelier van Werk aan het Spoel in de ruime uiterwaarden van de Lek. Het stille Liobaklooster in de duinen van Egmond-Binnen. Het ruige Dharmaloca in de bergen van Spanje. De sfeervolle Bed & Breakfast Villa Masini-Luccetti in Toscane. En vooral het authentieke scheepsruim van de Marius.
Ik bedank de zee. Voor het eindeloze breken aan mijn voeten. Voor het dragen van mijn verhaal. Voor het zout in mijn bloed.
En ik bedank Eric en ons dochtertje Lotus. Voor het inluiden van een nieuwe fase.